アリエナイ

アリエナイ理科別冊

医学事典

改訂版

医学は商売や宗教や政治に利用され続けています。
現代でも医師が監修とか推薦とか謎の研究成果を根拠にした商品が売られていますが、
「コレは健康に良い」「コレは有害」と何かの話題に出てくるたびに
微量でも入っていれば健康食品で薬なので欲しがり、
微量でも入っていれば毒物で完全拒否の善悪二元論でしか
モノを考えられない残念な人たちが多いのが実情です。

毒を正しく使えば薬となり、薬を間違って使えば毒となります。

毒か薬かは、完全にその時の人間の都合です。
人間に無害または低害で細菌・ウイルス・がん細胞などに、
毒物として作用するものを「薬」と呼んでいるだけなのです。
「サリドマイド」は、血管新生阻害作用があるため胎児の成長を阻害して奇形にすると同時に、
がん細胞の増殖も阻害します。
同じ人間でもお腹の胎児には毒だけど、がん患者には薬なのです。

鉄鍋やサプリで鉄分補給を主張する商品は、すべて無害無益です。
なぜなら人間は過剰に鉄分を摂取すると、体内に蓄積して鉄分過剰で死ぬからです。
本物の医薬品の鉄剤には、過剰症を起すので不足していない患者に与えないように書かれています。
人間の必須栄養素は、足りなくても死ぬし多過ぎても死ぬのです。

本当に鉄鍋から大量の鉄分が溶け出しているなら、
法律で禁止しなければ過剰症で大量の死人が出ていることでしょう。
実際に大量の死人が出た事件も起きています。
規制されないのは、鉄鍋が鉄分の摂取に何の効果も影響も無いからです。

医師が自由診療でやっている、健康に良いとされる行為はすべて無害無益です。
本当に健康に影響するほど体に大きな作用を及ぼすものなら大きな副作用があるので、
利益と危険が表裏一体になります。
本物の医師はそれが分かっているので、
無害無益な行為をあたかも有益であるかのように見せて売っているだけなのです。

「ホメオパシー」が分子1個も残らないまでレメディを薄めるのも、
本当に病状を引き起こす有毒成分が微量でも残っていたら犯罪になるからです。
最初は無害な微量の毒物になる程度に薄めるだけだったのに、
微量の毒だと犯罪になるので完全に水にするために繰り返して薄めたものほど効くと屁理屈をこねて
無害無益にしてから有益なふりをして売っています。

科学はあらゆる量を加減することによって人間の利益になる状態を作り出す行為であり、
多過ぎても少な過ぎてもダメで適量でバランスを取るのが正しい科学です。

疑似科学は無害無益なものに効果があると嘘をつき、
大量に使うほど良いと喧伝し売りつける商売で、「水素水」みたいな水売りがその代表例です。

イエスが奇跡を起したことを、
自然・病・罪・悪霊・死に対して支配する権威を持っている根拠にして、
キリスト教会は猛威をふるい続けました。
ここで重要なのは皆に信じさせる力である権威を持っていても、
強制的に治せる権力は持っていなかったことです。
奇跡を起こせるのは聖人だけで、ローマ法王も司祭も牧師も奇跡は起こせません。
いくら祈っても聖人でない凡人に奇跡は起こせないので、病気は治りません。

21世紀になって医学が発達した結果、長年にわたって売られてきたタバコは
百害あって一利無しであることが判明して、世界的に拒否されるようになっています。
しかし、根強い愛好者と巨大権益の団体によって絶滅していません。
最近はアルコールも有害性ばかりで、飲んでも健康に悪いことしかない研究成果が
詰み上がっているものの、利権が大き過ぎて規制される見込みはないでしょう。
ダメな統計の代表例にまでなってしまった赤ワインは、
健康に良いと販売業者は宣伝し続け、酒飲みはそれを信じ続けています。
ポリフェノールが健康に良いならアルコールを抜いたワインを飲めばいいのに、
なぜか皆アルコール入りを飲んでいるのです。
結局のところ、自分の好きなものと売りたい商品に害なんか無い、
健康に良いんだと免罪符を貼り付けているだけなのです…。

医療は医者が患者と診療契約を結んで売られる商売なので、商業活動と切り離せません。
医療は宗教が権威を持つ病と死を支配する力を持つために、宗教と対立します。
医療は巨額の公費を使い人の健康と生死に関わるため、政治で争われる問題になります。
効果が無いことを証明するのが非常に困難なので、
既得権益が出来上がってしまうと無益なものが永遠に売られ続け、
害が無いことを証明するのも非常に困難であるため
有害のレッテルを貼られたものは忌避され続けるのです。
そして、完璧に証明されても人間は自分の信じたいものしか信じないので言う事を聞きません。

オカルト医学は、嗜好・商売・宗教・政治によって生まれた忌み子なのです。

本書は医学の中でも特に変な題材ばかりを扱っている、
正しい医学と狂った医学の隙間に生息するアリエナイ医学の本です。

薬理凶室
亜留間次郎

Topics [KARTE No.001〜011]

※本書は、Webサイト「TOCANA」「アリエナイ理科ポータル」「ブロマガ」「mitok」、及び月刊『ラジオライフ』と既刊の「アリエナイ理科」シリーズに掲載された記事を再編集したものです。そのため、現在は記事掲載時と状況が変化している場合がありますのでご了承下さい。

※薬は用法・用量を守って使用して下さい。処方された薬は医師や薬剤師の指示にきちんと従いましょう。何か異常に気づいたら、速やかに担当の医師や薬剤師に相談して下さい。

※本誌の記事は、再現性を保証するものではありません。記事内容を実行し事故やトラブルなどが起こっても、筆者及び編者部では責任を負いかねます。また、非合法的な目的での記事の利用は堅くお断りします。

アリエナイ理科シリーズ一覧

図解アリエナイ
理科ノ教科書
定価：本体1,714円＋税
2004年3月発行

デッドリー
ダイエット
定価：本体1,429円＋税
2005年9月発行

図解アリエナイ
理科ノ教科書ⅡB
定価：本体1,800円＋税
2006年7月発行

図解アリエナイ
理科ノ工作
定価：本体1,800円＋税
2007年8月発行

図解アリエナイ
理科ノ教科書ⅢC
定価：本体1,886円＋税
2009年6月発行

闇の医学史 [KARTE No.012～023]

Contents

アリエナイ
工作事典
定価:本体2,000円+税
2021年4月発行

アリエナイ
毒性学事典
定価:本体1,800円+税
2022年6月発行

アリエナイ
理科ノ大事典III
定価:本体2,200円+税
2023年3月発行

第二次世界大戦中にイギリス軍が流したデマが元だった!?

ブルーベリーが目に効く説の真実

「ブルーベリーは目に良い」とよく言われるが、その説には裏があった。実は戦争に勝つために流された嘘情報だったのだ…！　しかも当時は、別の野菜の効果として宣伝されていた。

「ブルーベリーに含まれるアントシアニンが目に良い」という話を、第二次世界大戦の逸話として聞いたことがある人も多いでしょう。「イギリス空軍のあるパイロットの好物がブルーベリージャムで、そのおかげで夕暮れでも物がはっきりと見えた」というものです。

　しかしこの宣伝文句は、実はレーダーの性能を敵国ドイツに知られないようにするための方便でした。しかも、その当時、夜目に効果があるとされていたのは「ニンジンのカロチン（ビタミンA）」であり、ブルーベリー（のアントシアニン）ではなかったのです。

　あの時代、「ビタミンAを大量に摂取すると夜間視力が向上する」という説は、世界的に支持されていました。日本軍もビタミン注射などを採用していたほどです。そしてイギリスは、灯火管制で真っ暗だったため夜目が利くことが重要とされており、国を挙げてニンジンを食べるようキャンペーンを行っていました。「ドクター・キャロット」なんていうゆるキャラも存在していたんです。

DOCTOR CARROTのポスター
イギリスの帝国戦争博物館（https://www.iwm.org.uk/）に保管されている。
キッズたちにもアピールしていたようだ

第二次世界大戦中のポスター
アメリカ国立公文書記録管理局（https://
www.archives.gov/）に保管

Memo:

ブルーベリーが目に良い説は、今や"常識化"。その効果を匂わせるサプリが多数発売されている。しかし、その医学的根拠は無い。本当に効くなら健康食品メーカーではなく、製薬会社が医薬品として売るはずだ。そもそも目に良いとされたのは、ブルーベリーのアントシアニンではなく、ニンジンのカロチンだったという点からして…

　そんな中、イギリス空軍は、夜間戦闘でドイツの爆撃機を多数撃墜するという戦果を挙げ始めます。これ、本当はレーダー性能が向上したおかげなんですが、敵国ドイツに悟られないようにするため、「ニンジンのおかげで夜目が利く撃墜王がいる」という宣伝を行ったのです。この時、英雄に祭り上げられたのが「猫目のカニンガム」こと、ジョン・カニンガムです。オーストラリア国立図書館のデータベース「Trovo」では、1952年3月14日の新聞に「第二次世界大戦中で最も成功した嘘において主役を演じた」と書かれているのを確認できます。また、『Deceiving Hitler: Double-Cross and Deception in World War Ⅱ』という本によると、これらの嘘情報作戦は、イギリスの諜報機関「オプスB（Ops B）」のジャービス・リード大佐が指揮を執っていたそうです。

　現代医学においても、ビタミンAやビタミンB群は目にとって必要な栄養素であるとされています。特にビタミンAは、欠乏すると夜盲症の原因になる可能性が。しかし、たくさん摂取したからといって、

「News」1952年3月14日の記事
オーストラリア国立図書館のデータベース「Trovo」（https://trove.nla.gov.au/）参照

JOHN 'CAT'S-EYES' CUNNINGHAM
THE AVIATION LEGEND
イギリス空軍の英雄、「猫目のカニンガム」についての伝記

PubMed
https://www.ncbi.nlm.
nih.gov/pubmed
科学や医学に関する世界最大の論文データーベースで検索すると、ブルーベリーの効能を否定する近年の論文がたくさん見つかる。プラセボ効果は期待できるとされるが…

元の視力以上に能力が向上するわけではありません。

 ## 論文で否定されている「ブルーベリーの目への効果」

　さて、それではニンジンがブルーベリー（具体的にはその一種である「ビルベリー」）の伝説にすり替わったのは、いつのことなのでしょうか？　このネタ元を必死に探してみたのですが、残念ながら具体的なことは突き止められませんでした。

　ただ、世界最大の論文データーベース「PubMed」で、「Bilberry＋eye」「Buleberry＋eye」を検索すると、21世紀に書かれたブルーベリーの効能を否定する論文がたくさん見つかります。例えば、2014年の論文「Blueberry effects on dark vision and recovery after photobleaching: placebo-controlled crossover studies.」では、夜間視力のブルーベリー効果はプラセボであると結論づけていました。21世紀になって、このような論文がたくさん登場するようになった理由は、「ブルーベリーが目に良い」という "常識" が、世間で幅を利かせるようになってきたからでしょう。特にサプリメントなどはどんどんエスカレートしており、疲れ目はもちろん、近視・乱視・緑内障・白内障などにも効果があるかのように匂わせる表現が使われている始末。ですが、そこに医学的なエビデンスはありません。当然ながら、当局の認可を受けたり、「医薬品」を名乗ることはできないのです。

　ちなみに、第二次世界大戦当時、ニンジンの嘘に騙されたのかどうかは定かではありませんが、ドイツはもっとすごいものを作ってやろうと研究に取り組んだようです。その結果、マリーゴールドの花びらから抽出したヘレニエンという色素に、明暗順応効果があることを突き止めました。バイエル薬品の

Memo:

「アダプチノール錠」は、このヘレニエンを主成分とした目の薬です。承認薬となって市販が開始されたのは1951年と戦後になってからですが、2020年の現在も日本の厚生労働省も含め、世界的に認可されています。アダプチノール錠は、ちゃんとしたエビデンスのある医薬品として使われ続けているわけです。

 ## ブルーベリーに関する最近の研究成果

　ブルーベリーを一方的にくさしただけで終わるのもなんなので、「BMJ（ブリティッシュ・メディカル・ジャーナル）」に掲載された論文（2013年8月29日公開）を紹介しておきましょう。それは「Researchers find link between blueberries, grapes and apples and reduced risk of type 2 diabetes」（ブルーベリーを食べた方がブドウやリンゴを食べるより2型糖尿病のリスクが低下する）というものです。

　この論文によると、ブルーベリーを毎日食べている人のハザード比（何もしない人を1として比べた場合の平均死亡率）は0.74で、ブドウやリンゴを食べる人に比べて低い値を示しています。論文によると、果物ごとのハザード比は以下の通りです。

　というわけで、糖尿病が気になる人は、ブドウやリンゴやイチゴやメロンを食べるよりは、ブルーベリーを選んだ方がマシかもしれません。とはいえ、当然、バランスの良い食生活を心がけることが大事です。ブルーベリーばかり大量に食べるといった極端なことをしては意味がありませんよ。

糖尿病のリスクに関する果物ごとのハザート比

ブルーベリー	0.74
ブドウ・レーズン類	0.88
プルーン	0.89
リンゴ・洋ナシ類	0.93
バナナ	0.95
グレープフルーツ	0.95
ピーチ・プラム・アプリコット	0.97
オレンジ	0.99
イチゴ	1.03
赤肉メロン	1.10

バイエル薬品アダプチノール錠

マリーゴールドの花びらから抽出したヘレニエンを主成分とした目の薬。網膜に作用して、暗所でモノを見えやすくする働きがある

「飲むと骨が溶ける」説の実態に迫る

コーラと骨の関係

みんな大好きなコーラ。でも、子供の頃に大人から「飲むと骨が溶けるぞ！」などと脅された経験がある人も少なくないのでは？　本当のところはどうなのか調べてみた。

　多くの人が、「コーラを飲んでると骨が溶ける」と言われがら育ってきたのではないでしょうか。そしてほとんどの人は、そんなことを気にせずコーラを飲み続け、それでいて、特に骨が溶けたという実感など無かったハズです。ということは、やはりコーラで骨が溶けるというのはただの都市伝説、迷信に過ぎないのでしょうか？

　しかし、ことはそう単純ではないんです。コーラには、あの独特の渋みを伴う酸味を表現するために、「リン酸」という添加物が使われています。このリン酸は、摂り過ぎると骨の合成にとって良くない影響があるかもしれないといわれているのです。

　「公益財団法人骨粗鬆症財団」のWebサイトを見てみると、「コーラにはリン酸が多く含まれており、カルシウムの吸収を妨げるので、あまり大量には飲まない方が良いでしょう」と、いきなり結論的なことが書かれています…。

　そもそもの話ですが、リン酸（を構成するリン）は、すべての生物にとって必須なミネラルです。カルシウムと結合して骨や歯を形作っているほかにも、DNAやATP（アデノシン三リン酸）などで生命の維持に重要な役割を担っているんですね。

　そんな大事なリンを、なぜ摂り過ぎると良くないのでしょうか？　公益財団法人骨粗鬆症財団のサイトでは、以下のように説明しています。

> リンはカルシウムと仲がよすぎて、すぐ一緒になってしまうのです。骨の中でも、リンとカルシウムはリン酸カルシウムとして結晶になっています。大量にリンを摂り、腸の中でカルシウムとくっついてしまうとやはり結晶になるので、腸管に吸収されて体の中には入らず、そのまま便に混じって出てしまいます。そのため、リンを取りすぎるとカルシウムの吸収の邪魔をするのです。ですからリンは摂り過ぎない方がよく、カルシウムの2倍ぐらいまでが良いとされています。

　リンは、いろいろな食物にふんだんに含まれているので、普通に食事をしていれば必要な量はほぼ足りてしまうようです。2015年の「国民健康・栄養調査」によると、栄養素等摂取量（1歳以上、男女計、年齢階級別）は、「カルシウム517mg、リン990mg」となっています。この調査では食品添加物とし

Memo:

リンとカルシウムの摂取比率を教えてください。また、リンのほかにたんぱく質や食塩もカルシウムの吸収を阻害するのでしょうか

リンはカルシウムと仲がよすぎて、すぐ一緒になってしまうのです。骨の中でも、リンとカルシウムはリン酸カルシウムとして結晶になっています。大量にリンを摂り、腸の中でカルシウムとくっついてしまうとやはり結晶になるので、腸管に吸収されて体の中には入らず、そのまま便に混じって出てしまいます。

そのため、リンを取りすぎるとカルシウムの吸収の邪魔をするのです。ですからリンは摂り過ぎない方がよく、カルシウムの2倍ぐらいまでが良いとされています。しかし、この基準は厳密なものではなく、カルシウムの吸収率はいろいろな影響をうけますので、3倍ぐらいでも差し支えない場合もあります。リンは肉、魚のほか、牛乳や清涼飲料水にも入っているため、自然に多めに摂ってしまいます。

なお、たんぱく質も食塩も大切な栄養分で、ある程度の量は必要ですが、たんぱく質で1日80グラム以上、食塩10グラム以上など、摂りすぎるとカルシウムを尿の中に出してしまいます。とはいえ、適量であればカルシウムの腸からの吸収にはあまり影響しません。むしろ適当な量のたんぱく質はカルシウムの吸収を助けるので、バランスの良い食事を心がけましょう。

▲ 質問INDEXに戻る

公益財団法人骨粗鬆症財団　http://www.jpof.or.jp/faq/faqprevention/
リンとカルシウムの関係について説明されている。なお、タンパク質や食塩の影響に関しての記載もある

てのリン酸の量は加算されていないため、実際のリン摂取量はこれより多いと予想されます。現状、我々は、カルシウムの2倍以上のリンを摂取している感じなんですね。

 コカ・コーラ社による反論

というわけで「コーラで骨が溶ける」問題で大きな部分を占めるのは、酸味料に使われている「リン酸」を大量に摂取するとカルシウムの吸収を阻害し、骨密度を下げる原因となる可能性があるかもしれない…、ということのようです。しかし、当然ながらコカ・コーラ社はそれを否定。コカ・コーラ社は「飲料アカデミー」という公式サイト内のページにて、栄養と骨の健康の専門家であるRobert P. Heaney先生へのインタビュー記事を掲載し、以下のコメントをもらっています。

（Robert P. Heaney先生）私たちが実施したカルシウムと代謝の研究で、コーラ飲料に含まれるリン酸は尿中カルシウム損失に対してまったく影響を及ぼさないことが明らかになっています。

Robert P. Heaney先生の論文は「Carbonated beverages and urinary calcium excretion.」です。この論文の趣旨は、「尿に排出されるカルシウムの量は、コーラを飲んでも変わらなかった」というもの。なので、骨密度が減少していたかどうかは測定していません。最も知りたい部分についての回答ではないのです…。

コーラと女性の骨密度に関する論文

一方、コーラと骨密度の関係について調査した論文「Colas, but not other carbonated beverages, are associated with low bone mineral density in older women: The Framingham Osteoporosis Study.」も存在します。この論文では、年長の女性において、コーラの摂取は低BMD（骨密度）と関連していると結論づけられています。

具体的な要点は、以下の通りです（「サービング（serving、SV）」は、食事の提供量を示す単位。当論文では「消費量は週あたりの平均サービングを測定。1サービングは1グラス、1缶、または1ボトルと定義した」とある）。

- 1971〜2001年までに行われた6サイクルの骨粗鬆症についての調査データから、男性（年齢：59.4±9.5）1,125人、女性（年齢：58.2±9.4）1,413人を対象に分析
- 女性の大腿骨頸部の骨密度が、コーラを飲まない人は0.89g/cm²だったのに対し、週に1〜3サービング飲む人は0.87g/cm²、3〜7サービング飲む人は0.865g/cm²、7サービング以上飲む人は0.855g/cm²だった

Robert P. Heaney先生の論文
「Carbonated beverages and urinary calcium excretion.」
Am J Clin Nutr. 2001 Sep;74(3):343-7.
https://www.ncbi.nlm.nih.gov/pubmed/11522558

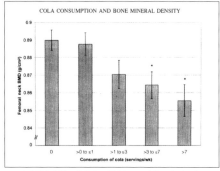

コーラを飲む女性は骨密度が減少していたというデータ
「Colas, but not other carbonated beverages, are associated with low bone mineral density in older women: The Framingham Osteoporosis Study.」参照
https://www.ncbi.nlm.nih.gov/pubmed/17023723

Memo:

コーラ飲料には、240mLで25〜40mg
の酸味料としてリン酸が含まれている。同
量のオレンジジュースには27mg、牛乳は
232mg。また、30gの殻付きピーナッツ
には113mg、チェダーチーズには145
mgが含まれているという（コカ・コーラ社
「飲料アカデミー 飲料が骨に及ぼす影響の
有無を検証。」参照）

・コーラ以外の炭酸飲料では、有意な差は見られなかった
・男性については、有意な差は見られなかった

　年長の女性においては、コーラを飲むと骨密度が下がるという結果が得られたとのこと。この論文で
は「さらなる調査が必要」としながらも、「骨粗鬆症の懸念がある女性は、コーラの常飲は避けた方が
いいかもしれません」とまとめていました。

結局のところどうなのかというと…

　コーラの摂取と骨密度の減少の関係は、否定論と肯定論が交錯しており、減少と関係があるとするデー
タが存在することも確か。とはいえ、それらの論文を踏まえたとしても、バカみたいに「常飲」する
レベルでなければ問題はないといえそうです。よくある結論になってしまいますけど…。

　ちなみに、コーラ以外にどんなソフトドリンクにリン酸（またはリン）が含まれているのか、気にな
った人もいるでしょう。アサヒ飲料やサントリーは公式サイトに自社製品の栄養成分を公開しているの
で、確認してみて下さい。

　炭酸飲料としては、コーラ系に100mLあたり約20mg程度含まれています。それ以外の炭酸飲料だ
と1mg程度入っていることもあるくらい。また、コーヒー・乳飲料・野菜ジュースなどにもリンは結
構含まれていますが、これらを先述の「コーラと骨密度の関係」の論文にそのまま当てはめたりしない
ようにして下さいね。

　決まりきった話ですが、普段からバランスの良い食事を心がけ、カルシウムなど必要な栄養素をしっ
かり摂取することが重要です。その上で、コーラは適度に楽しみましょう。

KARTE No. 003

リアル『JIN-仁-』としか考えられない史実が発覚！

5,000人の未熟児を救った男

現代の脳外科医が幕末にタイムスリップして、最新の医療知識にて多くの患者を救った物語『JIN-仁-』。1900年頃のヨーロッパに、それを彷彿とさせる事実があった。事実は小説より…。

　1900年以前は未熟児は先天性疾患のように考えられ、育たないで死ぬか、育っても虚弱児になってまともな職には就けないと考えられていました。そのため、親は生まれた子供が未熟児だと捨てたり殺してしまうことが多く、当時の産婦人科や助産所はそうした「育つことができない子供」の処分を親から請け負う仕事もしていたのです。

　マーティン・アーサー・クーニーというドイツ系ユダヤ人の医師は、そうした病院で処分される子供を救おうと考えました。未熟児を生かし続ける生命維持装置を、1896年に開催されたベルリンの「大産業博覧会」に出展したのです。その装置は、鶏の卵を人工孵化させる孵卵器から名前を取って、「インキュベーター」と名付けられました。

　「この装置は、自分の師匠であるピエール・コンスタント・ブディンの師匠にあたる、高名なフランス・パリ医大の教授＆産科医のステファン・エティエンヌ・タルニエが開発したものだ」と、クーニーは主張しました。現代医学でも保育器の英語名がインキュベーターなのはこれが由来なのですが、『魔法少女まどか☆マギカ』に出てくる「キュゥべえ」とは無関係です。

赤ちゃんを抱くマーティン・クーニー（「Smithsonian.com」参照）

コニーアイランド遊園地には、現在もクーニー医師の写真が展示されている（「Cony Island History Project」参照）

Memo:
参考文献・画像出典など　● 「Smithsonian.com」https://www.smithsonianmag.com/
● 「Cony Island History Project」https://www.coneyislandhistory.org/hall-of-fame/dr-martin-couney

インキュベーター
通常の環境では育つのが難しい未熟児を入れて保護する保育器。適切な温度や酸素濃度で管理し、成育をサポートする。マーティン・アーサー・クーニーが、1896年に開催されたベルリンの「大産業博覧会」に出展したのだが、クーニーには謎が多く、その発明者も正確には不明だ

　クーニーは、未熟児に人工ミルクを与えその装置内で保護しながら育てたものの、ベルリンでは特に関心を集めることもできず、インキュベーターは広まりませんでした。しかし、彼はそれで諦めず、世界中の展示会や博覧会を回ります。1897年にイギリス・ロンドンの「アールズコートエキジビションセンター国際展示会」、1898年にアメリカネブラスカ州で開催された「ミシシッピ州横断博覧会」、1900年にはフランスの「パリ万国博覧会」、1901年にアメリカ・ニューヨークで開催された展示会…と世界中で保育器と未熟児の救命活動を熱心に行ったのですが、成果は上げられませんでした。当時の社会常識では、未熟児は医学的な問題というよりも、キリスト教的な宗教問題と考えられており、死産と同じ扱いを受けていたからです。

　そこで1903年、クーニーは病院で処分される子供を引き取って、アメリカニューヨーク市ブルックリン区の南端にあるコニーアイランドの遊園地で見世物小屋を始めました。2020年現在も営業しているニューヨークの有名な遊園地です。彼はその未熟児らを遊園地で見世物にして、25セントの見物料を取り、医療費に当てました。そして、5,000人もの未熟児が無事に育ち親元へと帰されていったのです※。「未熟児は育たない」という当時の常識を引っくり返してしまったわけです。

　未熟児を見世物にすることは当時から反対意見もありましたが、人権意識が低く社会保障制度も未発達だったため、生きられないと見捨てられていた未熟児の医療費を稼ぐには他に方法はありませんでした。見世物小屋に来た見物人も、最初は醜い怪物を見に来たつもりだったのに、未熟児が元気に育っていくのを見ていくうちに必死で応援するようになったそうです。最後には彼の見世物を笑う人間は誰もいなくなり、見物料は子供を助けるための募金のようになり、未熟児に適切な医療を行うことは社会常識になりました。そしてインキュベーターは多くの産婦人科や小児科で導入されるようになり、未熟児でも適切な医療が受けられるように社会全体が変わっていったのです。もしクーニーがいなかったら、一体何万人の未熟児が親にも医師にも見捨てられて死んでいたか分かりません。

　また、彼は母乳提供者が飲酒喫煙することの有害性を熟知していて徹底的に排除しており、看護婦にも勤務中の喫煙を厳しく禁止していました。今では信じがたいことですが、当時はタバコやアルコールの有害性が認識されておらず、看護婦でも医師でもタバコをくわえながら仕事をすることが普通だったのです。年齢制限という概念も希薄で、子供を寝かしつけるためにミルクにアルコールを入れることが

※救った子供の人数には諸説あり6,500～7,000人ともいわれているが、コニーアイランド遊園地は5,000人を公式設定としているのでそれに準じた。

"生活の知恵" として婦人雑誌に載っていたレベルなのですから…。

　1940年代には未熟児に適切な医療を行うことが社会常識となり、彼の見世物小屋に子供を預ける親はいなくなりました。1942年に見世物小屋は閉館となり、クーニーは1950年に貧困の中で亡くなっています。未熟児でも生き残れるようにと、社会常識を変えて医療制度すら変えてしまった偉人ですが、自分が不要になった社会に満足して死んでいったのか、その死に顔を知る者はいません。

インキュベーター発明者の謎

　1950年に貧困の中で彼が亡くなった後に、クレア・プレンティスという作家がフランスとドイツへ渡り、クーニー医師がどんな人物だったのか調べました。すると、経歴はすべて詐称であり、医籍にも登録されていなかったことが発覚。世界中が驚くこととなりました。

　彼はフランスの小児科医ピエール・コンスタント・ブディンの弟子を自称していましたが、ブディンの他の弟子に聞いても誰もクーニーを知りません。また、彼がアメリカに移民する時に提出した経歴はすべて嘘であり、卒業したと称していた学校に問い合わせても在籍していた記録は一切無く、誰も彼のことを知らなかったのです。さらに、出生地に行っても、彼の生まれた家も家族も親戚も存在せず、出生記録もありません。本当の出生地はおろか、生年月日すら不明なのです。

　クーニーはドイツ系ユダヤ人を自称していましたが、私生活でユダヤ教の戒律を守っていた様子はないようで、ユダヤ教徒だったのかどうかすらも怪しいといわれています。当時、ユダヤ人は独自の隔絶したコミュニティを持っていたため、ユダヤ人を自称することは経歴を隠すのに都合が良かったのかもしれません…。

　クーニーが初めて公の場に姿を現したのは、1896年のベルリンの大産業博覧会で保育器を展示した時ですが、当時は1860年生まれの36歳を自称していました。後にコニーアイランド遊園地で見世物小屋を始めた時は、1870年生まれと自称しています。もし1870年生まれだとすると、1896年のベルリン博覧会時点では26歳ということになり、医師としては若過ぎます。

　そして、高名な医大教授の孫弟子というクーニーの華々しい経歴がすべて嘘だったことで、インキュベーターが本当にタルニエ教授の発明なのかも疑問視されています。ベルリン大産業博覧会の開催当時、タルニエ教授は既に隠居していて翌年には死亡しており、その弟子であるピエール・ブディン（50歳）が博覧会に参加した記録もありません。

　タルニエ教授は当時から非常に高名な人物でした。名門医大の権威ある教授であり、「タルニエ鉗子」など現代でも使用されている医療器具の発明者でもあります。当時は懐疑的にみられていたセンメルヴァイス医師が提唱した手洗い消毒を徹底的に導入して、パリの妊婦の死亡率を激減させました。これらの功績を称えられてタルニエ教授の著書は、フランス産婦人科医の標準ガイドラインとなり、パリのアサス通りには現在も記念碑が残っているほどの名医です。

　そんな偉大な人物が発明したインキュベーターが長年注目されず、受け入れられなかったというのも

おかしな話で、タルニエ教授がインキュベーターを発明したという証拠やパリ医大で使用していた記録もありません。そもそも、タルニエ教授がインキュベーターの発明者だと主張していたのは、当時からクーニーだけでした。現在では世界中で使用されている道具にもかかわらず、インキュベーターの真の発明者は誰なのか、今なお謎に包まれているのです。

 ## クーニーの正体はタイムスリッパー!?

しかし、偽医者と呼ぶにはクーニーの医学知識は当時の水準をはるかに上回るレベルでした。そこから考えられるのは…、彼は未来からタイムスリップしてきた小児科医だったのではないでしょうか？インキュベーターはタイムスリッパーのクーニーが未来から持ち込んだと考えるのが自然なのでは？

その場合、タイムパラドックスが起きており、インキュベーターには発明者が存在しないということに。本当にインキュベーターの名前の由来が、キュゥべえなんじゃないかと疑いたくなってきます（笑）。

前述の通り、クーニーの生年月日は時期によりバラつきがあり、1860〜1870年まで10年も幅があるのです。1860生まれだとすると没年齢は90歳になり、当時としては異例の長寿の上、80歳を超えても遊園地で見世物小屋を開催していたことになります。現代基準で考えても異常なほど丈夫な高齢者です。生年月日はどの説を採用しても活動期間が異常に長く、クーニーのミステリーになっています。もしも、タイムスリッパーなら実年齢はもっと若かったのかもしれませんね。

彼の偉業は『コニーアイランドの奇跡（Miracle at Coney Island）』という本にまとめられているので、英語が読める人にはお勧めです。

『コニーアイランドの奇跡（Miracle at Coney Island）』

Claire Prentice
Webサイト
https://claireprentice.org/martin-couney/
『コニーアイランドの奇跡』の著者であるクレア・プレンティスのWebサイト。クーニー医師の写真などが掲載されている

兵役逃れのためわざと病気にさせる…

闇医者のお仕事

闇医者といえば、名作『ブラック・ジャック』を思い浮かべるだろう。しかし、現実の闇医者は医師免許を持ち、秘密の仕事依頼があった時だけ高額な報酬で裏の仕事を引き受けるのだ。

闇医者は健康な人間を病気にする、本来の医療とは逆の仕事を行います。これは韓国など徴兵制度がある国での、実際にある仕事です。兵役逃れをするために、兵役免除になるほどの難病だと検査する軍医に誤診させます。兵役逃れのためにあらゆる不正が横行している韓国では、検査する医師も不正を見抜くことに長けているため、下手な工作では通用しません。

マフラーを巻いた某韓流ドラマのスターは、視力が極度に悪いために兵役免除になったそうですが、目の手術で故意に視力を下げることも医学的には可能。そして、後で元に戻すこともこれまた可能です。ただし、兵役逃れに対して厳しいまなざしが注がれる韓国では、コレをやってしまうと表向き目が悪い人物として生き続けなければならず、一生運転免許を取得できなくなり、クルマの運転ができなくなります。当然、就職する時には視力制限のある仕事にも一切就けなくなってしまうというデメリットも。視力が回復したとして、一連の症状が故意によるものであるとバレたら兵役行きなので、「治った」とは絶対に人に言えないし、運転免許を取ってしまうと兵務庁に通報されます。

✓ 兵役検査のごまかし方をシミュレーション

視力に比べ、デメリットが少ないのが腎臓疾患ですが、後で再検査があり、治っていたら兵役行きです。兵役検査で不合格となるには、一生治らない慢性腎臓病（CKD）の診断基準を満たす検査結果を出さなければなりません。そのためには血液検査で、BUN（血中尿素窒素）とCr（血清クレアチニン）が高い値を示し、尿検査で尿蛋白＞30mg/dl、eGFR（推算糸球体濾過量）＜30の状態が3か月以上持続する必要があります。サプリメントとして普通に売られている○○○○○○と○○○○○を大量に飲めば、簡単に血液中のBUNとCrが高くなって血液検査で異常が出ますが、ここで難しいのが血液中のクレアチニン濃度。血液中の濃度は高く、尿中の濃度は低くなければなりません。eGFRは尿中の血清クレアチニン値と年齢と性別から計算されるので、単純に血中濃度を上げてしまうと尿中濃度も上がってしまい、単なるサプリの飲み過ぎとバレてしまい、腎臓病とは診断されません。血液中の濃度が高く、尿中の濃度が低いのは、腎臓が機能しておらず尿として体外に排出されず、血液中に溜まっているためと考えられるからです。

Memo:

兵役のある韓国では、健康な人間をわざと病気にさせて、兵役逃れをサポートする闇医師がいるという。アナフィラキシー症状を緩和する自己使用注射器「エピペン」のようなものに、腎臓機能の障害が出る薬剤を入れて渡している…？

　この状態になるためには、薬剤性腎障害を起こす薬物を服用し、腎臓の糸球体濾過量（GFR）を低下させる必要があります。急性尿細管壊死をやってしまうと、本当に一生治らない本物の腎臓病になってしまうので、あくまで一時的な腎血流障害を起こすのがベストです。

　○○○○○○○○○○○という薬の副作用に、腎血流量と糸球体濾過速度の減少があります。内服薬と注射剤がありますが、内服薬は飲み過ぎても急性腎不全を起こさないように加減されているので、注射剤が必要です。注射専用の消炎鎮痛剤○○○○○筋注50mgを1本打てば、丸1日はニセ腎臓病患者になれます。さらに高血圧にしてくれる○○○○○○○○○という薬を併用すれば完璧でしょう。

　この2つを同時に使えば、高血圧＋腎臓病のコンボで兵役免除確実です。そして、1日経って薬が切れれば元の健康状態に戻ります。

　日本の病院で兵役免除になるほどの異常値が出た場合、大学病院で精密検査を受けるように紹介状を書かれて、検査入院して背中から腎臓に針を刺して組織を採取する腎生検を行うところです。が、さすがに韓国の兵役検査では、そこまで手間とコストのかかる検査はできないのでまずバレないでしょう。

　ちなみに、日本で高血圧＋腎臓病のコンボになったら、通勤・通学、あるいは家庭内労働が困難な腎臓機能障害者として障害者手帳4級以上にあたるレベルの重病です。ゆえに、韓国の厳しい基準でも兵役免除されるわけです。なお、日本で慢性腎臓病になりすまし、障害者手帳を不正取得して障害者年金や生活保護を受けようとしても、腎生検した病理診断の診断書が必要となり、薬でごまかすのは到底無理。韓国の兵役検査よりも、日本の生活保護受給のための検査の方が厳しいとは何ともいえないものがありますね。

 病気にする薬の実態とは…

　高血圧にしてくれる○○○○○○○○○はどこで入手できるのかというと、一般には流通していませんし、病院や薬局にも置いてません。非常に入手難易度の高い薬です。何のために製造されているのかというと、治療薬の動物実験をするために、実験動物を人工的に病気にする目的の「病態モデル動物作製用試薬」です。そのため、製薬会社や大学の研究室など特殊な機関にしかありません。

あらゆる治療薬は、世に出る前に厳しい臨床試験が行われています。最初は動物実験から始めるわけですが、その薬で治る病気の動物が大量に必要です。そこで、人工的に実験動物を病気にするための方法が開発されました。高血圧の治療薬を実験するためには、実験動物に高血圧になってもらわなければなりません。そのために実験動物を「病気にする薬」というものが開発されました。

　薬の原理からして当然、この「病気にする薬」は人間にも効きます。

　病気にする薬という表現は、おかしい気がしますけど。それは「毒薬」と呼ぶべきかとも思うのですが、医学的に毒と薬の境界線は曖昧なので、「病気にする薬」という変なものになってしまいます。

　○○○○○○○○○は体内で消費されてしまうと普通の状態に戻るので、薬が切れれば健康な状態に回復。病気の状態を維持するためには薬を注射し続けなければならず、そうすると高血圧と腎臓病の合併症が襲ってくるので下手をすると死にます。まあ、兵役検査の場合は検査の直前だけ打てばいいので、深刻な健康被害は出ないでしょう。多分…。

　韓国では何人もの兵役回避ブローカーが暗躍して逮捕されていますが、麻薬組織と同じく彼らは恐らく末端の売人レベルだと思われます。どんな薬がどんなかたちで闇で流通しているのでしょうか…。兵役拒否者に知られるのを恐れて韓国政府は公表していないので、あくまで筆者の推測になりますが、「エピペン」みたいな自己使用注射器に入れておいて、検査直前に自分で打つように指示して渡しているのではないかと考えられます。

韓国兵務庁　https://www.mma.go.kr/contents.do?mc=mma0001998
韓国では兵役逃れ行為に対して非常に厳しく、1年以上5年以下の懲役刑に科せられる。不正な兵役逃れを助長するサイトも監視されており、通報者には報奨金が支払われる

Memo:

尻の穴から指を入れる…実は真面目な医療行為

前立腺マッサージの科学

肛門から指や道具を入れられ、直腸の壁越しに膀胱の下にある前立腺を刺激される…。性的サービスのイメージを持たれがちだが、これは正式な医療行為だ。医学的見地から解説しよう。

　一般に「前立腺マッサージ」と呼ばれているものは正式な医療行為で、「前立腺液圧出法」という正式名称があります。前立腺炎の治療法として標準治療ガイドラインにも載っていて、保険診療として認められており、J069で50点が付くのです。つまり、医師は患者に前立腺マッサージを施しても500円しかもらえません。しかもこの500円は、医師の懐に入る金額ではなく、ローション代は別途請求できるとはいえ、手伝ってくれた看護師の人件費、使用した手袋やその廃棄費用などの諸経費込みなので、手取りは非常に少なくなります。

　国に料金を決められていて、医師免許持ってる美女がやっても500円しかもらえないのに、風俗嬢が無免許でやって1万円とかもらえるって超うらやましいんですけど。まあ、でも、風俗嬢が医師免許を持ってないと医師法違反で逮捕となるので、皆さん研修医とかのバイトなのでしょうか？　風俗店経営者の皆さんは、雇う時に医師免許の確認をちゃんとしているのか気になります。お値段に関しては、自由診療ということにすれば1回1万円でも違法ではないので、医師免許さえあれば料金設定自体は問題ありません。

　ただ、保健所に診療所開設届も出さないとダメなので、風俗店経営者の人はお忘れなく。

 ### 天才医師が前立腺マッサージ器を開発

「前立腺炎」という病気は非常にありふれたもので、疫学的な生涯リスクは25％と非常に高く、男性の4人に1人は一生に1度はなるほどです。その大半は、性行為による性病も含めた感染症によるもので、最初は抗菌薬治療が試みられます。しかし中には、病原菌がいなくてもなる「非細菌性慢性前立腺炎」という厄介な病気があり、この原因はよく分っていません。

　著しい排尿障害がある場合などは、医師が患者の尻の穴に指を入れて前立腺液圧出法を行う必要が生じます。この治療が必要になる患者は中高年が主で、未成年が発症することは極めて珍しいため、美少年の尻に出会える確率は限りなくゼロです。

　毎週、汚いオッサンの尻の穴に指入れて前立腺マッサージしても500円しかもらえない医師の悲哀を救うべく、1996年に患者が自分で前立腺マッサージを行える道具を発明した天才医師が現れました。

アメリカのテキサス州ヒューストンにいた、泌尿器医ジロー・タカシマ（Jiro Takashima）という日系人医師です。彼はHigh Island Health LLC.という会社を設立して、マッサージ道具の製造販売を始めました。

　特許情報を試しに「Jiro Takashima」で検索してみると分かりますが、この先生、ものすごい数のアナルに入れる道具を特許出願しています。大人のおもちゃを製造している、日本のメーカーは特許侵害に注意して下さいね。特許を管理する会社があるということは、特許侵害は容赦なく訴えるということですから。

　有名な「エネマグラ」と「アネロス」は、販売する時に代理店契約など商業上の諸問題から分裂したアイテムで、どちらも同じ発明者による同じ製品です。ちなみに、これらの日本語での正式名称は「前立腺マッサージ器」になります。

　アネロス社がWebサイトで「アネロス以外はただのおもちゃさ！」と豪語している通り、こちらは本当に臨床試験が行われ、特許が取られ、医学的エビデンスがある本物です。ただし、アメリカでも日本でも医療機器の認定は受けていません。なので、購入に保険は効きませんので、悪しからず。

　その構造と原理を簡単に説明しましょう。アナルバイブが肛門を刺激する道具であるのに対して、エネマグラとアネロスは前立腺を押すマッサージ器。両者は根本的に原理が異なるのです。エネマグラとアネロスの形を見ると分かりますが、体の外側に出ている部分が前後に伸びて前方部分にはコブがあります。これは肛門の括約筋の運動を前後運動に変換して、腸内に挿入された先端部分が前立腺を適切に押せるようにするために必要な構造であり、この部分が特許の重要な要点です。

　使用方法は、販売元のWebサイトにて詳しく説明されているのでよく読んで下さい。前後逆に使う

アネロスジャパン　https://www.aneros.co.jp/
前立腺を刺激し、ドライオーガニズムに導くための前立腺マッサージ器を多数ラインアップ。同社の商品には特許を取得しており、医学的エビデンスもある

Memo:

| 参考文献・画像出典など | ● 「High Island Health」http://www.highisland.com/ourcompany.php |
| | ● 「光漢堂」https://koukandou.jp/　エネマグラの販売元 |

前立腺検査シミュレーター

「前立腺肥大症」や「前立腺がん」といった前立腺の疾患に対して、直腸内診の練習ができる。なお、日本で検査シミュレーターの販売が始まったのは1997年からだ

日本スリービー・サイエンティフィック
https://www.3bs.jp/

と効果を発揮できませんから。

 ## 医師の診断能力は経験値に比例する

　真面目な話、医師の前立腺触診の診断能力は経験値と比例するため、どれだけ多くの男の尻の穴に指を入れたかで能力が決まるといっても過言ではありません。著者の年代では、まだ「前立腺検査シミュレーター」などの便利な教材が無く、ボランティアの人にお尻に指を入れさせてくれるように必死に頼み込んで経験値を積んだりしたものです。医学生同士が相互に入れ合ったりもしたのですが、私は医学生時代に奥さんと妹と妹の友達に尻の穴に指入れられました。

　奥さんに気持ち良いかと聞かれたけど、私は前立腺とかアナルは不感症なのか、全くそんなことないと正直に答えたら奥さんにキレられて、妹と妹の友達が見ている前で、奥さんにバイブをアナルにぶち込まれ、検査されたことがあります。

　3人一致で、私のアナルと前立腺はふにゃふにゃに柔らかいらしいです。肛門異物挿入は圧倒的に男性多数で女性は少数派なんだけど、ウチはなぜか逆なんですね。

　なお、「泌尿器科初期研修カリキュラム」に「前立腺液圧出法を適切に行うことができる」とあり、研修医は必ず前立腺マッサージをやらされます※。が、実際に臨床の現場では前立腺マッサージなんかすることはなく、投薬治療しかしないでしょうけどね。

　仮に、美人女医がいる泌尿器科に行って、医学的に前立腺液圧出法が必要な患者がマッサージを受けた場合は、かなりの圧痛があり苦痛を感じます。つまり、保険診療で前立腺マッサージをしてもらえる人は、全く気持ち良くないどころか日常生活の排尿障害なども含めて苦痛に耐えなければならない状態ということです。なので、エネマグラやアネロスを試してみて痛いと感じた人は、前立腺の病気の可能性が高いので早急に病院を受診することをお勧めします。

● 「泌尿器科初期研修カリキュラム」…http://recruit.gakuen-hospital.com/program/pdf/curriculum04.pdf
※ 著者は泌尿器科初期研修に行く前に辞めてしまったので、前立腺液圧出法をやったことはない。

異世界転生者…!?日本を糖尿病から救った知られざる天才

インスリン研究者・福屋三郎

糖尿病の治療薬と知られる「インスリン」。しかし、大きな成果を残した日本人研究者がいたことは知られていない。日本を救い、そして風のように消え去った男について紐解いていこう。

「インスリン」が量産されるようになるまで、糖尿病には有効な治療法がありませんでした。発売当時のインスリンは最も高価な薬の一つだったのです。昔の日本で糖尿病が「金持ち病」と呼ばれたのは、ぜいたく三昧している金持がかかる病気という意味ではなく、毎日、高い薬を死ぬまで打ち続けなければならないので金持ちしか治療できない、金持ちしか生き残れない病気だったことに由来します。実際に当時の新聞はインスリンのことを「世界一の高貴薬」と表現していました。

 ## インスリン治療の始まりは1920年代

インスリンが発見され量産が始まって広まるまでの時間は、当時としてはかなり早く、イーライリリー社からインスリンが発売されたのが1922年末（大正11年）。ベクトン・ディッキンソン社から1目盛りが1単位になっている、インスリン専用注射器セットが発売されたのが1924年です。

日本では1924年3月、現代之医学社から平川公行著『糖尿病のインスリン療法』という治療マニュ

『糖尿病のインスリン療法』平川公行著
1924年、現代之医学社からインスリンによる糖尿病の治療マニュアルが刊行された。当時、インスリンはアメリカでしか製造されていなかった。巻末には輸入インスリンの広告が掲載されている（「国立国会図書館デジタルコレクション」参照）

Memo:

インスリンは血糖を下げる働きをするホルモン。糖尿病になると、膵臓からインスリンがほとんど分泌されなくなるので、自己注射によってインスリンを補う必要がある。今では誰でもその治療を受けられるが、かつてインスリンは非常に高価な薬だった。一部の金持ちしか買えなかったが、日本人の天才研究者が魚のハラワタから安価に作る方法を編み出した

アルが発売され、アメリカからのインスリン輸入も始まっています。書籍の巻末に輸入インスリンの広告があり、50単位4円50銭、100単位8円とかなり高価な薬でした。1日30単位必要な患者なら、毎月72円かかる計算になります。大卒初任給50円の時代に毎月72円です。

その他に、注射代や血糖測定検査、医者の診察料なども必要なので、医療費だけで死ぬまで何十年も、庶民の月収の3倍以上を毎月食いつぶすわけで、年間医療費は軽く千円を超えたでしょう。つまり、まともな医療を受けられたのは平均所得の10倍以上の年収がある上級国民のみということになります。今でいえば、糖尿病患者は年収3千万円以上ないと死ぬ病気だったということで、「金持ち病」とか「世界一の高貴薬」と呼ばれたのも納得です。

当時、インスリンを生産できる国はアメリカのみでした。アメリカから運ぶ輸送費は高く、円がドルに対して弱く、1ドル=2円強だった為替相場では高価にならざるを得なかったのです。

そこで、国産化の取り組みが始まりました。帝国臓器から1935年（昭和10年）に、国産初のインスリン製剤が発売されます。しかし、ウシやブタの膵臓から抽出精製したものだったので、非常に高価で生産量も少なく、輸入品と比べても安くなかったため、国産化しませんでした。

 ## なぜ糖尿病患者が!?…大日本帝国軍の闇

1938年、外交関係の悪化により、インスリンをはじめ医薬品の輸入が完全に停止します。これによって日本国内は深刻なインスリン不足に陥りました。この直後、政府によって「全国医薬品原料配給統制会」が設立されて医薬品は統制下に置かれ、配給品に指定されることに。その中にはインスリンも含まれており、インスリンを販売していた帝国臓器・武田薬品・鳥居薬品・友田製薬に対して、なぜかインスリンを軍に優先的に納入するように命令が下ったのです。

この当時、国内で生産していたのは帝国臓器1社だけで、他の3社は輸入販売専門だったため、すぐに在庫は枯渇しました。つまり、当時の日本軍には多数のインスリンを常用しなければならない糖尿病患者の将兵がいたことになりますが、そのことにとんでもない矛盾があります。

軍人の欠格条項に「糖尿病であるもの又はその疑いがあるもの」とあり、糖尿病患者は軍人になれず、

軍人が糖尿病になれば病気除隊させられることになっていました。糖尿病の軍人は存在しないはずなので、軍はインスリンを必要としないはずなのに、イッタイなぜ…?

　秋山好古大将が酒の飲み過ぎで糖尿病だったことは知られていますが、偉過ぎて歩けなくなるまで辞めさせられなかっただけで（最後は名誉職）、あくまで例外的な存在だったと考えられます。1938年頃の現役将兵にも糖尿病患者が結構いたとすれば、彼らはなぜインスリンを打ちながら軍人を続けたのでしょうか？　恐らく、軍人を辞めてしまったら無料で薬が手に入らなくなるので、軍籍にしがみついていたと考えられます。金持ち病を無料で治療してくれる軍を辞めることは、死を意味していたからです。年間千円に達する医療費を自費でまかなえたのは、最低ギリギリでも大尉の年収1,860円か、少佐の年収2,640円より上の階級で、恩給がもらえる13年以上勤めた人間でないと無理でしょう（年功序列式だったので、士官学校を出て13年軍人をやっていれば最低でも大尉にはなれたはず）。

　またもう一つ考えられる事情として、1937年から日中戦争に突入して、将校が不足していたことがあります。極度の人手不足で、糖尿病でも優秀な人材は辞めさせるわけにいかなかったのかもしれません。

　ちなみに、当時の陸軍の資料によると、インスリンの使用目的は「精神分裂病の治療」「毒ガス対策」となっています。精神分裂病の治療が必要な軍人もいちゃだめだろとか、どうやったらインスリンで毒ガスを防げたのか…とか、なんかもうツッコミどころしかないんですけど。

✓ 天才が現れて革命が始まる

　1938年3月28日、静岡県清水市で魚の食品加工を営んでいた清水食品に1人の男が入社しました。彼の名は「福屋三郎」。水産講習所を卒業したばかりの新卒でした。入社後すぐに清水食品インスリン研究室室長に任命され、3人の助手と共に研究を始めます。

清水食品のインスリン研究室。木造平屋建て50.75坪の小さな建物だった（「清水製薬五十年史」25ページ参照）

右の人物が福屋三郎。加藤重二を助手に、中村富美と大川すみ子が協力。魚からインスリン抽出に成功した頃の写真らしい（「清水製薬五十年史」24ページ参照）

Memo:
参考文献・画像出典など　●「糖尿病のインスリン療法」「国立国会図書館デジタルコレクション」https://dl.ndl.go.jp/info:ndljp/pid/935370
　　　　　　　　　　　　●「清水製薬五十年史」ほか

清水製薬が発売した「イスジリン」の広告。1941年の医学専門誌に掲載されたもの。魚の膵臓から抽出して作った薬剤だと説明されている
（「清水製薬五十年史」57ページ参照）

「イスジリン」初の広告（「実験治療」昭和6年10月掲載）

　清水食品が扱っていた魚をインスリンの原料としたことは、哺乳類の家畜より大きな利点がありました。哺乳類のランゲルハンス島が膵臓内に分布した細胞片であるのに対して、魚類のそれは密集して独立した臓器です。コリコリとしてつまみやすく、コツをつかめば非熟練の女子工員でも魚のハラワタから容易にランゲルハンス島を分離することができました。また、タラ1匹から20単位のインスリンが抽出できたので、極めて効率の高い素材でもあったのです。当時のインスリン20単位の価格は、魚屋で売っているタラ1匹の40〜50倍でした。

　福屋は廃棄される魚のハラワタのランゲルハンス島から、ピクリン酸とアセトンを使ってインスリンを抽出する方法を編み出します。大規模な工場や高価な設備も不要。戦時下の日本で、入手困難な原材料も大量のマンパワーも必要としない完璧な抽出法でした。

　1941年5月14日に清水食品製薬部は、清水食品と武田薬品と三菱財閥から資本金19万円の出資を受けて独立。魚を原料にした純国産インスリンを製造するため、社員14人の小さな会社「清水製薬」を設立しました。設立後、すぐに生産ラインが稼働し始め、同年7月には出荷を開始しています。インスリンは武田薬品の流通網によって、全国販売されたのです。

　魚から抽出されたインスリンは、当時の漁獲高から計算して日本の必要量年間730万単位の66倍もの量を生産できることになります。しかも、小さな工場で安価に大量生産が可能で、庶民にも手の届く価格。ついに糖尿病は、「金持ち病」ではなくなったのでした。

福家三郎の異世界転生者疑惑？

なんか、福屋三郎さんチート過ぎるんですけど。

入社日が4月1日ではなく3月28日なのは、清水食品の社長がその腕前にほれ込んで「1日も早く来

てくれ」と頼んで、卒業式の翌日から入社させてしまったせいだと社史に書かれています。福屋さんが在学していた当時の水産講習所は、4年制の専門学校という位置づけで大学に準ずる教育機関でした。後の東京水産大学（現東京海洋大学）の前身でもあり、当時としては難関校の一つです。

　水産学を専攻した20代前半の青年が入社後にいきなり研究室長に抜擢されて、2人の女子従業員と1人の助手だけで、小さな研究所でろくな設備も予算もなしに1年半で完璧な薬を完成させて、その半年後には、大手製薬会社と財閥を口説いて大量生産の工場作らせ、日本中に行き渡るようにしたとか…。それも戦時中にですよ？

　研究を始めたのが1939年で、1941年7月には製品を出荷して、論文発表が同年8月って、すごいハイペースなんですけど。しかも、論文の発表日よりも製品を出荷している日の方が早いんですけど。なんか時系列おかしくないですか？　当時の新聞でも福屋三郎の功績を取り上げていて、学位を持っていなかったため「福屋三郎技師」と書かれていました。

　確かに金持ちが大量に欲しがる薬がタダみたいな原価で安い設備の工場で大量生産できたら、儲かって笑いが止まらないから大手製薬会社と財閥が乗ったっていうのは分かりますけど…。水産化学という分野は、魚類を食品以外の医薬品などに利用する研究を行う学問ですけど…。福屋さん、異世界転生者か何かですか？　現代の研究者は福屋三郎さんを見習うべきって言われたら困っちゃいますね。研究費が無い、人手が無い、時間が無いとか文句を言ったら、それは甘えと言われそうで…。

　国産インスリン製造における最大の功労者である福屋さんは、1944年6月1日付けで中部第三十六部隊に召集され、一等兵となりました。その後、中部第三十六部隊は満州へ送られ、終戦を迎えるとソ連軍の捕虜となり、シベリアに送られたとの記録があります。シベリアから帰国できたとの記録は無く、福屋三郎一等兵がいつどこで死んだのかも記録はありません。大日本帝国陸軍は若き天才科学者を、無知にも兵士として戦地に送ってしまったのです。

　福屋さんは役目を終えて異世界から元の世界に帰ったのでしょうか？

　きっとそうだと信じたいです。

清水製薬として独立し、新設した工場実験室の写真。福屋と創立メンバーが写っている。真ん中のメガネをかけた男性が福屋三郎だ（「清水製薬五十年史」35ページ参照）

新設なった工場実験室での創立メンバー。男子右から大石、狩野、福屋、加藤。若者は皆明る〈張り切っていた（昭和16年夏）

田中これは

スーパードクターMと福屋三郎の後継者

続・糖尿病患者を救った男たち

28～32ページでは、国産のインスリンを開発した福屋三郎を紹介した。ここからは、貧しい糖尿病患者を救い続けた天才医師と、福屋の意思を引き継いだ助手についての話をしよう。

　福屋さんが徴兵されていなくなった後、日本の海はアメリカ軍に制圧され漁業は不可能となり、インスリンの原料である魚が入手できなくなって生産はストップ。陸軍は清水製薬を勝手に指定工場にして、すべての在庫を押収し、海軍は鳥居薬品の工場を押収していきました。インスリンが手に入らなくなることが知れ渡ると、金と権力のある糖尿病患者の間で奪い合いとなりインスリンの価格は暴騰、再び「金持ち病」へと逆戻りします。

　そんな中、東京・秋葉原駅から徒歩7分のところにあり、貧困者を無料で治療してくれる三井厚生病院には大量のインスリンの在庫がありました。それを聞きつけた金持ちからヤクザらが、札束やドスを持って病院に押しかけてきたそうです。しかし、「ここにある薬はすべて貧しき者のため、金持ちにやる薬は無い」と言って追い返した医師がいました。その医師こそ、東大医学部を主席で卒業し、20代で博士号を授与された上に柔術の達人で、現代の金額換算で年収100億円以上ある日本最大の財閥の御曹司。貧しい患者から一銭も受け取らず最高の医療を施してくれる、「スーパードクターM」こと三井

三井記念病院 Webサイト
https://www.mitsuihosp.or.jp/about/history/

「三井記念病院100年のあゆみ」のページに、三井厚生病院についての記載がある。1943年7月に「財団法人三井厚生病院」に改称。1945年、戦火により建物や諸施設が焼失したとある。三井二郎左衛門医師もこの時に亡くなったのか…?

二郎左衛門というチートキャラです。ちなみに内科医なので、メスを投げたりはしなかったようです。

　スーパードクターMは、莫大な個人資産をつぎ込んでインスリンを購入し、貧しい糖尿病患者に無料で与えていました。限られたインスリンの在庫をやりくりするために、飢餓療法とインスリン療法を交互にくり返し、戦争が終って再び薬が手に入るまで延命させる治療方針を取ったのです。

　多くの医師と糖尿病患者が、「大丈夫、清水港に福屋三郎という天才科学者がいるから、戦争が終ればすぐに薬が手に入る。もう少しの我慢だ…」と、儚い希望にすがって痩せ細りながら命をつないでいました。肝心の福屋三郎が、一兵卒として前線に送られてしまったことも知らずに…。

　そんなスーパードクターMもB-29には勝てず、1945年3月、東京大空襲で病院に爆弾が直撃して病院の建物は全焼。インスリンもスーパードクターMもすべて失われてしまいました。さらにその後、1945年7月7日、空襲により静岡県清水市のインスリン工場が焼失します。最盛期には国内需要を満たしていた国産インスリンの生産は、これで完全に終わったのです…。

　インスリンが無かった時代の1型糖尿病患者は発症後、数年以内に糖尿病性昏睡で死亡しており、生存年数は3年以下といわれていました。ゆえに、多くの患者は製造再開まで生き残れなかったでしょう。彼らもまた、知られざる戦争の犠牲者といえます…。

『日本農芸化学会誌』17巻 (1941) 11号
「Insulin資源としての魚類に関する研究」

『実験医学雑誌』25巻 (1941) 10号
「魚類『インシュリン』ニ關スル研究」

1941年、福屋三郎らは魚からインスリンを製造するための研究論文を発表している

Memo:

国産インスリン製造再開
戦死した福屋三郎の意思を引き継ぎ、かつての助手だった加藤重二が、魚から国産インスリンの製造再開を目指した。終戦直後より生産し始め、全国の糖尿病患者に届けたという。これは製造再開を知らせる広告で、魚のイラストが描いてある(「清水製薬五十年史」参照)

 ## 福屋三郎の意思を引き継いだ男

　終戦後、焼け野原になった静岡で、生き残ったインスリン研究室の助手だった加藤重二は、二又川組という土建会社の協力を得て、わずか40坪の平屋建ての小さな小屋を建ててもらいました。終戦直後のあらゆる物資が枯渇していたはずの時代ですが、二又川組の棟梁は「たまたま材木が余っていたんだ」と語ったといいます。

　旧制中学校卒(現在の高卒)の助手に過ぎなかった加藤重二は、福屋さんと共に研究に励んだ5年足らずの短い時を思い出し、女子従業員の手を借りて手作業で魚のハラワタを処理し、インスリンの生産再開を目指します。清水製薬は出資者であった武田薬品と三菱財閥から、出資金とすべての債務を放棄する代わりに廃業するよう勧告を受けたのですが、清水食品の支援により会社は辛うじて存続。極わずかではありましたが、終戦直後から生産を再開して、再び魚のインスリンが販売されることになりました。加藤は福屋の意思を継いで、清水製薬でインスリンの生産を続け、多くの糖尿病患者にインスリンを届けたのです。

　今ではインスリンの生産方式そのものが変わり、魚のインスリンは生産されなくなったのですが、福屋三郎の残したインスリンへの思いは今も受け継がれています。命は平等であり、薬は一部の金持ちだけのものではありません。薬に貴賤なし、「世界一の高貴薬」など存在してはならないのです。

　2020年現在、日本で糖尿病にかかる医療費は高い場合でも月額3万6,580円(自己負担額約1万1千円)、1年間の自己負担額約13万2千円にまで抑えられています。安いとはいえませんが、庶民の収入の3倍以上にもなる医療費を払えなければ死ぬということはなくなりました。

　もう、誰もインスリンのことを「世界一の高貴薬」などと呼ぶ人間はいません。

参考資料・画像出典など ●「清水製薬五十年史」 ●「三井記念病院史」
● 「Insulin資源としての魚類に関する研究」https://www.jstage.jst.go.jp/article/nogeikagaku1924/17/11/17_11_905/_article/-char/ja
● 「魚類「インシュリン」ニ関スル研究」https://www.jstage.jst.go.jp/article/jsb1917/25/10/25_10_1165/_article/-char/ja

骨格標本はかつて人間の死体から作られていた!?

理科室の怪談

理科室にある骨格標本。今では合成樹脂製だが、かつては本物の人骨で作られていた。夜中に理科室で骨格標本が動き出すという有名な学校の怪談の背景には、こんな事実があった…!?

　2016年頃から、学校で本物の人骨や人間の標本が発見されてニュースになりましたが、あれには歴史と文部省の指導があります。日本で骨格標本が本格的に製造販売されるようになったのは、1891年(明治24年)に、島津製作所の創業者である島津源蔵が標本の製作販売を始めたのが起源といわれています。明治以降、シェアを独占していた時期もあり、戦前に日本で製造販売された骨格標本の大半は本物の人間を材料にした島津製作所の製品です。残りは医大や医学研究機関などの限られた場所で製造され、自分たちで使用していました。輸入品などの例外を除けば、戦前からある学校の骨格標本は、ほぼ島津製作所の製品といえるのです。

　戦時中の1944年(昭和19年)に事業を中断していますが、戦後の1948年に島津製作所標本部から京都科学標本株式会社として、分離・独立し再出発。しかし、翌1949年に死体解剖保存法が制定されたことにより本物の人間を材料にした標本の製作ができなくなり、1954年に樹脂製標本を開発して販売するようになりました。こうして、日本では人間の死体を材料にした骨格標本の製造販売は絶滅したのです。

『毎日新聞』参照

『産経新聞』参照

高校の理科室などから、本物の人骨で作られた骨格標本が見つかっている。2016年に鹿児島の県立高校で、生物講義室から人の頭蓋骨が見つかったのが発端。2019年4月時点で、全国14府県で発見されているという

Memo:

参考資料　●『日刊工業新聞』1993年3月19日38ページ

理科室の骨格標本
文部省の通達により、全国の小中学校には人間の骨格標本
が1体置かれている。骨格標本はかつて本物の人間の死体
で作られた時期もあり、合成樹脂製のものに入れ替えが進
められたが、見落とされている可能性はゼロではない。実際、
2019年に複数見つかっているので…

 なぜ学校に骨格標本があるのか？

　皆さんも授業で使った記憶が無くても、学校の理
科室に骨格標本が置いてあるのを見たことがある人
は多いでしょう。文部科学省が2011年（平成23年）
4月に策定した小学校と中学校の「教材整備指針」で
も理科教材として、発表・表示用教材で「人体模型A
（人体骨格、人体解剖など）」とあり、1校あたり1体
を整備するのが望ましいとしています。つまり、全国の小中学校に1体は、人間の骨格標本を置くよう
に文部省が指導しているのです。

　実際には経済的な事情などもあり、指導が始まった1953年からすぐに全国の学校で骨格標本が購入
されたわけではありませんが、1967年に文部省が国庫負担で必要な教材を購入するように指導して、
1967〜1976年にかけて総額1,600億円もの予算を投入。さまざまな教材を購入しています。この時、
1校に1体必要とされた教材の一つが、人間の骨格標本でした。文部省の通達により全国すべての小中
学校では、骨格標本を買わなければならなくなったのです。

　お役所仕事は非常に面倒で、文部省が獲得した予算は総務省から地方交付税交付金というかたちで市
町村に支給され、文部省から都道府県の教育委員会へ購入するように指導が行き、そこから市町村教育
委員会へ下達され、市町村教育委員会は市町村自治体から予算をもらい学校へ配分して教材が購入され
ます。教材メーカーは、9年間で1,600億円という巨額の公共事業が湧いて出たことで一気に事業拡大
に乗り出しました。この時代に京都科学標本は、合成樹脂製の標本などで売り上げを大幅に伸ばして資
本金を4倍にまで増資しています。

　こうして、どこの学校の理科室にも骨格標本が1体はいるようになったのですが…。しかし、骨格標
本ビジネスの隆盛はあっという間に終わりました。理由は簡単で、1度買えば今後2度と買う必要が無い
からです。毎年購入して理科室に骨格標本をたくさん並べようなんて、頭のおかしい教育委員会も校長
もいませんでした。日本全国の学校に行き渡ってしまえば、2度と需要は生まれなかったのです…。

京都科学　https://www.kyotokagaku.com/jp/
京都にある医療教育教材メーカー。島津製作所にて標本の製
作販売を始め、シェアを拡大していった。現在は各種医療用
のトレーニングモデルやシミュレータを製造し、海外でも幅
広く事業展開している

学校教材の整備
http://www.
mext.go.jp/a_
menu/shotou/
kyozai/index.
htm
文部科学省が小
学校と中学校の
「教材整備指針」
を策定。理科教
材では、「人体模
型（人体骨格、人
体解剖など）」を
整備することを
望ましいとして
いる

 ## 1971年に謎の標本販売会社が現る

　そんな中、安い骨格標本を売る「株式会社羽原骨骼標本研究所」という怪しげな教材メーカーが現れ
ます。会社の登記簿謄本に「人体、動物の骨格標本の製作及び輸入」と明記されているぐらい、骨格標
本に特化したメーカーです。東京の自宅を本社に、獣医師が1971年に設立しました。現在、東京で動
物病院を経営している人と同一人物らしく、現在の羽原骨骼標本研究所の所在地はその動物病院と同じ
です。平成になってからも会社として活動はしているようで、1993年に日立精工が動物の骨格本を作
製する新規事業に進出した時に協力しています。茨城県にある日立市かみね動物園の、インド象みね子
の骨格標本作製にも関わったようです。アルマジロである亜留間家の親族もお世話になり、標本になっ
て国立博物館に今も展示されています。

　実質的に骨格標本を作るのが得意な獣医師の個人経営なのですが、動物業界内でかなり実績のある会
社みたいです。しかしなぜか、1971年の会社設立後にインドから大量の人骨を輸入するという謎の事
業も行っています。というより、人骨輸入のために株式会社を設立したんじゃないかって気がしなくも
ありません。2019年2月、その会社兼自宅の建物を所有していた親族男性が病死して警察が入ったと
ころ、500人分の不良在庫になっていた人骨が発見されニュースとなりました。

　ここからは筆者の推測になりますが、上述したように文部省は1967〜1976年に学校教材購入費用
として大金を投入しています。そこに食い付き、インド・カルカッタから本物の人間を材料にした骨格
標本を安く仕入れたのではないでしょうか？　この当時のインドはパキスタンとの戦争で死屍累々の状
態だったため、死体産業の中心地であるカルカッタは激戦地に近く材料に不自由しなかったはずです。
インドの骨格標本製作は、イギリス植民地時代から200年もの歴史がある伝統産業であり、欧米先進国

Memo:

2019年、東京の住宅街から500人分の人骨が発見されたとしてニュースになった。羽原骨骼標本研究所という教材メーカーが、骨格標本を作るためにかつてインドから人骨を輸入。それを捌ききれず放置していたものが見つかった。インドでは1985年に死体の輸出をNGとしたため、それ以前に輸入したものと思われる(TOKYO MX参照／YouTube)

人体や動物の骨格標本を製作 骨は「インドから輸入したもの」

東京・足立区の住宅街に500人分の人骨

の学校などに輸出していた歴史もあります。なので、新たに日本という顧客が増えても500人分ぐらいは余裕でカバーできたとの推測は可能です。

　しかし、本物の人間の死体から作った骨格標本を買いたいという、頭のおかしい教育委員や校長はいなかったようで、見事に処分不能な不良在庫の山になってしまった…。要するに、20代の獣医が起業し一発当てようとして大量の人骨を輸入してみたけど、買い手がつかず処分もできず黒歴史になっていたのがほじくり返されただけ…なのではないでしょうか？　会社設立時に1千万円もの資本金を用意して、500体分の購入費から輸入費用まで支払ったのに全損になって、それでも会社が潰れていないようなので、結構な金持ちの生まれだったということなのでは？

　なお、1985年にインドが死体の輸出を非合法化したため、合法的に輸入できなくなり本物の骨格標本は完全に日本市場から消えました。

 そして理科室の怪談は伝説へ

　戦前から学校にある骨格標本が、本物の死体であることは平成になってから深刻な問題となり、全国の教育委員会は調査を行い該当する骨格標本を次々と処分しています。なので、現在の小中学校にある骨格標本が本物の死体である可能性はきわめて低いでしょう。それでも、戦争で亡くなったインド人の死体なんじゃないかって疑惑は、ゼロとはいえません。教育委員会が見落として、学校の先生も合成樹脂製だと思い込んでいるという可能性が存在するからです。

　最近は実物大は使わず、置き場所も取らないミニチュア標本になってきています。平成も終わり、新しい時代に生まれた子供たちは理科室の怪談など、もう知らないかもしれません。

ヤバイけどやめられない麻薬のような燃料

ガソリンの歴史と危険性

核燃料を除けば、ガソリンの殺傷力は燃料の中で最も高いといっても過言ではない。人体への影響、破壊力、兵器化…これまでの歴史が証明するガソリンの闇を改めて解説しよう。

　古い時代は人間1人の力で他人を殺すのはかなり難しくて、戦国時代に7人の敵を一瞬で斬り伏せた佐竹義重は「鬼義重」とか「坂東太郎」なんて異名が付いたほどです。敵をたくさん殺したほど偉かった戦国時代でさえ、1人で7人を瞬殺できたら伝説のトップランカーになれたわけですから、大量殺人は基本的に困難な作業だといえます。

 ## 第一次世界大戦でガソリンが普及

　時は進み、ガソリンエンジンで動く乗り物が普及した第一次世界大戦。頭の古い保守派軍人がガソリンをどう見ていたかというと、「ガソリンの詰まった乗り物で戦場に行くなど自殺行為」「ガソリンで焼け死ぬのは名誉ある戦死ではない」…とその採用に反対し、中世時代からの伝統に則って「馬が1番！」だと主張したのです。イギリス軍は第一次世界大戦でガソリンタンクを真っ赤に塗り、被弾したら火達磨になって全員死ぬ危険な部位として扱っていました。

　確かに、馬車も馬も被弾して燃え上がったりしないから安全です。1馬力という単位は馬1頭分の力に相当するから、「馬力」と呼ばれています。20馬力エンジン搭載の自動車は、馬20頭が引っ張る馬車と同じ力があるわけです。ただ、現実には馬20頭に牽引させることは物理的に不可能であり、馬が不要で自ら動くクルマだから「自動車」になりました。

　実際にガソリンエンジンで動いていた自動車や飛行機などが被弾して乗員が死ぬ事故が何度起きても、そのリスクをはるかに上回るメリットがあったからこそ、ガソリンエンジンは広く採用されたので

I 度　表皮／真皮／皮下組織

II 度　浅／深　表皮／真皮／皮下組織

III 度　表皮／真皮／皮下組織

Memo:
参考文献・画像出典など　●「慶應義塾大学病院」http://www.hosp.keio.ac.jp/
●「東京ガス」https://www.tokyo-gas.co.jp　●「Wikipedia」https://en.wikipedia.org/wiki/Gas_engine　ほか

戦争では、ガソリンが兵器として使われてきた歴史がある。火炎瓶や火炎放射器よりも効率的に人と建物を焼き尽せるナパーム弾が、ベトナム戦争では利用された。なお現在、アメリカ軍では火炎放射器を戦闘用ではなく、あくまで作業用として採用しているという。写真は、テロリストが身を隠せないように茂みを焼却している様子（イラク）

す。ガソリンが普及したのが戦争中だったため、死ぬ人間の母数が大き過ぎて、ガソリンに殺される人間など大した数ではなかったという事情もありますが…。

　ガソリンを撒いて火をつければ、どんな強固な陣地に守られた敵も簡単に皆殺しにできます。火炎放射器よりもっとシンプルな火炎瓶も生まれ、今でも使用されているのはご存じの通りです。ただ、ガソリンは液体なので砲弾のように遠くに飛ばすことが難しく、火炎放射器や火炎瓶の射程距離の短さは解決されていません。そこで、一方的に敵を焼き殺せる超巨大強力火炎瓶ともいえる「ナパーム弾」という航空爆弾が開発され、ベトナム戦争で盛大に人々を焼き殺しました。

　そんな経緯もあり、刺殺・射殺・爆殺はともかく、「焼き殺すのは非人道的」だとして、ガソリンで焼き殺すのはダメ…と言われ続けています。このように、ガソリンの殺傷力の高さは普及した当時から知られ、戦争で殺人に多用されてきました。サリンやVXガスなどの化学兵器や核兵器が登場する前は、ガソリンこそ最強の大量殺人兵器だったのです。

　一方で、ライト兄弟が初めて空を飛んだ日からジェットエンジンが実用化する時代まで、ごく一部の例外を除けば、ガソリンだけが空を飛ぶことができる唯一の燃料でした。そして、何百kmも道を走り続けられる乗り物もガソリンが必須です。ガソリンは密閉した金属容器に閉じ込めれば安全に使えるので、人類はガソリンの魔力を手放せなくなりました。そう、ガソリンは封印術をかければ飼いならせる悪魔なのです。

ガソリンで火傷した時の人体への影響

　火傷は、深さと広さの二つの要素から重症度が決まります。そして、ガソリンの影響で火達磨になってしまった場合、その両方で最悪になります。さらに追い討ちをかけるのが、気化したガソリンが燃え上がり、その炎を吸い込んで気道や肺など内臓まで焼かれてしまうことです。

　このトリプルコンボを食らった状態で救急搬送された場合、助からないかもしれないとガチで医師に宣告されるほどヤバイです。火傷のランキングは下記のように4段階ありますが、ガソリンは簡単にIII度までいってしまうからヤバイのです。

Ⅰ度（EB）：数日で治癒
Ⅱ度浅（SDB）：2～3週で治癒
Ⅱ度深（DDB）：4～5週で治癒、場合により皮膚移植
Ⅲ度（DB）：基本的に皮膚移植が必要

　怖いことに、最も重いⅢ度の火傷をすると痛くありません。なぜなら、痛みを感じる神経が全滅しているからです。医学の世界で本当にヤバイ患者は、痛みを感じなくなっている患者なのです。
　そして、最もヤバイ犠牲者が、救急隊に「死亡不搬送」と断定されてしまうレベル。死亡の判断ができるのは基本的に医師だけなので、救急隊は心肺停止でも病院へ搬送します。ニュースなどで絶対に死んでいると思われる人でも、心肺停止と報道されるのはこのためです。医師ではない救急隊員が見ても明らかに死亡していると断定されると、死亡不搬送になるというわけ。
　死亡不搬送と断定できる基準は4種類あります。

1.首や胴体などが切断されている
2.腐乱死体になっている
3.白骨死体になっている
4.以下の6項目の条件を満たしている場合

4-1.意識レベルが痛みや刺激に全く反応しない最低レベル
4-2.呼吸が完全に止まっている
4-3.心臓が完全に止まっている
4-4.一般的に瞳孔が開いていると呼ばれる状態
4-5.一般的に冷たくなっているといわれる状態
4-6.四肢の硬直または死斑が認められる

　1～3は素人目に見ても絶対に死んでいると断定できる場合ですが、2019年に起きた「京都アニメーション放火殺人事件」は、通常は判断の難しい4番目の状態だったと推測できます。しかしこの事件ではいきなり10人が不搬送になり、最終的に36人が死亡しました。10人もの人々が4番目の6項目をすべて満たしていたのは、かなりの異常事態です。現場は凄惨だったことでしょう。犠牲になられた方々には、改めてご冥福をお祈り申し上げます。
　ガソリン攻撃でトリプルコンボを食らったらヤバイと上述しましたが、ガソリンが急激に燃焼するということは、屋内の場合は急激な酸欠と二酸化炭素中毒と一酸化炭素中毒をいっぺんに引き起こすことを意味します。この四重攻撃を食らったら即死です。素人目に見ても、完全に亡くなっているレベルになるでしょう。

ガソリンの殺傷力の秘密

　ガソリン1kgが燃焼すると44MJ（ジュール）のエネルギーを出しますが、これは重油や軽油と比べて特に高い数字ではありません。TNT（トリニトロトルエン）爆薬などはもっと少ないですが、エネルギーの発生速度が速いので恐ろしい殺傷力を発揮します。TNT爆薬などの軍用爆薬では、1kgの爆薬がエネルギーを放出する時間は10ナノ秒以下です。ガソリンは、燃える速度が木材や石炭や重油などと

比べてケタ違いに速いのが特徴。そして、同じエネルギーを与えられた場合、エネルギーの発生速度が早いほど破壊力や出力が大きくなります。

　科学の基本で、ものが燃える時は物体の表面で燃焼反応が起きるので、表面積が大きいほど火力が強くなります。実際に石炭で蒸気機関を動かしていた軍艦では、戦闘中にボイラーの火力を上げるために機関員が石炭を砕いて細かくする作業がマニュアル化されていました。石炭の表面積を増やして火力を上げるためです。重油・軽油・ガソリンなどの液体燃料の場合も、表面積が大きいほど早く燃えて火力が強くなります。液体の表面積が最大の状態とは、細かい霧状になっている状態です。

　そして、ガソリンは火がつくと自分の熱で霧状になって高火力で燃焼して、その熱でさらに気化する連鎖反応で爆発的に燃え広がります。ガソリンが早く燃えるのは、気化しやすく着火しやすい性質によるためです。

　木がゆっくり燃えるのは、炭素でできたセルロースの塊が熱によって分解されることで燃えるからです。分解速度以上に速くは燃えません。じゃあ、あらかじめ化学処理して炭素を細かく分解しておいたらどうなるかというと、その究極系がガソリンなわけです。

　マンガ『Dr.STONE』第1話でも主人公の千空が、「ポリエチレンの分子構造考えろバカ　ガソリンの長さに炭化水素ぶった切ってるだけだ　見りゃ分かんだろ」と言っているように、炭素化合物を短く切ればガソリンになります。石炭をガソリンの長さに炭化水素ぶった切って作る人造石油は、第二次世界大戦でドイツ軍が大量生産しました。

　人類が使ってきた燃料は木→炭→石炭→油→ガソリンと、高出力化を求めるほど化学処理によって炭素の長さが短くなり、燃えやすく加工されてきたのです。これ以上は燃えやすくできないところまで化学処理された液体が、ガソリンというわけ。ガソリンスタンドでガソリンが軽油よりも価格が高いのは、軽油よりも多くの化学処理が行われているからです。

京都アニメーション放火事件
2019年7月、京都アニメーション第1スタジオに男が侵入し、ガソリンを撒いてライターで着火。イッキに燃え広がりスタジオは全焼し、多くの犠牲者を出した。この時、10人が「死亡不搬送」とされた。この死亡不搬送は、トリアージの黒とは関係なく、最初からトリアージは行われない（産経ニュース参照／YouTube）

1905年頃のガスエンジン（36馬力）。ガスエンジンを動かすための液体燃料としてガソリンが開発され、ガソリンエンジンが生まれた。小型軽量かつ高出力な上に、低コストで生産できたため、ガソリンエンジンは普及。オートバイや自動車の動力源として必需品となった

ガソリンはなぜ生まれたのか

　作るのに手間がかかる危険物であることを承知でガソリンが作られたのは、それなりの歴史と理由があります。近代化と共に、石炭で動く蒸気機関が登場して蒸気船や蒸気機関車が生まれました。その後、石炭ガスで灯るガス灯が誕生すると、都市ガス会社が街中にガスを供給するガス管を設置します。

　明治30年代を過ぎると、ガス灯のガスで動く小型軽量なガスエンジンが登場しました。小型軽量な上に燃料がガス管によって無尽蔵に供給されるので重い石炭を運ぶ必要がなく、運転するのに石炭をくべる作業員なども不要なため、多くの工場で利用されたのです。石炭ガスは気体なので配管によって送るのには適していましたが、これを燃料にした乗り物を作るのは、ガスタンクが存在しなかった時代では不可能でした。

　そこで、ガスで自動車を走らせるのが無理なら、ガスエンジンを動かせる液体燃料を作ればいいじゃない！…という発想で生まれたのがガソリンです。日本語で「揮発油」と呼ばれるほど蒸発しやすい特性は、簡単に気体（ガス）になる液体燃料が欲しいという理由から生まれました。

　こうして専用燃料であるガソリンの発明によって、ガソリンエンジンは小型軽量・高出力・低コスト・大量生産が可能なエンジンとして世界中に広まっていったのです。船や機関車など大型の乗り物ではその後も長く蒸気機関が使われ続けますが、オートバイや自動車のような小型の乗り物や、飛行機のような極端に軽く作る必要のある乗り物を動かせるエンジンは、長いことガソリンエンジンしかありませんでした。

　現在ではタクシーやバスなどのLPG自動車が普通に走っていますが、これはLPG（液化石油ガス）が登場したからです。ガソリン車をLPG車に改造するのが容易なように、本質的にガソリン自動車のエンジンはガスエンジンから生まれた同質のプロダクトです。LPGがガソリンよりも先に発明されていたら、ガソリンは特殊な化学薬品として一般に流通しなかったでしょう。

　そして、ガソリンではなく軽油を燃料とするディーゼルエンジンの中興の祖ともいえる企業が、「ヤンマーディーゼル」です。ガスエンジンのビジネスから始まり、世界初の小型ディーゼルエンジンの開発成功によって世界的なメーカーになりました。

　ジェットエンジンは軽油の一種であるジェット燃料を使うものが主流になり、ガソリン航空機は減少傾向に。科学の進歩によってガソリンを使わないエンジンが生まれ、増え続けています。石油製品の価格は、重油＜軽油＜ガソリンの順です。ガソリンが高いのは単純に製造コストがかかるからです。ガソリンエンジンは、高級燃料を使わなければ動きません。

　現代ではエコカー推進によってガソリンで走る乗り物は減り続け、規制される方向へ向かっています。鉄道や船舶は軽油か重油のみになり、ガソリンで動くものは希少になっているのです。

　恐らく50年後にはガソリンエンジンは消滅して、ガソリンは殺人にしか使えない危険物として生産自体が規制されているかもしれません。クラシックカーマニアは、ガソリン自動車を走らせることが不可能に…。長い科学の歴史の中で見れば、ガソリンは200年間ぐらいしか使われなかった危険物として、過去の遺物として消えていく可能性は十分にありえます。

Memo:

電極アナル挿入・キンタマ注射針・精子ダダ漏れ薬…

強制射精の世界

特殊ニュースサイト「TOCANA」にて、公開と同時に驚異のアクセス数を叩き出した記事がこちら。真面目に医療行為を解説しているのだけど…。

強制射精。読んで字のごとく、本人の意思とは関係なく強制的に搾り取る…。最近はエロマンガなんかで「搾乳」ならぬ「搾精」なんて言葉も出回っておりますが、まさにそうしたエロマンガ的な機械や技術というものは存在するのでしょうか？

医学的には「人工射精法」というちゃんとした名称があり、オナニー目的ではなく、SEXできないけど人工授精で子供を作りたい人などに用いられています。適用対象者は成人では脊髄損傷などにより下半身の感覚が無くなってしまった人や、小児がんの放射線治療などで生殖能力を失ってしまう子供です。大人になってから子供を作る可能性を考慮して、精子を冷凍保存するために行われます。

まずは「人工膣法」。要するにオナホール、「TENGA」などを使用する方法です。ただ、自立的な勃起が不可能な脊髄障害などの患者には適用できないため、用途は限られています。

次に「振動刺激法」。バイブレーターを肛門に挿入することで直腸マッサージを行い、強制射精させる方法です。看護師が直腸マッサージする場合もありますが、うまく射精できないことが多いため、だんだんと用いられなくなりました。

がんと妊娠の相談窓口
がん専門相談向け手引き
結婚して子供を作る時に備えて、がん患者は治療前に精子を採取し、凍結保存しておく方法が採られる。精子の採取方法としては、直腸マッサージと電気刺激による射精があると解説されている

参考資料・画像出典など　●「がんと妊娠の相談窓口 がん専門相談向け手引き」http://www.j-sfp.org/ped/dl/teaching_material_20170127.pdf
●『日本脊髄障害医学会雑誌』16巻184ページ

まあ、この辺までは想定している人も多いでしょう。強制射精といっても、電動オナホみたいなものか…と。しかし、これで終わりじゃありません。もっとすごい方法があります。

それが、「電気刺激法（electro ejaculation：EE)」です。

最強の人工射精法…電気刺激法

ぶっとい電極をアナルに挿入して、電気刺激で強制的に絶頂・射精させる「電気射精装置（Electronic Ejaculator)」という専用器具が存在します。元々は牛・馬・豚などの家畜から精子を採取するための道具で、現在でも家畜の精子採取の主流を占めている方法です。近年になって、人間にも適用できるようになったため、世界的に使用されています。

小児がんのガイドラインでは、オナニーをしたことがない思春期の少年が対象。思春期の少年のアナルに看護師さんが指を入れ、直腸マッサージして強制射精させたり、さらにはアナルに電極を挿入して強制射精させたり…というと変態というか虐待っぽいですが、これらは真面目な医療行為として認められています。ちなみに、少年から精子を採取する時はトラウマになったり、もしくは変な性癖に目覚めたりしないように全身麻酔をかけて行うことになっています。体験者がもれなく意識不明なので、どれくらい気持ち良いのかは不明です。が、一説によると、とんでもなく気持ち良いという話…。

海外サイトでは牛用が2,095ドル（約23万8千円）で、一般人でも買えるようです。どうしても電極アナルオナニーをしてみたいという人は、自己責任で試してみてはいかがでしょう？

精子の採取は医療行為
オナニー未経験の少年から精子を採取する際は、アナルに看護師が指を入れ、直腸マッサージをする方法が認められている。また、キンタマに注射針を刺して、吸い出す方法などもある。それらは全身麻酔された状態で行われるので、実際にどれほどの快感や痛みなのかは不明である…

Memo:
● 「京都大学学術情報リポジトリKURENAI」「ネオスチグミンクモ膜下腔内注入による人工射精で女児を得た男子脊損患者の1例」
https://repository.kulib.kyoto-u.ac.jp/dspace/bitstream/2433/119599/1/34_1047.pdf

Lane Pulsator IV Bull Electronic Ejaculator

家畜用の電気射精装置。牛をはじめ、トナカイ・ヒツジ・ヤギなどにも使える。プラグをアナルに挿入して、電気刺激を与え強制的に射精させる。5年保証付きで、ユーザー評価も高いようだ

Nasco　https://www.enasco.com/p/C27112N

　装置の内容はシンプル。500mAの電流で、周波数60Hzの正弦波の交流を12〜24Vの範囲で断続的に電圧を上げていくというものです。この機械で搾精すると、精子を含む濃厚な精液が得られるとこのマニュアルに書いてありました。

　電気に詳しければ自作することも難しくはないと思いますが、快楽のためだけに実行するにはリスクが高過ぎるのでやめておくべきでしょう。

　注射器と薬で精子をゲットだぜ！

　他にも強制的に精子を採取する方法はいろいろあります。その一つが、「精巣内精子抽出法（testicular excision sperm extraction：TESE）。その言葉通り、キンタマから直接精子を注射器で吸い出す方法です。子供から重度障害者まで、あらゆる患者に対して最も確実性が高いとされている方法なのですが、キンタマに深く針を刺すためものすごく痛いので、全身麻酔が必要です。麻酔ナシであれば痛みで気絶するか、変な性癖に目覚めるかのいずれかなので推奨できません…。

　最後に、薬物で精液が出っぱなしになるという方法があるので紹介しましょう。

　エロマンガに出てきそうな、注射すると射精が止まらなくなる薬は実在して、しかも目薬などにも普通に配合されている一般的な薬剤だったりします。「ネオスチグミン」というコリンエステラーゼ阻害剤で、これを脊柱管クモ膜下腔に注入すると薬が切れるまで強制的に射精が止まらなくなります。

　ネオスチグミンは血液脳関門を通過しないため、目薬や静脈注射などでは脊髄などの中枢神経に作用しないので安全なのですが、強制射精させるには脊髄に直接注入する必要があるのです。当然、高い技術力が求められ、リスクもあって経験豊富な医師でなければ難しい方法といえます。とはいえ、実際に1986年にこの方法で採取した精液で妊娠・出産に成功しています。

　強制射精というと、エロマンガの世界だけの話のように聞こえるかもしれませんが、子供を残したいという切実な願いを叶えてくれる、極めて真面目な医療行為なのです。

秘部のさらに奥にある第2の処女膜の秘密

"子宮口の処女"を奪うとは？

実際の性医学書を元に、エロマンガに出てくる子宮の描写について、あくまで医学的に検証・解説しよう。"子宮口の処女"を奪う…といった行為は果たしてあり得るのか？

　処女と非処女。性交経験があるかどうかという基準にされている曖昧なものですが、実は処女には、もう一つあります。はい、アナルではありませんよ。"子宮の処女"というものです。

　かつて、アメリカの産婦人科医ロバート・ラットウ・ディキンソン（1861〜1950年）は、「処女には入り口の処女膜のほかに、もう一つ"子宮口の処女"がある」という概念を提唱しました。

　48ページの画像では、左上に"処女"と書かれているのが、未使用の子宮の入り口です。出産や子宮口拡張を経験すると、下の段のように裂傷ができて広がります。中には子宮口がめくれ返ったり、糜

左上の「処女」と書かれているのが、未使用の子宮の入り口だ（3ページ参照）

『目で見る人体セックス解剖学』（新風社）

胸膝位にさせてタンポンをしっかりつめる

ラミナリアにて拡大

ヘガール拡張器で拡大

手にて子宮内容を除去

昭和中期まで行われていた人工中絶の手術方法。子宮に指を入れて胎児を掻き出していた（205ページ参照）

Memo:
参考資料・画像出典　● 『目で見る人体セックス解剖学』（R.L.ディキンソン著／新風社）
　　　　　　　　　　● 『日本ラミナリア株式会社』http://nipponlaminaria.com/

子宮口の実際の写真
（撮影／亜留間次郎）

爛（びらん）や浮腫などが生じたりする場合もあり、産婦人科医は子宮口を見れば出産経験があるかどうか分かります。つまり、女性の子宮の入り口は、出産を経験するまでは処女なのです。

　エロマンガでは"子宮の中に男性器が入ったりする描写"が出てくることがありますが、子宮口は硬く閉じていて、何かを挿入しようとしても普通は入りません。医学的には無理があり過ぎて、本当にチ○コが入ったら鼻からスイカが出るようなものすごい激痛を感じるはずです。「子宮にチ○コが入ると喜ぶのはファンタジー」といわざるを得ません。…が、エロマンガ家の皆さんにはこの事実に臆せず、これからも子宮口の処女喪失を描写し続けてほしいところです。というのも、現実には普通にSEXしている限り、子宮口の処女が奪われることはまずありえないものの、無理に拡張すれば不可能なわけでもないからです。真面目な医療行為として、子宮口から子宮の中に器具を挿入することがあります。こうなると、裂傷ができて出産もしてないのに子宮口の処女が失われるという状況になるのです。

子宮口を開く医療行為の実態

　エロマンガに出てくるような子宮の中まで手を入れるプレイは、指1本ぐらいなら現実に不可能ではないということ。48ページの右の画像は、実際に昭和中期まで行われていた人工中絶の手術のやり方を示したものです。子宮に指を突っ込んで、胎児を掻き出していました。「子宮内掻爬術」といって、現在は専用の器具を使って行われています。

　子宮に指が入るまでに拡張するには、まず膣の中にタンポンを入るだけ詰め込み、水分を吸って膨らむのを利用して膣を広げます。膣が十分に広がって子宮口が見えるようになったら、「子宮頸管拡張器日本ラミナリア桿」という、子宮の入り口を広げる専用器具を子宮口に挿入。こちらもタンポンと同じく水分を吸って膨らむので、子宮口が広がるまで数時間ほど待ちます。

　ちなみに、このラミナリアとは昆布の学名である「Laminariacea」が由来で、本当に乾燥させた昆布の茎根でできた棒です。「日本ラミナリア株式会社」という、乾燥昆布の棒だけを販売している一芸特化した医療機器メーカーが実在します。会社のWebサイトを見ると、これしか商品がありません。

　子宮の入り口を乾燥昆布で拡張するのは、極めて真面目な医療行為であり、今でもコレに代わる便利

子宮頸管拡張器
子宮の入り口をさらに広げる、金属製の専用器具。破裂や裂傷などを防ぐため、長さや太さが制定されている（ヘゲール型）

子宮頸管拡張器 日本ラミナリア桿
昆布でできた医療器具。子宮の入り口を広げるために使う。周囲から水を吸うことで、外径が2〜3倍に膨張するという

な道具は無いのです。ラミナリア桿は中絶や腫瘍手術から不妊治療まで、子宮に関わる幅広い応用例があり、100年以上の実績があります。そのため、21世紀の現在も使われ続けているのです。

　ラミナリア桿で子宮口を広げるのは、かなりの苦痛を伴います。ラミナリアでググってみると分かりますが、中絶や人工授精などにおいて、最初の準備段階であるラミナリア桿の挿入だけで、激痛に耐えられない女性は珍しくないらしく、麻酔も使われます。子宮口が十分に広がったら、金属製の「子宮頸管拡張器」という棒を何本も挿入。指が入るまでさらに広げ、あとは指を入れて胎児を掻き出していたのですが、非常に乱暴で感染症の危険も高く、子宮に穴をあけてしまう子宮穿孔といった事故もありました。ゆえに、かつては中絶手術が原因で死亡することもあったそうです。上述したように現在では専用の器具を用いて処置するので、子宮に指を入れることはないため、ここまで無理に広げる必要はなくなりました。

あくまで
医学の本
ですヨ…

闇の医学史

[KARTENo.012-023]

最強兵器はかつて医療機器だった!?

チェーンソーの殺傷力

ゲームではラスボスすら一撃で倒し、映画ではサメを真っ二つにしたり、はたまた殺人鬼が自由自在に人間を切り刻んだり…。最強兵器チェーンソーついて、さまざまな角度から検証しよう。

　ドルルルルルン……というエンジン音と共に、刃が回転する構造はいかにも殺傷能力が高そうな「チェーンソー」ですが、実際に人間を切るとなるとどうなのでしょうか？　一説によると、肉が細かい刃に詰まってしまい、すぐに使い物にならなくなって、無双どころではないという話もあったりしますが、一体どこまでが本当なのでしょうか？

　殺傷能力に関していうと、実は擬似実験で、人間は簡単にチェーンソーで真っ二つになるということが証明されております。股間にちょっとチェーンソーが当たっただけで余裕で死ぬレベルで切れ、仮に当たった瞬間にスイッチから手を離しても、骨ごとざっくり切れてしまうのです。

　実際にチェーンソーによる死亡事故は多く、プロ用の高出力機では軽く当たっただけで即死レベルの大怪我になってしまうことは珍しくありません。厚生労働省労働基準局安全衛生部の調査によると、2015・2016年の2年間で林業の死亡者79人のうち、チェーンソーによる死亡者は49人と、なんと死因の過半数以上を占めています。チェーンソーで病院送りになった負傷者は247人なので、死亡率約20％と、かなり高いことが数字の上からもうかがえるのです。

　しかも、この数字は安全装置が義務化されたチェーンソーを使用しての死亡事故なので、殺人目的で

チェーンソーで切られた股間のシミュレート。アメリカのプロ用チェーンソーショップが、ジーンズに骨付き肉を詰め込み、チェーンソーを当ててテストしたところ

Madsen's Shop & Supply Inc.
http://www.madsens1.com/

Memo:
参考文献・画像出典など　●「世界初のチェーンソーの画像」など　https://en.wikipedia.org/wiki/Bernhard_Heine
　　　　　　　　　　　　●「キュアカッター」「大田区産業振興協会」https://www.pio-ota.jp/concours/c26/post_36.html

世界初のチェーンソー
ドイツ人医師ベルナルト・ハイネが、骨切り用のノコギリ「osteotome」として1930年に開発。クランクを回すと、小さな刃の付いたチェーンがガイドに沿って回る仕組みだ

ベルナルド・ハイネ
（1800～1846年）

使用された場合の死亡率はもっと高いといえるでしょう。実際にチェーンソーで人間を切断して殺害した2009年の「横浜港バラバラ殺人事件」の裁判では、30秒もかからずに首が切断されたとの証言がありました。

なお、チェーンソーが人間に当たるとどうなるのか、「chainsaw injury」でググると無残なグロ写真を大量に見ることができますが、検索はあくまで自己責任でお願いします。

チェーンソーの軍事利用はアリエナイ？

そんなに殺傷力が強いのに、軍用チェーンソーが無いのはなぜでしょうか？　それは、近代戦においてめったにない格闘戦のために、重くてかさばる武器を持ち歩くバカはいないという単純な理由のため。それどころか、チェーンソーは振り回すと何かに当たった瞬間に、自分自身に向かって跳ね返ってきて自滅するリスクが非常に高い諸刃の武器です。これは「キックバック」というチェーンソーの事故原因のトップで、講習会で絶対にやってはいけないこととして必修とされる現象。電動工具のパワーは人間などはるかに凌駕しているので、白兵武器としては自爆必至というわけです。

そのため、チェーンソーを使う時は、ヘルメットとフェイスガードに防刃服の着用が推奨されています。チェーンソーを振り回すのであれば、最低でもジェイソンのようにホッケーマスクの着用が必須です。レザーフェイスのような皮のマスクでは役に立ちません。あれっ？　でもジェイソンはチェーンソーを使ったことないんですよねぇ…。

サメを断ち切る最強のチェーンソー

チェーンソーの出てくる映画といえば、超絶サメパニック映画『シャークネード』シリーズが有名です。主人公フィン・シェパードは、チェーンソーでサメを真っ二つにしたりと無双しまくっています。

ここではシリーズ2作目（カテゴリー2）、アメリカ・ニューヨークの街中で飛んできたサメをフィンが見事に一刀両断する名シーンを振り返ってみましょう。持っている大型チェーンソーをよく見ると、

●チェーンソーの歴史について「Clinical Orthopaedics and Related Research」474巻5号1108～1109ページを参照
●ベルナルト・ハイネの博士論文 「Das Osteotom und seine Anwendung」https://reader.digitale-sammlungen.de/de/fs1/object/display/bsb11025027_00001.html

サメパニック映画『シャークネード』シリーズの
主人公フィン・シェパードは、大型チェーンソー
を武器にサメを切りまくる。ガイドバーに「NYFD」
と印字されているので、ニューヨーク市消防局の
装備品という設定だろう

『シャークネード カテゴリー2』（YouTube参照）

刃にNYFDという文字が見えるので、このチェーンソーはNew York Fire Department（ニューヨーク
市消防局）の装備だと思われます。これはチェーンソー中で最も高出力な「レスキューチェーンソー」
と呼ばれるもので、タングステンカーバイト製の刃と小型バイク並みのエンジンで、鉄筋コンクリート
の柱すら真っ二つに切断できるというニューヨーク市消防局最強の武器です。林業で使用されているチ
ェーンソーが自動小銃なら、ニューヨーク市消防局のヤツは対物狙撃銃並みの大物。サメが真っ二つに
なるのも納得の凶器といえます。

　映画のチェーンソーはどうみても長さ40インチ（約1m）はあるのですが、実在するニューヨーク市
消防局では40インチのレスキューチェーンソーは持っていないし、メーカーも製造していないそうで
す。というわけで、あれはあくまでも映画用のプロップチェーンソーと思われます。自爆しそうな持ち
方？　娯楽映画だからいいんです！　そもそもサメが空を飛んでる時点でツッコミ無用でしょう（笑）。

■医療機器としてのチェーンソー

　ちなみに…人間をチェーンソーで切るのは外道の所業と思われそうですが、実は元々チェーンソーは
人間を切るために、1830年にベルナルト・ハイネというドイツの整形外科医が開発した歴とした医療
機器なのです。チェーンソーで人を切断するのは間違っているけど、間違っていないのです。

　ベルナルト・ハイネ医師は1836年、チェーンソーで人間を切る研究論文で医学博士号を授与されて
います。その後チェーンソーは、ドイツの医療機器メーカーで量産され、1876年の「フィラデルフィ
ア万国博覧会」にも出品されました。アメリカでも1872年にGeorge Tiemann & Companyが量産を

Memo:

**救急医療用ワイヤーソー
キュアカッター**

災害現場で緊急的に手足を切断するための、人間用のワイヤーソーがある。こちらはコバルトクロム合金を採用し、従来品よりも切れ味をアップさせたもの。ワイヤーが細く、患者の負担が軽くなるという。東京ワイヤー製作所が開発した

東京ワイヤー製作所　www.twire.co.jp/

開始して、多数がアメリカ陸軍に納品されていました。1872年（明治4年）当時の定価が300ドル。現在の価値でいえば1千万円以上する、非常に高価な医療機器として販売されていたようです。同じカタログには、手足切断用ノコギリが5ドルで掲載されています。普通の病院では、こちらの5ドルのノコギリで間に合わせていました。

　ではなぜ、この時代、チェーンソーが医療用に必要とされたのでしょうか。それはなかなか残酷な理由です。当時は全身麻酔が無く、骨を切断する手術は痛がる患者を無理やり押さえつけて行うしかありませんでした。非常に苦痛の大きい方法しかなかったため、手術を短時間で終えることを重視し、そのため、人間の骨を短時間で切断できるチェーンソーが必要だったのです。

　麻酔が当たり前になり、数時間にわたる手術も普及した現代医学において、チェーンソーの費用対効果は著しく低下し、今では使用されなくなりました。ですが、昔は少しでも患者の苦痛を減らそうという人道的な理由から、チェーンソーで人間を切っていたわけです。チェーンソーで人間を切ることが、ギロチンなんかと同じで人道的とされた時代があったのは確かです。

　そして時は流れ、21世紀現在、災害現場で行われる緊急外科処置の一つとして、倒壊した建物などに挟まれた人間の手足を短時間で切断できる「キュアカッター」という、『プ○キュア』の技っぽい名前の人間用ワイヤーソーが開発されています。このコバルトクロム合金のワイヤーでチェーンソーを作ったら最強の対人兵器になりそうなので、誰かマンガに登場させてみて下さい。

　最後に。チェーンソー・回転ノコギリ・ドリルといったフィクションに登場する回転武器は、どれもすべてキックバックによる自滅事故を起こすリスクが非常に高い道具です。使用する際には、くれぐれも安全に十分に配慮して下さい。

KARTE No. 013

「味もみておこう」は研究行為だった！

精液の秘密

苦い・甘い・しょっぱい…と、精液の味には個人差があるといわれるがそれには理由がある。
性的嗜好のためではなく、あくまで研究のために精液の味見が行われていた時代もある。

　薬理凶室の怪人はバイトで、ワシの本業は種付け用家畜です。ワシは精液を吐き出すのが仕事なので、AV業界の人間より精液に詳しいです。ここでは精液について少しお話をしましょう。

　精液は睾丸で作られているイメージが強いですが、実際には射精直前に複数の器官からの分泌物が混合されて作成されるもので、普通の状態の人間の体内に精液自体はありません。その約7〜8割は精嚢（せいのう）で作られる「精漿（せいしょう）」と呼ばれる体液で、射精直前に前立腺分泌物と精子と混合されます。精嚢は前立腺の後ろにある5cmほどの袋であり、一般に精液と呼ばれているものの7〜8割は睾丸ではなくこの袋で生産されています。そして、精液に含まれているタンパク質は精嚢で生産されており、一般に精液として認識されている液体は精漿です。睾丸は精子だけを生産する専用器官なのです。前立腺で生産されるタンパク質分解酵素は精液の粘度を調整する役目をしており、精液のドロっとした粘液感は前立腺からの分泌物によって決定されています。

第1表　各種動物の精液内果糖含量　（mg/dl）						
	人	牛	羊	山羊	豚	馬　兎
範　囲	91〜520	280〜1500		270〜850	5〜25	9〜45
平　均	224		247		12	15　935（μg/器管）

『日本獣医師会雑誌』12巻 (1959) 1号
「精液内果糖について」
精液に含まれる果糖の含有量に関する論文。人間の場合、91〜520mg/dL、平均224mg/dLというデータが示されている

Memo:
参考文献・画像出典など　● 『日本獣医師会雑誌』12巻 (1959) 1号
「精液内果糖について」（小笠 晃）　https://www.jstage.jst.go.jp/article/jvma1951/12/1/12_1_31/_article/-char/ja/

精液の生産ライン
精液は、射精直前に複数の器官からの分泌物が混合されて作られる。そのほとんどは精嚢で作られる精漿という体液であり、射精直前に前立腺分泌物と精子と混合される。精液の粘液感は、前立腺からの分泌物によるもの。睾丸では精子のみ生産されている

 射精のメカニズム

射精は、2段階の生理現象によって行われており、そのメカニズムはこんな感じです。

■フェーズ1
性的興奮によって射精準備状態に入ると、精管の平滑筋が精子を精管膨大部に送りこみ、休眠状態だった精子を活性化させる。同時に、精嚢で精漿の生産と蓄積が始まる。

■フェーズ2
各部の平滑筋が収縮して、精子・精漿・前立腺分泌物が射精管へ送り込まれて混合され、尿道を通過する時にカウパー腺液と混ざって射精される。

なお、精液がどれだけ勢いよく飛ばせるか、その能力は精嚢の平滑筋の筋力によって決まります。平滑筋は筋トレで鍛えることができないので、精液を飛ばす能力はまさに天与の才能なのです。

 精液の味に違いが出る理由

精液に含まれている成分に関しては、古くから研究されていました。しかし、複雑な有機物やタンパク質の混合液である精液の成分を分析するのは難しく、1901年にオランダのフーローニンゲン大学のウイリアム・マン（William Mann）教授が244人の精液を味見して調査しています。その結果、精液の味に個人差があることが判明しましたが、具体的に何がどう違うのかまでの結論は出せていません。

当時はまだ分析器が発達しておらず、科学研究の分野において成分を分析・比較・同定するための手段として、味見という手法が主流を占めていたことによります。糖尿病が尿を舐めてみたら甘かったことから命名されたように、本当に昔の尿検査は医師が患者の尿を口に含んで味見して診断していました。糖尿病の診断基準は尿の味だったのです。

なので、いい歳した医学者が244人の精液を舐めてみるという研究は、当時としては別に変態でも頭がおかしかったわけでもないし、むしろ精液に関して珍妙な学説が唱えられたりしていたので、精液について真面目に研究するという面で意味がありました。その「珍妙な学説」については、69ページで解説しているのでそちらを読んでみてください。

医学に限らず、有機化学の分野でも古い論文を読むと物質を舐めた時の味に関する記述が結構あるし、万有引力の発見で有名なアイザック・ニュートンはヤバイものの舐め過ぎで晩年、頭おかしくなったという説があるぐらいです。

話を戻すと、その後1925年に、精液中の果糖を単離することに成功した学者が出現。精液中の果糖濃度を測定する反応が発見されたため味見という手法は廃れ、科学的分析法へと移行しました。

精漿にはいろいろな成分が含まれていて、精子が泳いで卵子まで辿り着くためのエネルギーを精子自身は持っておらず、精漿に含まれる果糖からエネルギーを得て泳いでいます。人間の血液中には栄養としてブドウ糖が溶けていますが、なぜか血液から精漿が作られる時に、ブドウ糖から果糖へ変換されるという謎があります。これは精子の運動が無酸素運動であるため、果糖の方が都合が良いからではないかと考えられているようです。人間の精液内果糖含有量は91〜520mg/dL、平均224mg/dLというデータがあります。結構、個体差が大きいのです。

体外に出た精液は、時間が経過するにつれてpHが低下します。これは精子が精漿中の果糖を分解して乳酸を生じるためです。この分解速度を示すのが「果糖分解指数」で、「37℃で10億の精子が1時間に分解する果糖のmg数」と定義され、この数字が大きいほど精子の活動が活発だと考えられています。

ではなぜ、最初から精液という形にせず、射精直前に精子と精漿を混合するフェーズが行われているのでしょうか…？　それも、エネルギーを浪費しないためだと考えられています。

ちなみに、フェーズ1のまま射精しないでいると、精子と精漿がジワジワと前立腺の中に漏出し始めて、カウパー腺液と混合して体外に排出され始めます。膣外射精しても妊娠するリスクがあるといわれてい

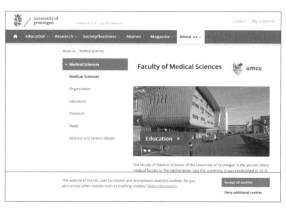

味見をするという行為は、古典的な研究手法の一つ。精液に関しても、1901年にオランダ・フローニンゲン大学のウイリアム・マン教授が200人以上の精液を舐めて調査している。なお、この研究に関する資料は孫引きだけのものしかなく、原文は残っていない。第二次世界大戦時にナチスが逃げる際、建物を爆破してすべて灰にしたからだ。その後再建されたため、現在のフローニンゲン大学医学部は近代的なデザインとなっている

フローニンゲン大学
https://www.rug.nl/

Memo:

るのはこのためで、フェーズ2が行われないまま萎えてしまうと精子と精漿は少しずつ尿と一緒に排出されてしまうのです。精漿は、フェーズ1の射精準備状態に入ると血液を原料に生産され、精嚢の中に溜まります。普段から体内に蓄積されているわけではなく、その時の血液中の成分が直接、精漿の成分に反映されるため、食べた物が精液の味に影響するのはちゃんと医学的なエビデンスがあるのです。

　なので、エロマンガに登場する男性キャラクターが射精する精液は、相手を妊娠させることが目的なのであれば、果糖含有量が500mg/dL以上あり、果糖分解指数200以上が理想的です。同様に、AV業界は男優を採用する時に精液の果糖含有量と果糖分解指数を調べてみて、数字が大きいほど精液の勢いが良いのでお勧めだといえるでしょう。

 ## 種付け用家畜からの助言

　精子は睾丸から直接射精されているようなイメージがありますが、現実には長い間、精管の中で待機していた精子が射精されます。精子の道のりは長く、睾丸の中で精子ができるまで、実に3か月近くもかかるのです。

精原細胞　➡　精母細胞　➡　精子細胞　➡　精子

　こういった流れで出来上がった精子はその後、精巣上体というこれまた長い遠回りな道のりを数日かけて移動して精管に辿り着き、そこで休眠状態になって射精の時を待つのです。この待機期間は1か月以上にも及ぶことすらあり、精子は意外と新鮮なものじゃなく長い時間をかけて熟成されているといえます。ゆえに、1回射精すると精管の中に備蓄されていた精子が放出され在庫不足になり、2回目以降の射精では精子の量が1/3程度にまで激減。そして3回目以降になると、1/10にまで減ってしまうのです。これが完全に回復するためには正常な人間で、3日以上の時間が必要です。

　なので、1回目を膣外で射精した後に、2回目を膣内に射精する…などということをすると、妊娠率が激減してしまいます。妊娠が目的なのであれば、最初から膣内に射精すべきです。逆に、妊娠したくない場合は、膣以外で2回以上射精しておくと妊娠率が激減するので、エロマンガ家の先生方にはぜひこのデータを参考にしていただきたいですね。もちろん現実にはオススメしません。

　また、こうした精子の減少に対して精漿の果糖含有量は、射精回数に関係なく一定値が維持されており、短時間に連続射精しても精液の成分はほとんど変化しません。これは精漿が短時間で製造可能な分泌物であることを示していますが、3回目以降は濃厚な精子が含まれていないので、もはや単なる体液といえるでしょう。

　精力絶倫で何回でも射精できる人間は、精子の生産能力が高いのではなく、精漿の生産能力が高いだけです。つまり、AV男優の中でも精液を吐き出す専門の男優は、睾丸よりも精嚢の性能を重視すべきでしょう。ダジャレじゃないよ…。

学科が良くても性病なら不合格になる…

東大入試のチ○コ検査

**明治時代から戦後にかけて、名門大学では健康診断の一部として、男性器の検査も行われた
という。素行調査などの意味もあったらしいが…。それを突破する試験対策もあったそうな。**

　現代人の感覚からすると変態にしか聞こえませんが、大昔は東大をはじめとする名門大学や名門高等
学校の入試科目にチ○コの検査、通称「M検」が実在していました。そして、チ○コ試験対策してくれ
る受験予備校みたいな病院まであったのです。

　1906年（明治39年）、当時は実質的東大付属高校ともいわれた日本一のエリート高であった第一高
等学校で生徒の健康診断を行ったところ、生徒の1/3が性病に感染しているというとんでもない結果が
出てしまいました。当然ですが、全員高校生なので未成年。高校生が風俗店に通い、性病をもらってく
るのが日常茶飯事ということが発覚し、教職員は激怒したのです。

　このため、翌年から入学希望者全員に性病検査を行うことになりました。試験の成績が優秀でも性病
だったら不合格になったのです。入試の時に完治していても、性病の痕跡があれば不合格という厳しい
基準でしたが、身体検査というより風俗通いしていないかどうかの素行調査だったというべきでしょう。
中学生の時点で風俗店通いしていたら、現代はもちろん、さすがに当時の高校入試でもダメな気がしま
す…。中学生や高校生の身分で風俗店に通うような男はエリート教育を受ける資格がない…、という判
断は妥当だと思いますが、エリートなら子孫を残せなければダメと、優生学的な将来性も評価対象とな

**「東北大学医学部入学直後、
「M検」で全裸に Vol.8」
m3.com**
https://www.m3.com/

　東北大学名誉教授だった久道茂先生
は、1957年4月に東北大医学部に入
学後、体育館で身体検査が行われた後
に性器の検査をされたと、医療従事者
用サイトのインタビューで語ってい
る。久道先生は日本のがん検診研究の
先駆者として活躍し、宮城県立がんセ
ンター総長、日本学術会議会員公衆衛
生審議会会長などを歴任した。2020
年10月逝去

Memo:

M検の様子
これは戦時中の徴兵検査の写真。素っ裸で男性器の性病チェックも実施された。なお、鳥取県から『アリエナイ医学事典』が有害図書に指定された理由の一つに、「検査の写真が掲載されている」とある。この写真の出典元は、戦時中に内閣情報部より刊行された国策グラフ雑誌『写真週報』掲載のもので、現在はパブリック・ドメインになっており、Wikipediaなどでも共有されている。歴史的な資料なので、この改訂版でもそのまま掲載する

っていました。キンタマが袋の中に入っていない停留精巣など、子供が作れない先天性障害はもちろん、包茎や恥垢がヒドかったり粗チンでも不合格になったそうです。

　戦前には、抗生物質による治療がありませんでした。梅毒の感染後、10年目以降に起きる第4期の症状では、多くの臓器に腫瘍が発生したり、脳や神経を侵されて「麻痺性痴呆」と呼ばれる症状により頭がおかしくなって死亡したりします。そのため、高校や大学入学時点で梅毒に感染していると、30歳前に気が狂って死ぬ確率が高く、せっかく高等教育を受けさせたのが無駄に…。その上、結婚相手や生まれた子供まで梅毒に感染してしまい、エリート家系が断絶してしまう可能性もあります。「入学資格なし」とみなされるだけの事情もあったのです。

　東大では1956年（昭和31年）度入学者までは、M検が実施されていました。東大が廃止したことにより他の学校でも行われなくなり、昭和40年代中頃には実施されなくなったといわれています。1957年4月に東北大学医学部に入学した、東北大学名誉教授の故・久道茂先生も「M検を受けた」と証言していますが、ただこれは入学後のことで入試時ではなかったようです。

✔ 大学入試科目「M検」の謎

　まずそもそも、M検の「M」が何を意味しているのか諸説あってはっきりしていません。男根を意味する「魔羅（Mara）」からという説が有名ですが、M検自体が公文書に登場しない俗称であり、いつ誰が付けた名称なのか分からないのです。

　1928年にできた陸軍規則には「トラホーム及び花柳病の検査は全員に行う」と書かれていますが、それ以前は疾病ある者としか書かれていません。トラホームはクラミジアが原因でなる目の病気で、性病だけど診察する場所は目になります。戦前は失明や視力低下の原因になっていたのです。最初に徴兵検査に性病検査を持ち込んだのは、オランダ人医師アントニウス・ボードウィンという説があり、彼の専門は眼科でした。また、明治時代にヨーロッパで行われていた梅毒の検査は軍人ではなく、軍人の相

参考文献・画像出典など
● 『キネマ・スターの素顔と表情』（ゆまに書房）　牧野守 監修、羽太鋭治 著
羽太鋭治が大正時代に出版した本の現代リメイク版。2006年に出版された

陸軍規則1928年3月26日陸軍省令第9号／昭和3年第15号
（国会図書館デジタルコレクション参照）
第12条に、「トラホーム」と花柳病の検査は受検者全員に実施するよう書かれている

トラコーマ

トラコーマ（トラホーム）は、クラミジア・トラコマチスという最近に感染して起こる目の疾患（結膜炎）。繰り返し感染すると、失明や視力障害に至ることもある

手をする売春婦が対象だったといいます。当時のヨーロッパは、結婚するまで処女と童貞でいなければならないという社会規範だったためです。

　日本で梅毒の検査が始まったのは、1867年（慶応2年）に英国公使ハリー・パークスの要請によって横浜に梅毒病院が設立されたのが始まり。東京慈恵会医科大学の創立者でもある医師の松山棟庵が関わっていますが、これはイギリス兵を相手とする売春婦を検査するための医療機関です。少なくとも日本軍が性病検査を公式に始めたのは1928年からで、1871年の日本初の徴兵検査の時には概念すら存在していなかったと思われます。

　これらから推測できるのは、M検を始めたのは軍ではなく、第一高等学校→帝国大学→陸海軍の流れである可能性です。青空文庫や国会図書館デジタルコレクションや戦前の新聞記事を、「M検」で検索しても該当はナシ。もしかしたら、この呼び名自体が戦後の創作かもしれません。

ライバルに差をつけるチ○コ模試対策

　梅毒が完治できるようになったのは、戦後になって抗生物質が一般化してからです。戦前は1度梅毒に感染すると、治ったように見えても体内に潜伏していて、一生治りませんでした。

　検査では全身裸にされて、体のどこかに「梅毒性薔薇疹」と呼ばれる淡く赤い発疹がないか確認。もしあれば、「梅毒の疑いあり」と診断されました。そのため、症状が出ていなくても不合格になることもあったのです。つまり、受験生は1度梅毒になったら、どんなに勉強して学科試験で良い点を取っても東大など名門大学への進学は不可能に…。

　受験競争が激化すれば受験対策する予備校が儲かるという理屈で、このM検対策をしてくれる医者が現れました。最初にM検と同じことをして、受験生のチ○コに点数をつけてくれます。要するに、チ○コ模試です。点数が低かったり不合格基準になる問題がある場合は、有料で治療してくれます。

　当然のごとく、受験生の間であそこの病院で診てもらった先輩は合格したという情報が流れるように

Memo：●エーザイ「トラコーマ」 https://www.eisai.co.jp/index.html

トリクロロ酢酸
($C_2HCl_3O_2$)
ケミカルピーリングの薬剤として、美容整形や尖圭コンジローマの治療で用いられる

アースクリニック池袋　https://www.earth-ikebukuro.com/

なりました。東京・神田小川町にあった泌尿生殖器科医院は、M検対策をしてくれる受験予備校的なことをしていた病院として評判になり、実際に多くの名門校合格者を輩出しています。

　病院長は、正義の変態性欲で悪の変態性欲者を誅する「大正変態仮面」こと、ドクトル・羽太鋭治（はぶと えいじ）です。「花柳病科（かりゅうびょうか）」という診療科で、現代でいえば性病科になります。当時は皮膚科と花柳病科がセットになっていて、感染症というより特殊な皮膚病という扱いになっており、見た目をどうにかするのが主流でした。泌尿器科・皮膚科・花柳病科を標榜していた病院の多くは、受験対策として性病による症状の痕跡を消す治療も行っていたのです。

　とにかくチ◯コの見た目が大事なので、感染症治療が発達していなかった当時、美容治療に近いような見た目をきれいにする治療が行われました。

 痛みに耐える…恐怖の受験対策

　まずは殺菌剤を染み込ませたガーゼで傷口を覆ったりして、体の表面に近い部分だけ殺菌します。場合によっては、外科的に壊死組織を切除するデブリードマンを実施。この場合は、感染症の症状が体の表面に出ている部分を切除し、細い絹糸で傷口を縫合します。傷痕はきれいに縫えばチ◯コのシワと見分けがつかなくなるのです。梅毒の病原菌は体内に潜伏しているので、一部だけ切除しても根本的な治療というわけではなく、あくまで見た目を整えて感染の事実をごまかしているだけです。

　膿が出ていたり変なタダレになっている部分は、酸で焼く「化学焼灼」というものすごく痛い治療法で対処します。トリクロロ酢酸を薄めたものを塗って皮膚再生を促す「ケミカルピーリング」と呼ばれる治療法で、俗に「性病でチ◯コがカリフラワーみたいになった…」といわれる尖圭コンジローマの治療に有効な方法です。トリクロロ酢酸の濃度が濃いほど皮膚が深く溶け、塗る量の加減で皮膚の溶け方が変わります。病状を診て、トリクロロ酢酸の薄め加減を決めるのは医師のカンと経験次第なので、ヤ

日本皮膚科学会 https://www.dermatol.or.jp/

ケミカルピーリングとは、皮膚に酸性の化学薬品を塗り、角質層〜表皮上層部を剥がす治療法のこと。肌のターンオーバーを促進させてトラブルを改善する。その際に使用する薬剤などは「日本皮膚科学会ケミカルピーリングガイドラインに」記載されており、皮膚治療の基準となっている

日本皮膚科学会ケミカルピーリングガイドライン
（改訂第3版）

ブ医者だとヒドい目に遭いますが名医だと見事に治ります。

　現代でレーザー治療として行われているものと原理は一緒ですが、レーザー治療とは比べものにならないほど苦痛が大きかったらしく、文字通り、生皮を剥ぐとか傷口に塩をすり込むような感じだったとのこと…。それでも、名門学校に合格するために痛みに耐えながら受験勉強していたようです。

　しかも、治療中は末梢血管の収縮を起こして血流を悪くするタバコは厳禁だし、酒も飲めません。いや、中高生なんだからどっちもダメだろって思うのですが、当時の医師が「チ○コが腐って無くなるぞ」と厳しく指導しなければならなかったらしいので、彼らにとって飲酒喫煙は割と普通だったようです。中高生が飲酒喫煙した挙げ句、風俗店に行って性病にかかるとか…ってツッコミたいところですが、そんなふざけた遊びが可能なのは金持ちの御曹司なので、病気になっても医者に金を積めば治ると軽く見ていたのかもしれませんね。

　医療を尽くしてもチ○コが合格見込みにならない場合もあったのですが、その時は…。梅毒は治療しなくても3年以内に症状が消えて治ったように見える潜伏期に入り、血液検査で梅毒の感染を検査できなかったため、梅毒の見た目の症状が消えるまで故意に浪人するという選択肢もあったようです。経歴に「病気により」浪人とか留年という人がいたら、性病の疑いがありというわけ。

　ちなみに、トリクロロ酢酸を使った治療は現在でも行われており、日本皮膚科学会ケミカルピーリングガイドラインにも載っています。最近は花粉症の治療として、鼻の穴に麻酔をしてから薄めたトリクロロ酢酸で鼻の粘膜を焼き、花粉に反応しなくさせる治療もあります。また、家畜やペットなど獣医の領域でも一般的に行われており、爪や角を切除した後の処置にも使用。

　なお、M検が無くなった21世紀現在でも、亀頭のブツブツを日帰りで治す病院があります。M検をする女性でもいるのでしょうか？　それほどチ○コの見た目は人物評価に重要なのでしょうかね？

Memo: ●「日本皮膚科学会ケミカルピーリングガイドライン（改訂第3版）」 https://www.dermatol.or.jp/uploads/uploads/files/guideline/1372913831_1.pdf

羽太鋭治博士は作家としても活躍

　性病に悩むエリート受験生を救った羽太鋭治博士の偉業については、66ページからの「大正時代の性教育論」をご一読いただきたいのだが、ここでは作家としての面についても補足しておこう。羽太鋭治博士は速筆な文学作家でもあり、本人名義の医学書だけで74冊と、ドイツ語からの翻訳書1冊を刊行。さらに、『家庭の医学』など多くの医学誌への寄稿もしていた。他にもドイツ留学費を稼ぐため、ペンネームで多くの文学作品を執筆しており、中には映画化された作品もあった。当時の映画俳優や映画関係者とも交流があったようで、『キネマ・スターの素顔と表情』という映画本も本人名義で出版している。低俗文学と揶揄される、現代でいえばいわゆる「サブカル作家」で、素性がよく分からない複数の作家の中の人だったという説もある。映画史研究家の牧野守は、「複数の民衆娯楽映画の原作者」であったと述べている。

　ちなみに、当時はドイツ留学してドイツの博号を取得すると、日本の医学博士よりも上位資格と思われていたらしい。ゆえに、雑誌などに載る際の肩書きは「医学博士」ではなく、Doktor der Medizinのカタカナ表記である「ドクトルメヂチーネ」だった。

『読売新聞』1916年10月26日の新聞広告
『家庭の医学』の編纂として、「ドクトルメヂチーネ」の肩書きで羽太鋭治の名前が記載されている

羽太鋭治博士の自殺を伝える新聞記事。享年53歳。医師法違反の一種で逮捕され、厳しい取り調べによって脳に障害を負い、それ以来、体調が優れなかったという。このへんに関しては73ページで説明しているので、ご確認いただきたい
（『読売新聞』1929年9月2日夕刊参照）

天才・性医学者による変態性欲の研究

大正時代の性教育論 前編

性教育の難しさはいつの時代も変わらない。その原点は明治時代に遡る。明治時代に、医師や大学教授など著名な有識者らの議論から始まった。そして、大正時代に花が開いた…。

　明治時代になると風紀の乱れや性病の蔓延など、性にまつわる問題が深刻な社会問題となりました。義務教育で性教育の導入が検討されたものの、教育界は学生の性の扱いに打つ手を持たず、何をどうしたらいいのか分からない状態。その結果、医学界が教育界を指導するかたちで、厚生省と文部省に新聞などのマスメディアまで巻き込み、医学者と教育者との議論による性教育の形成が試みられたのです。「性欲問題を子弟に教ふるの利害」というテーマで、1908年（明治41年）9〜10月にかけて行われました。9人の有識者が参加し、計21回にわたり開催。その内容は読売新聞に掲載されて、当時大きな反響を呼んだそうです。決定的な結論こそ出なかったものの、日本の性教育の最初の一歩となった大きな議論の始まりでした。

　なお、この議論に参加した9人の有識者は、当時の日本における最高権威が集まったドリームチームだったのです。

『読売新聞』に掲載された、「性欲問題を子弟に教ふるの利害」の記事。慶応義塾大学教授の向軍次先生が解説している回

Memo:

変態性欲の研究
(学芸書院)
羽太鋭治

性教育界のパイオニアといえる、羽太鋭治医学博士による著書。他に『性欲教育の研究』もある（国立国会図書館デジタルコレクション参照）

■医学史研究家 富士川游

医学史研究の最高権威。医師で歴史研究で文学者で、日本医学ジャーナリズムの始祖という多才な人物。文学博士＆医学博士のダブル博士号持ち。

■東京女子医科大学校長 吉岡弥生

女医で東京女子医科大学の創立者。9人の中で唯一の女性。当時としては、産婦人科・性医学の分野において日本有数の権威でもあった。

■東京女子高等師範学校教授 下田次郎

東大哲学科大学院卒で女子高等師範学校の教員を務め、女性教育の最高権威の1人。現在でも「日本の女子教育の振興の祖」といわれている。

■日本女子大学校長 麻生正蔵

女性蔑視時代に男女平等の教育を説き、日本女子大学の創立に尽力した教育者。女性教育の最高権威の1人。NHKドラマ『あさが来た』に登場した絹田さんのモデルで、ドラマ通り貧乏で清貧の士だった。

■第一高等学校教授 三並良

プロテスタントの牧師でもあり、名門高等学校でドイツ語の教授をしていたドイツ哲学の最高権威。

■慶応義塾大学教授 向軍次

思想家として江戸時代から続く悪習の根絶と、近代人権思想の普及に貢献した文明開化の申し子。

■慶応義塾大学教授 稲垣末松

前時代的な儒教教育を否定して、現代科学に基づく教育を推進した人物。フランス教育学の最高権威。フランス語学術書の翻訳者でもあり、多くの近代フランスの教育思想を日本に持ち込んだ。

フランスとドイツに留学して、近代教育学を先導した文学博士。教育における倫理と道徳の分野では、当時の最高権威であった。

■**東京音楽学校長 湯原元一**

東大医学部卒だが医師にならず文部省の官僚になり、日本の教育行政を主導した。文部省を退官して教育者となり、東京音楽学校長に就任。生徒の自主性を尊重した自由主義教育を主張した。教育こそ最もローリスク・ハイリターンな投資であり、教育に金をかければかけただけ、国力増強となって返ってくると主張した偉人。

性教育を発展させ変態性欲を研究

「性欲問題を子弟に教ふるの利害」の議論の後も、時代の要請により性教育に関する議論は活発に行われました。大正時代に入ると性医学者が脚光を浴びることになり、多様な性医学書が出版されたのです。

特に、性欲の中でも「変態」に関する研究は大正時代に入ってから急激に発達し、1917年（大正6年）～1926年にかけて日本精神医学会より『変態心理』という雑誌が定期刊行され、変態とは何かを真面目に議論されるようになります。欧米ではキリスト教的価値観に基づき、変態は地獄に落ちる、変態には悪魔が取り憑いているとして、聖職者や庶民が拒絶反応を示したのに対し、日本はキリスト教的価値観が薄かったことで、変態の研究がきちんと進んだのではないでしょうか。

その中でも特筆すべきは、羽太鋭治医学博士という人物で、学芸書院より『性欲教育の研究』と『変態性欲の研究』を出版し、「家庭による私的性教育」と「学校による公的性教育」の両輪による教育システムの確立を訴えました。まさに性教育界のパイオニアといえます。題名からしてアレなのですが、ちゃんと内務省の国家検閲をパスしました（笑）。

変態性欲という題名だけあって、SMや露出狂どころか、「女性的男子」という名称で「男の娘」についてまで言及されているスゴイ本です。実際に読んでみると、日本の変態は大正時代に完成してたんじゃないだろうかと思います。大正浪漫物の作品を執筆されている作家の皆さん、大正時代に「女性的男子喫茶」という名称で「男の娘カフェ」を出しても時代考証的にOKといえそうですよ。

変態性欲の研究というと誤解を招きそうですが、何が正しくて何が悪いのか性欲の善悪をハッキリさせて、国民が悪い性欲に溺れないように正しい性教育を行い、「正しい性欲生活」に導くことが意図されていました。その中でもかなりのページ数を割いて、世界各国の刑法まで列挙して最も悪い変態性欲としているのが「強姦」です。

強姦魔に対して刑罰だけでなく精神病としての治療も必要と説いていますが、当時の精神病の治療って、死ぬまで精神病院に監禁することなんですけど、それって実質的に終身刑…。21世紀現在のアメリカに、コーリンガ州立病院というペドフェリアを死ぬまで監禁しておく専門の精神病院があることを

考えると、日本の法務省が変態性欲の研究成果を無視したことは、女性には不幸だったとしかいいようがありません。大正時代の強姦の罪は軽かったのです。

明治から大正時代の刑法第三百四十八条に、「婦女ヲ強姦シタル者ハ軽懲役ニ処ス」と強姦罪の規定があるのですが、長くても30日程度。しかも、被害者女性の大半が泣き寝入りし、警察に訴えても99.9％は被害届の受理すらしてもらえず追い返されるような時代でした。1933年（昭和8年）以前の統計に「強姦」「強制猥褻」などの項目が存在しないため、大正時代の強姦事件がどの程度あったのか正確な数字は不明ですが、「女の子は暗くなったら出歩いてはいけません」「門限は厳守しなさい」と言われていた理由がよく分かるでしょう。

そんな暗黒時代に、強姦がいかに異常で悪で犯罪であるかを説いた『変態性欲の研究』は、もっと正当に評価されていいと思います。今の時代にこそ、変態性欲の再研究が必要ではないでしょうか？

フォオオオ！天才医学博士のチン説

さて、羽太鋭治博士はドイツから持ち帰った学説として、以下の説を唱えています。

「精液は血液に吸収され、心臓に送られた精液が心臓の働きによって各組織に送られる。筋肉組織に送られた精液は筋肉を増強させ、脳に送られた精液は新しい思想や要求、希望を起こさせ精神により明瞭なる理性、より健全なる判断、より高き野心、より決定的な目的及びより強い意志を与える。しかし、精液の浪費は身体の健康を害する危険性があるから、自己抑制とは美しき教訓なり」

現代人の目で見れば大変な珍説ですが、何しろドイツ留学した医学博士の高説なので当時は真面目に信じる人がいたそうです。変態性欲で筋力増強して精神力も強化されるヒーローといえばマンガ『究極!!変態仮面』の主人公ですが、変態仮面の変身プロセスって実は羽太鋭治説に基づいていて、おいなりさんから精液が全身の筋肉と脳に送られてパワーアップしていた可能性が…。

ということで、誰か羽太鋭治博士を主人公にした『大正変態仮面』を書いてくれませんか？　普段は神田小川町で開業医を営む羽太先生は、婦女子が危機に陥ると正義の変態性欲がみなぎり、おいなりさんから精液が全身の筋肉と脳に送られ、愛と性技の使徒・超人「変態仮面」となって、悪の変態性欲者に天誅を下す…とかダメですか？　ソウデスカ。

究極!!変態仮面
（集英社文庫）
あんど慶周

フォオオオオ！

HK 変態仮面シリーズ
（ティ・ジョイ）

『究極!!変態仮面』は、1992〜1993年に『週刊少年ジャンプ』で連載され、当時の青少年に圧倒的なインパクトを残した。それを原作に2013年、鈴木亮平主演で『HK変態仮面』が公開。2016年には続編『HK 変態仮面 アブノーマル・クライシス』が製作・公開された

座薬と偽り少女に…「女子学生肉棒治療事件」

大正時代の性教育論 後編

66ページからの前編で、強姦されて警察に訴えても99.9%は被害届の受理すらしてもらえないと説明したが、受理してもらえた0.1%の事例がある。それが「女子学生肉棒治療事件」だ。

1923年（大正12年）、日本海員掖済会横浜出張所附属病院の病院長であり、東大医学部卒で医学博士の超エリート医師である大野禧一が強姦・堕胎未遂事件「大野博士事件」を起こしました。日本四大財閥の一つ安田財閥の系列企業で当時、資本金1,200万円の大企業だった群馬電力の専務・小倉鎮之助の6女で18歳女学生の哲子に、座薬と嘘をついて自分の男性器を挿入。妊娠させた上、秘密裏に強制堕胎させて隠蔽しようとしたのです。分かりやすく「女子学生肉棒治療事件」としましょう。

「俺は安田財閥幹部の小倉だ。俺の娘が強姦されたぞ、長官出せ！」

父親の小倉が弁護士を連れて横浜地裁に怒鳴り込んで、ようやく受理されました。こんなヒドイ事件なのに、当時の強姦被害者が被害届出すのがどれほど大変だったか、想像に難くありません。

幼い頃から慢性気管支炎に苦しむ娘のために、小倉鎮之助は当時最新最高水準の医薬品から医療設備を買い集めた私設診療所を自宅に作り、エリート医師に往診してもらっていました。真の富豪は病院に行くのではなく、病院を作って医者が来るのです。

大野禧一は「肺病は如何にして癒つて行くか」という肺病治療の研究で、京都大学から医学博士を授与された肺病の治療において当時最高権威の医師と見られていました。小倉鎮之助は、彼に6,000円もの莫大な額の謝礼を支払って娘の治療を依頼しています。当時の群馬電力の大卒社員の年収が約600

「大野博士事件」に関する新聞報道。なお、当時の小倉鎮之助の役職は専務だったが、社長は名義上だけの存在で、群馬電力の代表権を持つ経営者は小倉鎮之助だった。ゆえに、当時の新聞報道では「小倉社長」と書かれている。また、小倉鎮之助は安田財閥最高意思決定機関の幹部でもあり、長者番付に載るほどの富豪だった（『読売新聞』1923年3月3日参照）

Memo:
参考資料・画像出典など ●国立国会図書館デジタルコレクション『肺病は如何にして癒つて行くか』https://dl.ndi.go.jp/info:ndljp/pid/934136
『明治・大正・昭和歴史資料全集 犯罪篇』下巻 https://dl.ndi.go.jp/info:ndljp/pid/1920457/178

大野博士事件(女子学生肉棒治療事件)
1923年、東大卒の医学博士であった大野禧一が
起こした強姦・堕胎未遂事件。被害者となった18
歳の女学生は、自分が強姦されていることを理解
できていなかったという。性教育の重要さが再認
識される契機の一つとなった

円だったことを考えると、ブラックジャック並の報酬といえます。しかし、小倉邸に呼ばれた大野禧一
は密室で2人っきりになると治療などせず、「座薬を入れるからね」「痛いかもしれないけど我慢してね」
と言って自分の男性器を生挿入し、3回にわたって中出ししていただけだったのです。

　それしても哲子は、犯されていることをなぜ両親に言わなかったのでしょうか？　それは両親が彼女
の周りから有害図書を徹底的に排除し、子供に対して一切の性教育を行っていなかったからです。性知
識ゼロで、母親からは「偉い東大博士のお医者様だから、おっしゃる通りにするのよ」と言われていた
ので、哲子は医師の言うことをすべて信じて医療行為が行われていると疑わず、レイプされている自覚
そのものが無かった…らしいのです。今でいう、無知シチュってヤツでしょうか。

　不信に思った父親が哲子を病院に連れて行くと、妊娠していることが発覚。横浜地裁に告発して大野
禧一は逮捕されました。この事件は当時、新聞の一面記事となり抗議デモが東大病院に押しかけ、警官
隊ともみ合いになったり、投石により窓ガラスが割られたりと大きな騒動になったようです。

　さらに当時のマスコミには、プライバシーという概念などなく大野禧一の自宅の住所まで報道してし
まったため、「ここが強姦魔の家だ！」と横浜中に知れ渡ってしまいました。怒り狂った民衆に打ち壊
しに遭い、家族はどこかに逃げたそうです。

　事件後、マスコミで盛んに「大野博士」と報道されため、博士号を授与した京都大学に保管されてい
た博士論文が多くの医学者に査読されることになりました。結果、デタラメな不正論文だったことが発
覚し、大野禧一は肺病の治療などできなかったことが明らかになり、さらに炎上。「京大ならデタラメ
な論文でも博士になれる」とマスコミに叩かれ、京大の権威失墜にまで波及して、京大から医学博士を
授与されていた医師が誹謗中傷される惨事になるなど、東大だけでなく京大にまで盛大に飛び火して大
正時代の終わりまで炎上し続けました。こういう事件は昔からあったんですね。

　強姦罪が実質的に犯罪扱いされていなかった時代に、懲役6年の実刑判決を受けたのはかなりの重い
判決に見えますが、強姦がメインだったわけではなく、堕胎罪・医師法違反・詐欺など余罪山盛りでの
結果です。その上、警察も裁判所も弁護士も、父親の小倉から「安田財閥を敵に回す覚悟で言ってるん
だろうな」ってガチギレで脅迫されての判決だったようです。

　大正時代の少年の間で将来なりたい職業ベスト3は、大臣・大将・博士だったそう。しかし、博士が

悪質な強姦詐欺師だったことが連日報道されたことで、子供の夢は木っ端微塵に砕かれてしまいました。そういう意味でも罪は重いといえるでしょう…。

　裁判の判決後、小倉鎮之助はマスコミの取材に応じて「娘を立派な淑女に育てるため、芝居や映画や小説や女性雑誌など、一切の刺激から遠避けた私に罪がある」と懺悔しています。

　大野禧一はというと、治療費として小倉から受け取った6,000円の大金を使って弁護団を編制。保釈金を積み釈放されると、姿を隠して逃げ回りながら最高裁まで徹底的に無罪を主張して争いました。最終的に最高裁で懲役3年の実刑が確定して服役し、医師免許も博士号も剥奪され、東大の卒業者名簿からも抹消されたのです。なお、彼は出所後にマスコミの取材を受け、「南米へ行く」と言って当時流行っていた南米開拓団の一員として日本を出国しました。それ以後は消息不明です。

　刑期を半分にした弁護団は頑張ったといえなくもないけど、この弁護団による無罪主張に安田財閥は激おこです。安田財閥代表・安田善次郎の名前で、横浜から東京一帯の弁護士全員に「強姦犯を弁護したる者は安田の敵と見なす」という勧告書を送りつける騒ぎまでになっています。戦後の財閥解体で安田財閥が消滅するまで、弁護士はうかつに強姦犯を弁護できなくなり、非常に強姦魔にとって不利な状況になったのでした。なお、被害者の小倉哲子は強姦によって妊娠させられた子供を産み、小倉家と親交のあった公爵家の養子の陸軍将校と結婚してさらに2児を授かり、76歳まで生きています。持病の治療をしなくても平気だったようです。

　女子学生肉棒治療事件と同年には、当時ベストセラー作家だった島田清次郎が、海軍少将舟木錬太郎の娘を誘拐・監禁・強姦して起訴された事件が発生。この大正二大強姦事件を契機に、社会では性について無知であることの無防備さが認識され、性教育の必要性が再確認されるようになったのです。そして、明治末期にストップしてしまった日本の学校教育における性教育に関する議論が再燃することになりました。本題から逸れていたようで、実は逸れていないのです。

　これ以後、警察は真面目に強姦罪を犯罪として扱うようになり、「女性を強姦してはいけない」とい

『明治・大正・昭和歴史資料全集 犯罪篇』下巻（有恒社／1933年刊行）

「大野博士事件」という項目で、8ページにわたって事件の詳細について解説されている
（国立国会図書館デジタルコレクション参照）

Memo:

う社会常識ができました。しかし、これでめでたしめでたし…とは、ならなかったようです。

性教育の暗黒時代の始まり

　時代はあまり良くない方向に進んでおり、1923年に文部省が女学生の性教育には反対で、生理衛生で教えられる範囲以上の知識を教えた場合は厳重に処罰すると通達。性欲の害から子供を守るために学生が読む図書の検閲に乗り出し、教育現場は有害とされた自然主義文学・雑誌・新聞の取り締まりを実施して「女性に性欲はない」「子供の手淫は有害」といった、今となっては馬鹿げた論説を作り上げました。性別アイデンティティを構築し、男性による性支配を基盤とする近代国家を構築するための「性的欲望の装置」を完成させたのです。

　以後、性教育において教育界と医学界は断絶し、性教育から医学的な要素を排除するようになってしまいました。男子学生はひたすらに禁欲すべきとの価値観を強要し、自慰もSEXも厳しく禁じられるようになったのです。女子性教育に関しては、処女の貞操保護を目的に掲げた性教育論に傾倒し、結婚するまで処女でいることを強要しました。その辺の弊害が、この令和の時代にもあちこちに残っているように思えますね。その後、昭和初期に行われた変態性欲の抹殺は、焚書とか発禁なんて生易しいレベルではありません。関係者が次々と逮捕・殺害されたのでした。

『変態性欲の研究』で名を馳せた羽太鋭治博士は、1928年（昭和3年）の年末に医師法違反としては極めて珍しい、医師としての品位保持義務に違反した罪状で逮捕。警察で厳しい尋問の後に脳に障害を負ったらしいのですが、一体何があったのでしょうか？　拷問か暴行か…。

　脳に傷害を負い体が不自由になった羽太鋭治博士は、翌年の1929年8月31日に自殺しました。少なくともワシは、この他に日本で医師が品位保持義務違反で逮捕された話を聞いたことがありません。

　同年の1929年3月5日には、性教育論を提唱した衆議院議員の山本宣治が右翼に刺されて死亡しました。1922年に日本語の手淫に代わる英語のオナニーの日本語訳として、「自慰」という言葉を広めた人物です。刺した右翼の男は正当防衛で無罪を主張。警視庁も殺されたのは左翼の変態性欲者だから当然と言わんばかりの態度で、犯人を擁護する対応を取ったそうです。

　しかし、東京地裁は独自の現場検証を行い、警視庁の発表を否定し殺人罪での実刑を宣告します。殺人犯を擁護したことで、内務省は警視庁に対して厳重警告を行うほどの異常事態にまで発展しました。犯人は実刑をくらいましたが、異例の模範囚扱いで刑期の半分で出所。その後、右翼の仲間に「変態性欲者を殺したのだから無罪で、十万円と良い身分がもらえるはずだったのに刑務所にぶちこまれてしまった」と話したそうです。しばらくは日雇いなどの仕事をしていたものの、精神病院に強制入院となり死亡しています。

　大正時代ならセーフ、昭和になったらアウトという基準の変化がなぜ起こったのか、教育界の陰謀を疑わずにいられません。そしてその後、軍国教育に傾倒していった日本がどうなったのか…皆さんご存じの通りです。

未知のトラブルを科学的に解決できる学問

スゴイぞ疫学

「疫学」とは元々、伝染病の発生原因や予防などを研究する学問として始まった。この科学的な手法を用いることで、マンガやアニメがどれだけの悪影響を及ぼすのかも証明できるのだ。

マンガやアニメの影響で、人は犯罪を犯すのでしょうか？　実はこれ、疫学によって証明できるんです。

疫学というと医学の理系分野みたいに聞こえますが、法学や犯罪学の分野でも重要な概念であり、疫学的な証明は裁判の証拠となります。実際に勝訴して法律すら変えさせたのが、水俣病や四日市公害などの公害裁判です。医師免許を取得してから司法試験に合格する人が結構いるように、理系と文系で畑違いみたいに見えますが、畑と田んぼ程度の違いで、農業と漁業ほどかけ離れたものではありません。

疫学がスゴイのは、どうしてそうなるのか理由が分からなくても原因を特定して排除し、治したり解決できるところにあります。ということは逆に、理由はよく分からないけど、ソレが原因だから法律で規制するという論法に持っていける怖い科学でもあるのです。

医学の分野で大きな成功を収めたのは、当時は原因不明の難病だったコレラや脚気などの病気を激減させたこと。法学の分野では、水俣病や四日市公害などの公害裁判で環境汚染を違法行為と認めさせたことや、タバコの有害性を認識させ、禁煙活動を行い受動喫煙まで規制に成功したことなどがあります。犯罪学の分野で大きな成果を収めたのが、「割れ窓理論」に代表されるアメリカ・ニューヨークの治安改善です※。

このように社会から公共の害となる原因を取り除いて、安心して暮らせる社会を作るために疫学は重要な科学なのですが、大失敗した例もあります。アメリカでエイズ患者5人が発見された時、偶然にも5人全員が男性の同性愛者だったことから、"エイズはホモがなる病気"という偏見が広まってしまいました。サンプル数が少ない場合は、統計を活用する疫学は機能しません。なので、少数の犯罪者がオタクだったからといってオタクは犯罪者予備軍とはいえないわけです。

 ## マンガやアニメを規制するのは正しいのか？

では本題。マンガやアニメの影響で犯罪が増えるということを証明して、公害のレッテルを貼って法律で規制するためには、それらが「疫学4原則」すべてを満たしていることを統計学的に証明しなければなりません。もしも、この4原則を有意水準0.0001以下で帰無仮説を棄却できる学者がいたらマンガやアニメをすべて禁止にできます。これを法学では、「合理的な疑いを超える証明」と呼びます。

Memo:
※「割れ窓理論（ブロークウインドウ理論）」…軽微な犯罪や小さな不正を徹底的に取り締まることで犯罪を抑止し、結果的に凶悪犯罪や大きな不正を防げるようになるという、環境犯罪学の理論。アメリカの犯罪学者であるジョージ・ケリングが考案した。

ブロード街の12日間
（あすなろ書房）
デボラ・ホプキンソン

ジョン・スノウ
（1813〜1858年）

疫学の祖といわれるジョン・スノウ
1831年、イギリス・ロンドンでコレラが流行した時に、ジョン・スノウ博士が取った行動はたった1か所の井戸水を汲み上げるポンプのレバーを外しただけだったが、それだけで現実にコレラの流行は終息した。なぜコレラが流行するのか、その理由が解明されるのは数十年後になるが、博士が原因を突き止めた統計的手法が現代の疫学の始まりである。この史実を元にしたフィクションが『ブロード街の12日間』（あすなろ書房）。中学生の課題図書になるぐらいの名作なので、興味がある方はどうぞ

疫学4原則

1 時間的関連性　　　　　　**2** 量的相関性

3 質的相関性　　　　　　　**4** 原因と結果の関連性

1 時間的関連性

　まず、原因→結果の順番になっていることを証明しなければなりません。これは幼女に性犯罪を犯したペドフィリアがロリコンマンガを大量に所持していた場合、ペドフィリアだからロリコンマンガを買っていたなら、原因がペドフィリアで結果がマンガになるので、マンガの有害性は否定されます。ロリコンマンガを読んでいるうちに、その影響でペドフィリアになった場合は、原因がマンガで結果がペドフィリアになるので肯定されるわけです。

高木兼寛
（1849〜
1920年）

東京慈恵会医科大学　http://www.jikei.ac.jp/univ/

1911年にビタミンB1が発見された。しかし、その27年も前に脚気の原因が不明のまま疫学によって、脚気を治したのが高木兼寛男爵だ。「日本の疫学の父」と呼ばれ、成医会講習所(現東京慈恵会医科大学)の創始者でもある

2 量的相関性

　マンガの影響する程度が著しいほど、その犯罪の発生率が高まることを統計学的に証明しなければなりません。これは犯罪者がどれくらいマンガを読んでいるか統計を取って、相関係数を求めます。公平を期すために、マンガを読まない犯罪者にも統計を取らなければなりません。マンガを読まない犯罪者が多いほど、相関係数は下がります。具体的には相関係数が0.8以上あり、相関が強いと認められなければ裁判の証拠にはならないのです。

3 質的相関性

　例えば、サッカーマンガが好きな人が、その影響でサッカー選手になったなど、犯罪以外の肯定的な影響も含めてマンガを読むとどのくらい影響を受けて実行に及ぶかを証明しなければなりません。これは相関が無ければダメで、「マンガの影響でサッカー選手になった」は証明になるけど、「マンガの好きなサッカー選手」は証明になりません。読んでいたマンガのジャンルがサッカー中心ならマンガの影響を受けていると考えられますが、好きなジャンルがファンタジーモノだったら、ただのマンガの好きなサッカー選手と考えられます。

　つまり、強姦魔がエロマンガを読んでいただけでは相関が無いので証明にはなりません。女性がレイプされて喜ぶエロマンガを読んで、喜ぶと信じて強姦魔になったアホな人だけが証明になります。

4 原因と結果の関連性

　ロリコンマンガを読むとペドフィリアになること。そして、暴力マンガを読むと暴力をふるうことが、

Memo:

『BMJ』1997年10月号
https://www.bmj.com/
content/315/7114/973
イギリスの医学誌『BMJ（British
Medical Journal）』に、間接喫煙に
おける信頼の高い論文が掲載されてい
る。これによると、喫煙者の夫と同居
する非喫煙者の妻は、相対危険度が
1.23倍になることが示されているの
だが…。この数字では、間接喫煙の不
法行為責任を問うのは難しいだろう

矛盾なく精神医学的に説明できなければなりません。

　というわけで、誰か疫学的知見からマンガやアニメの有害性を研究した人がいないか論文を検索して
みたのですが、見つかりませんでした。
　仮に疫学4原則がすべて証明されてしまった場合、マンガやアニメは公共の福祉に反する公害だと認
定されることになります。すると表現の自由を制限されることになり、四日市公害のようにすべての出
版社による共同不法行為が成立すると認定されるようになり、今まで以上に厳しい規制を課せられるよ
うになるでしょう。さらに、全出版社が莫大な賠償金を科せられることになり、倒産が続出します。
　しかし、すべてのマンガやアニメが世界から抹殺されるのかといえば、恐らくそうはならないでしょ
う。これだけ危険性が問題視され、禁煙が強要されているにも関わらずタバコが販売され続けているの
がいい例です。すべてのマンガやアニメに有毒性が無いか第三者機関による検査が入るようになったり、
18禁になったりするかもしれませんが、それでも消えて無くなることはないハズです。…なんかそれ
ってAV業界の現状のような気がしますが…おいといてと。
　疫学には「相対危険度」という指標があり、この場合はマンガを読む人と読まない人の犯罪率を比べ
て、マンガを読む人が読まない人より何倍、犯罪を犯しているのかを求めます。イギリスの労働年金省
の機関である労働傷害諮問会では、ある職業または作用物質が疾病発症の原因であるとするには、相対
リスクが2以上を示す一貫性のある堅固な疫学的証拠が必要だとしているので、日本の裁判においても
少なからず影響があると思われます。
　間接喫煙について、イギリスの医学誌『BMJ』1997年10月号に掲載された論文「Environmental

tobacco smoke exposure and ischaemic heart disease: an evaluation of the evidence（環境タバコ煙曝露及び虚血性心疾患：証拠の評価）」では、根拠に基づく医療において最も質の高い根拠とされるメタ解析で37篇の研究を精査。喫煙者の夫と同居する非喫煙者の妻では、相対危険度が1.23倍になることを示しました。しかし、1.23倍というリスクは裁判で疫学的証拠が排除されるのに十分低い数字であり、間接喫煙の不法行為責任を問うのは難しいということになったのです。

　ちなみに、喫煙者の肺がんの相対危険度は2.25倍、飲酒＋喫煙の食道がん発症の相対危険度は7.8倍になるのですが、どちらも国は禁止していませんね。

マンガは悪ではない！

　つまり、マンガを読む人と読まない人を比べた時、実際そんなことはないですが、読む人の犯罪率が仮に高かったとしても表現の自由を制限されるほど、公共の福祉に反する公害にはならないと判断される可能性が高いということです。自由を重んじる現代法理において、公共の福祉に反すると認定されるハードルは物凄く高くなっています。仮にマンガやアニメに対して疫学4原則が証明されたとしても、最低でも相対危険度10倍を超えないと…、要はオタクの犯罪率は一般人の10倍以上という統計でも出ない限り、マンガやアニメを「パブリック・エネミー（公共の敵）」と国が認定してオタクの人権を制限することはやむ得ないとする法整備は無理ということ。なので、安心して大丈夫そうです。

マンガやアニメに対する「危惧感説」

「危惧感説」とは何らかの危険があるかもしれないという、漠然とした不安感や危惧感がありさえすれば過失が成立するという考え方のこと。つまり、マンガやアニメに悪影響があるかもしれないことが社会的に認知されている以上、出版社は過失責任を負うべきであり規制すべき…というかなり暴論な主張である。あまりに暴論なので現代の法曹界では支持されていないが、出版社を自主規制に走らせる原因になっているかもしれない。なお、日本の裁判史上では、「森永ヒ素ミルク中毒事件」（1955年）の1例だけが有罪になっている。

補講1　あらゆる分野で利用されている疫学

　スピード違反などで違反キップを切られた経験のある方も多いだろう。この免許の違反点数制度は、疫学的なシステムによって作られイギリスで始まった。免許の点数によって免停にして運転できなくするのは、罰を与えるのではなく、免許の点数によって事故の原因になりやすい個人をスコアリングすることで発見し、交通社会システム全体の健全性を維持するために危険因子として排除するのが目的なのだ。

　現在、中国では国民全員に対して社会的信用度の点数を付ける制度を開始した。アメリカでも実質的にFICOスコアに代表されるクレジット点数が個人の社会的信用を測る指標となっている。信用の低い返済できそうにない人間に金を貸さなかったり、商品売買などの取引を拒否したり、交通機関の利用を制限することで、パブリック・エネミーを排除しようという発想は既に現実のものになっているのだ。

日本の免許の点数制度は0が基準で、違反をするたびに加算されていく累積方式。6点で免停など、一定の点数になると処分される。持ち点があって、そこから点数が引かれる減点方式ではない
「警視庁」点数制度(http://www.keishicho.metro.tokyo.jp/menkyo/torishimari/gyosei/seido/)

補講2　各業界における疫学の定義(参考資料)

日本疫学会による定義
http://jeaweb.jp/

明確に規定された人間集団の中で出現する健康関連のいろいろな事象の頻度と分布、及びそれらに影響を与える要因を明らかにして、健康関連の諸問題に対する有効な対策樹立に役立てるための科学

日本弁護士連合会による定義
https://www.nichibenren.or.jp/

「疫学とは、人間を集団として把握し、その集団について疾病その他の事象の分布を多角的に観察し、その規定因子、成立因子を研究する学問である」
(『刑事裁判と疫学的証明』17頁参照)

犯罪学による定義

ある期間、ある集団において、ある特定の犯罪発生率が上昇した場合、その犯罪発生の原因を調べ、その原因を除去することにより犯罪行為そのものを抑制するための学問

IIAC(労働傷害諮問会)による定義
https://www.gov.uk/

イギリスの労働年金省(Department of Work and Pension)の機関であるIIAC。IIACでは、ある職業、または作用物質が疾病発症の原因であるとするには、相対リスクが2以上を示す一貫性のある堅固な疫学的証拠が必要だとしている

参考資料　「事実的因果関係の疫学的証明について」　https://ci.nii.ac.jp/els/contentscinii_20180506165544.pdf?id=ART0008465892

「トライ・アンド・エラー」は時代遅れの学習法!?

正しい教育学のすゝめ

「教育学」という科学において、「トライ・アンド・エラー」は明治時代に発見された、今では時代遅れな教育法といえる。本当に頭が良くなる勉強法は実在する。その一端を解説しよう。

そもそも「トライ・アンド・エラー」は、インチキ和製英語で英語にも日本語の科学用語にも存在しません。英語で「trial and error」という似たような学術用語はありますが、これは生物の進化において適者生存になれるまで変異を繰り返す意味で用いられる用語です。つまり、人間が科学研究において用いる手法ではなく、莫大な生物の絶滅の繰り返しによって現在の適者生存した生物が誕生した地球規模のスケールの話で、エラーになった生物は絶滅して死ぬことを意味しています。ゆえに「トライアル・アンド・エラー」が正しいとドヤ顔をするのも、間違いなわけです。

じゃあ、日本でトライ・アンド・エラーという言葉がどこから生まれたのかというと、試行錯誤を横文字にしたインチキ英語です。元々はアメリカの心理学者&教育学者であるエドワード・ソーンダイクが提唱した、「Law of effect」の訳語として作られた造語が「試行錯誤」で、現在では「効果の法則」と訳されています。

エドワード・ソーンダイクの弟子であり1912年（明治45年）に、アメリカでPh. D.（Doctor of Philosophy、博士号）を取得した最初の日本人女性である原口鶴子が、大正時代に教育学の概念として日本に持ち込みました。ゆえに、日本でエドワード・ソーンダイクの業績を調べると試行錯誤説の提唱者として出てきますが、これは弟子である原口鶴子が日本の教育学界に残したもので「試行を繰り返

原口鶴子
（1886〜1915年）

「心的作業及び疲労の研究」
（国立国会図書館デジタルコレクション参照）

試行錯誤学習

コロンビア大学でエドワード・ソーンダイクらに指導を受け、アメリカでPh. D.を取得した日本初の女性として知られる。「試行錯誤」の概念を、日本の教育学界に持ち込んだ人物である

Memo:
参考資料・写真出典など　●「Alchetron」 https://alchetron.com/
　　　　　　　　　　　　●「Classics inthe History of Psychology」 http://psychclassics.yorku.ca/

日本の教育方法の変遷	
明治	試行錯誤学習
大正	洞察学習
昭和	潜在学習

試行錯誤学習は、いわゆる「トライ・アンド・エラー」。無能な教師でも一定の成果を出せるが、できるまで繰り返すのでとにかく効率が悪い！

すことで、誤反応が少なくなり正反応に達する時間が短くなる」という学説を四字熟語にまとめたのが「試行錯誤」です。

　つまり、教育を受ける生徒に試行を繰り返させることで正解に到達させる教育法が試行錯誤であり、日本では「試行錯誤学習」と呼ばれ、練習するほど上手になる単純明快な学習法として定着しました。昔から日本で行われている、できるまで練習させることのインチキ横文字がトライ・アンド・エラーなのです。このため、日本の教育学では成功するまで何度も挑戦させるという思想が刷り込まれ、あらゆる科学分野で支配的になりました。しかし、成功するまで繰り返す手法は、科学の世界では最も原始的な最悪手です。

　そして、現代日本では失敗した時の定番の言い訳になったり、評価してもらえなかったり予算が付かなかった場合に、評価や予算を手に入れるための詭弁として用いられています。「失敗するかもしれないけど、僕のやりたいことをやらせてよ」という言葉を、オブラードに包んでカッコヨク横文字にしたのが「トライ・アンド・エラー」になってしまっているのです。まともな評価ができる人間ならそんなヤツに実験も研究もさせるわけがありませんが、日本では多くの人間が、予算もポストも無い…と被害者面しています。

日本の教師は低レベル

　試行錯誤学習（トライ・アンド・エラー）は、単純明快でどんな無能な教師でもできる教育法なので、教師の教育水準が低い日本で定着しました。なぜ、日本の教師の教育水準が低いのかというと、明治時代に義務教育が始まった時に教師の人数が致命的に足りなかったからです。江戸時代は一部の人間しか受けられなかった教育を、国民全員が受けられるようにする明治政府の政策は、富国強兵のために絶対に必要でした。しかし、教師が大量にいなければ国民全員教育は不可能で、まさに「服を買いに行く服が無い」問題にぶち当たったのです。

　そこで、師範学校という教師を養成する学校を作って教師を大量養成したのですが、どうしても粗製乱造になることが避けられず、教師の行う教育は最も単純明快な試行錯誤学習に偏らざる得ませんでし

洞察学習

ドイツのゲシュタルト心理学者である、ヴォルフガング・ケーラーによって導かれた学習法。天井から吊り下げられた手の届かないバナナを、チンパンジーが棒を使ったり箱を重ねて手に入れる様子などを通し発見した。試行錯誤するのではなく、洞察によって解決策を導き出せる

ヴォルフガング・ケーラー
（1887〜1967年）

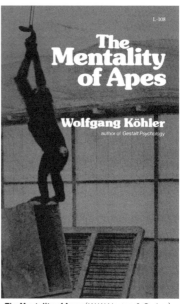

The Mentality of Apes（W W Norton & Co Inc）
ヴォルフガング・ケーラー

た。とにかく生徒を長時間学校に拘束して、できるようになるまで繰り返させます。これなら全員が一定の水準に到達できるので、義務教育の目的は達成できるわけです。エラーによって消費されるものは時間と体力なので、9年間学校に拘束して繰り返させれば目標は達成できます。しかし、効率が悪いと言わざる得ません。

　この方法でスポーツや受験競争で勝者になろうとすると、使える時間を限界まで長くしようとして、睡眠時間を削り徹夜の連続など無理をしなければならなくなります。その結果、受験生も教師も徹夜で勉強しろという無茶を許容するようになり、受験競争で勝者になって高学歴で社会人になって管理職とか経営者になると、ブラック労働へ一直線に向かうのです…。

　それではトライ・アンド・エラーがダメなら、エラー無しに成功できるのか？となるでしょう。ズバリ、できます。

　試行錯誤学習は猫や犬で実験した結果に基づいており、霊長類の中でも最高の知能を持つ人間様にはもっと良い方法がないのかと考えた人がいました。1917年（大正6年）、ドイツの心理学者であるヴォルフガング・ケーラーによって試行錯誤学習よりも効率的な学習法として、「洞察学習」が発見されます。

　チンパンジーが天井に吊り下げられたバナナを、棒を使って手に入れる実験を通して発見しました。チンパンジーが洞察力により、問題を構成している諸情報を統合し認知構造を変化させ問題を解決したのです。ネズミ・猫・犬などにはマネできませんが、同じ霊長類である人間なら可能です。

Memo:

　試行錯誤学習が何度も繰りかえすことで正解を手に入れるのに対して、洞察学習は正解が突然現れます。洞察力が高いほど正解に辿り着くまでの時間が短くなり、消費する時間も体力も最小で済むのです。これは、チンパンジーよりもはるかに高い洞察力を持つ人間様なら、初手から正解を得られることを意味していて、エラー無しに成功できるということになります。

　ひと言でいうと、体を動かすより頭を使えというだけの話です。全否定なことをいうと、トライ・アンド・エラーは明治時代に下等生物を対象に得られた研究成果であり、大正時代にチンパンジーで発見された学習法よりはるかに劣る時代的にも技術的にも最低の学習法なのです。

　バナナを取る実験が異常なほど有名なのは、チンパンジーが道具を使えたからじゃなくて、洞察学習という失敗せずに成功できる学習法が発見され、人間の学力が飛躍的に向上したことが人類にとって物凄い大発見だったからです。日本は試行錯誤学習によって教育された生徒が次世代の教師になり、同じ試行錯誤学習を生徒にやらせる悪循環から完全に抜け出せなくなっています。洞察学習ができない教師は、何かの比喩ではなく客観的な科学的事実として、チンパンジー以下なのです。

もっと頭が良くなる方法

　明治から大正へと時代が進み、昭和になるとより画期的な学習法が生まれました。「潜在学習」です。アメリカの心理学者であるエドワード・トールマンが提唱した概念で、「ネズミの迷路実験」で発見されました。棒を使ってバナナを取るみたいな単純な問題ではなく、迷路を最短距離で走破するという難しい問題を解決するための学習法です。

　具体的にどうするかというと、自分の中に「認知地図」を作ります。認知地図とは、環境に存在する手がかりを元にして形成された心理的な構造のことで、物理的に迷路の地図を暗記するのとは根本的に意味が異なるのです。この認知地図は、「サイン・ゲシュタルト」と呼ばれる認知過程を繰り返し経験させることによって構築されていきます。ゲシュタルト（Gestalt）とはドイツ語で形・形態・状態を意味し、「ゲシュタルト心理学」という学習において重要な意味を持つ心理学の用語です。人間の精神を部分や要素の集合ではなく、全体性や構造に重点を置いて捉える心理学の学説で、人間の学習と密接に結び付いています。

　サイン・ゲシュタルトのサインとは部分や要素のことで、ゲシュタルトは全体性や構造といった意味。部分や要素の集合は学習において単語や公式を暗記することに相当しますが、その単語や公式が何を意味しているのか理解して全体の構造に組み込む作業をしろということです。

　そして、認知地図に書き込まれた記憶は、忘却しにくいという特徴があります。一夜漬けの勉強はダメと言われますが、単純な反復作業によって記憶した情報は忘れやすく思い出しにくくなります。さらに、1つの記憶が1つの要素としか結び付いていないので覚えていても応用することができません。

　記憶力＝知能と誤解されやすいのは、教科書とノートをすべて暗記すればテストで良い点数が取れる教育システムの欠点が要因です。情報機器が発達して外付け記憶装置が巨大化した現代ほど、認知地図が重要になります。見たものや問題が何か分からなくても、認知地図が大きければ関連キーワードがす

エドワード・トールマン
(1886〜1959年)

潜在学習

アメリカの心理学者であるエドワード・トールマンが提唱。難しい問題を解決するための学習法で、「ネズミの迷路実験」により発見した。迷路の形を変えても最短でゴールまで辿り着くことから、単なる暗記ではなく、環境全体を把握した「認知地図」が形成。この認知地図を利用すると、効率的な学習が可能になる。

ぐに浮かび検索して短時間で答えに辿り着けるからです。認知地図が大きいことは探す能力が高いだけでなく、出てきた情報を評価する能力が高いことも意味します。つまり、誤情報を排除して正しい情報を選択することができるわけです。

　本当に潜在学習している人間と試行錯誤学習している人間を比較すると、人間とチンパンジーぐらいの差があります。同じ学力を得るのに必要な時間がけた違いに短いから、学校生活が同じ6：3：3年なら学力に決定的な差が付くことに…。マンガも読まず、遊びにも行かず、徹夜で勉強した学力は残念なほど低いのです。

　高学歴の頂点である医師や弁護士は、普通にマンガを読んでるし、遊びにも行って、プライベートを楽しんでいます。成績が悪いのは努力が足りないのではなく、手段が間違っているのです。勉強法を間違えていたら限られた子供時代を残念な勉強に浪費することになり、そこそこの学歴があっても社会人として使い物にならない残念な人間になりますよ。

　潜在学習によって、医学部在学中に司法試験に合格するような卓越した学力を持った人間は、持って生まれた才能が違うなどといわれます。しかし、現実に違うのは科学的な教育学に基づいた勉強法や思考法であって、生まれつきの能力に差があるわけではありません。

 ## 教育学の遅れは深刻…

　多くのエリート私立学校では、徹底的に洗練された教育学を用いた教育を行っています。公立学校の

Memo:

教師が時代遅れの試行錯誤学習を行う中で、私立では洞察学習や潜在学習を実施しているため学力格差は開く一方です。公立学校の教員の大半が定年退職まで勤めるので、新しい世代の教員が入ってこない老害問題も重なり、事態は悪化し深刻化しています。

　教育学という科学技術の遅れは、2世代後にダメージが出てきます。具体的には、明治時代生まれの人間が第二次世界大戦で失敗して、戦後の昭和20年代に生まれた団塊の世代を教育した教員は大正時代の教育学による教育を受けた世代です。大正時代の初めに日本に入ってきた試行錯誤学習による教育を行っていた時点で、手遅れは確定していました。

　少なくとも団塊の世代には、洞察学習による教育を受けさせるべきだったでしょう。軍国主義に傾倒した教育界が大正時代生まれの教師をチンパンジー以下にしてしまったツケは、団塊の世代の学力に反映され、次の世代が新しい教育学による教育を受ける機会自体を奪ってしまい、試行錯誤学習が今現在も続いています。今から大学の教育学部で新しい教育法を教えてもその生徒が教員の主流になって、さらにその生徒が社会人として活躍するのは半世紀以上も先で、もはや完全に手遅れです。

　結論としては、教育学という科学技術の遅れが2周回って日本人をチンパンジー以下にしてしまったのです。もう、イエローモンキーと罵られても反論できません。

　心理学から生まれ、教育学に応用された潜在学習ですが、最近では情報工学にも応用されています。その成果が、皆さんご存じのAIです。潜在学習とベイズ統計学の活用により、AIの能力は飛躍的に向上しました。

（心理学＋教育学＋統計学）×情報工学＝ディープラーニングの発明＝AI

　複数の科学がつながった認知地図を持つ人間がAIを開発して、AIはその学習法を利用して急激に進歩しています。日本に残された道は、まだ世界第3位の経済大国の体力が残っているうちに、リソースをAIにとことん投入して、チンパンジー以下の人間をAIに世話してもらうしかないでしょう。

　そうして稼いだ時間で、半世紀後の日本人に未来を託すしかありません。

ChatGPT
https://chat.openai.com/

Bard
https://bard.google.com/

人工呼吸器を自作して子供らを救った英雄の物語

海賊王と呼ばれた男たち 前編

「ポリオ」とは、ポリオウイルスによって発生する病気のこと。「急性灰白髄炎」「脊髄性小児麻痺」とも呼ばれ、主に小さな子供がかかる。1930年代、この治療に尽力した英雄がいた。

　現代で「海賊王」といえば、アメリカでもマンガの『ONE PIECE』が有名です。第二次世界大戦前、アメリカとカナダにまたがる巨大な湖である五大湖を荒らし回った伝説の海賊王とクルーたちが実在しました。ただし、彼らが海賊だったのは、海賊版製品を原価で配りまくり、正規品を作るメーカーを経営破綻させたからです。そして、乗り物はヨットを使用していたので、本来は海賊ではなく、「湖族」と呼ぶべきかもしれません。そんな微妙な義賊たちのお話です。

金が無ければ呼吸もできない

　1937年、アメリカとカナダの国境付近の五大湖周辺で、ポリオが流行してパンデミックになりました。主に子供がやられ、21世紀現在ですらポリオの特効薬は存在せず、とにかく自分の免疫力でウイルスに勝つまで対処療法で延命させるしかありません。ワクチンが実用化してパンデミックが防げるようになるのは、1954年以降の話です。

　1928年にポリオによる呼吸不全の治療装置として、人工呼吸器が開発されてから死亡率は下がりました。しかし、正規メーカー・コリンズ社が製造販売していたこの人工呼吸器1台の価格は、自家用車4台分あるいは家1軒が買えるほど高価だったのです。「鉄の肺」と呼ばれ多くの病院が導入していましたが、高価な装置を1人の患者が7〜14日も占有しなければならず、大量の患者が出ると治療できない患者が続出して死んでいました。

　ある時、アメリカからカナダにまたがる五大湖でパンデミックが発生し、ポリオ患者を救える唯一の道具である人工呼吸器が大量に必要になる事態に。富豪が寄付してくれたり、募金を集めて購入したりしましたが、全く足りません。

　そんな悲惨な状況の中で、1937年8月26日、カナダのトロント小児病院にポリオに感染して入院していたゴードン・ジャクソン君4歳の容態が悪化します。呼吸不全を起こして、このままでは翌日までに死んでしまうだろうと医師は残酷な診断を下しました。救命する唯一の方法は、回復するまで人工呼吸器を使って生命維持させるしかありません。しかし既に、何人もの患者が人工呼吸器を使用しており満員で、しかも高価な医療機器を何日も占有できるような金は庶民には出せるはずもなく…。金が無け

木の肺の再現

正規の人工呼吸器は、高価かつ数が圧倒的に足りなかった。そこで、バウアー医師が正規品を製造するコリンズ社の工場から構造を聞いて、身近な材料で自作した。木製の冷蔵庫をボディとしたため、「木の肺」と呼ばれた。これは2008年、当時の資料を基にグランドリバー病院の医師が再現したもの。掃除機は現代の製品を使用している

れば呼吸することもできない残酷な現実に、母親は絶望したのでした。

 ## 人工呼吸器を激安DIYして伝説へ

　息子が病院のベッドで苦しみながら死ぬのを待つだけの母親を見たバウアー医師は、コリンズ社の工場に電話して人工呼吸器の構造を聞き出し自作することを決意します。8月26日14時、バウアー医師の呼びかけにより病院の地下倉庫にスタッフが集まりました。ウィリアム・ホールが木の冷蔵庫を拾ってきて、ハリー・バームフォースは掃除機を持ってきたそうです。20時半、それらを組み合わせて人工呼吸器を作り上げると、そこにゴードン君が入れられました。程なくして無事に呼吸を開始し、1時間足らずで、ゴードン君の顔色は正常に戻ったのです。朝日を見ることはできないと診断されたゴードン君は、生き延びたのでした。

　成功を確信したバウアー医師は、8月29日に2台目、8月31日には4台目を作り上げます。さらに量産を進めて、他の病院に譲ったりしています。パンデミックの恐怖の中に射した一筋の光明となった発明は、1937年9月13日の『TIME』誌に掲載され称賛されたのです。

　この即席で作られた人工呼吸器は、木製だったことから「鉄の肺」に対して「木の肺」と呼ばれました。木の肺の作り方は非常に簡単で、材料もすぐに手に入るものばかり。子供を救った伝説の1号機の材料は、半分ゴミだったので、原価厨も文句の付けようがありません。

●木の肺の再現：2008年5月29日にグランドリバー病院で発表された人工呼吸器のプレゼンテーション資料
「Building a Pandemic Ventilator Part 1 of 4」　https://www.youtube.com/watch?v=1P2YeBcfaQw

Fig. 3.—Measured perspective of wooden respirator. 1. Rubber collar from inner tube 13 in. × 2 in. 2. Collar frame fastened down with wing nuts on carriage bolts. 3. Double-thickness glass window made tight with felt gasket. 4. Valve port (2 in.) for hand-operable valve. 5. U-tube manometer, 15 in. long, ¼ in. tubing. 6. Hole, 1¼ in. 7. Felt gaskets, tacked to frame. 8. Vacuum cleaner.

木の肺の組み立て図

オリジナル人工呼吸器「木の肺」の動作の仕組み

1. 首から下を覆う箱の内部は、掃除機で空気を吸い出すことで減圧される
2. 圧力が下がると、首から上と下の気圧差で胸が膨らみ、空気を吸い込む
3. 一定まで圧力が下がると、皮でできた弁が開いて外気が入り、箱の内部は常圧1気圧に戻る
4. 膨らんでいた肺が縮んで空気を吐き出す
5. 箱の内部が常圧1気圧になると弁が閉じて、掃除機が空気を吸い出し1に戻る

木の肺の主な材料

1	ゴミ捨て場にあった木製の冷蔵庫	2	病院にあった掃除機
3	自動車のタイヤチューブ	4	革靴

　動作原理はシンプルで人間の首から上は露出させ、首から下を気密構造の箱に入れます。箱内の気圧を上げ下げして、呼吸を補助する仕組みです。ポイントになったのは「木製の冷蔵庫」。冷蔵庫は内部の冷気が漏れないよう気密構造になっているので、本体のベースにするのに最適だったのです。「掃除機」が気圧を下げる排気装置の役目、「自動車のタイヤチューブ」が首の周りから空気が漏れるのを防ぐパッキングの役目をしています。「革靴」は排気と吸気を切り替える弁の材料です。後の改良型では、5番目の材料に「レコードプレーヤー」が加わり、患者のバイタルをフィードバックして弁が開閉するタイミングを調節し呼吸数を自動調節できるまで進歩しました。

 海賊版王に俺はなる！

　ミシガン州マーケットにあるセイント・ルカ病院の理事（日本の聖路加国際病院とは無関係）で、爆薬を製造する工場のプラント・エンジニアをしながら趣味でスペリオル湖ヨットクラブのリーダーをしていた地元の名士、マクスウエル・ケネディ・レイノルズ。TIME誌の記事を読むと自家用ヨット・フィリス号に乗り、五大湖を疾走してトロントの病院に向かいました。このパンデミックから子供たちを救える奇跡が降臨したと確信したのです。

　それからスペリオル湖ヨットクラブの仲間に呼びかけて、木こりや船大工や電気屋を集めて、木の肺の量産を開始しました。1台ずつ手作りだったのですが、1台4時間弱で完成。製造原価は材料費と職人

鉄の肺
1937年、アメリカとカナダの国境付近でポリオ（急性灰白髄炎／脊髄性小児麻痺）が大流行。その際、コリンズ社の人工呼吸器が使用されたが、1台2,000ドルもした。その金額の半分は特許料だった。この写真は、カナダ・トロントの病院で使用されていたもの

の人件費込みで、1台40ドル弱だったそうです。正規の医療機器が1台2,000ドル、納品まで数か月待ちとはイッタイ何だったのでしょうか？

　超速で量産された人工呼吸器はレイノルズ氏の呼びかけにより集まった五大湖で活動していたヨットクラブの手によって船に積まれて運ばれ、1937年9月後半ごろから3週間足らずで五大湖周辺の23か所の病院に配られたといわれています。

　パンデミックが終息するまでに何台作られたのか、誰も管理していないので正確な台数は不明ですが、数百台規模だったことは確実でしょう。そして、数百人の子供たちの命が救われたことも確実です。

鉄の肺の価格の半分は特許料だった!?

　ここで騒ぎ出したのが、1928年に鉄の肺を開発したフィリップ・ドリンカーとルイス・アガシス・ショウJr.のコンビでした。2,000ドルもする人工呼吸器の価格の半分は、彼らの特許料だったのです。つまり、人工呼吸器が1台売れるたびに、彼らの懐にはそれぞれ新車が1台買えるほどの特許料が入ります（当時、最も安い自家用車だったTフォードの新車が290ドル）。

　裕福な家に生まれ、親が学長をしているリーハイ大学を出てハーバード大学医学大学院の研究者をしていたフィリップ・ドリンカー。そして、「ボストン・ブラーミン」と呼ばれる上流階級出身で、ハー

バード大学卒のエリート科学者だったルイス・アガシス・ショウJr.らは、貧しい家に生まれた子供たちが次々と死んでいくのもガン無視で、パンデミックで需要が激増していたのをいいコトに、2,400ドルに値上げしてさらに暴利を貪っていました。

　2人は五大湖周辺で次々とDIYで量産されていく人工呼吸器に、特許侵害で訴訟を起こします。呼吸器内科医師のジョン・ヘブン・エマーソンも、このDIYに参加して多数の人工呼吸器を自作していたため訴えられました。しかし、エマーソン医師は特許無効を主張して、裁判で徹底的に争います。結果、裁判で特許無効の判決を勝ち取ったのです。なまじ訴えたため、クロスカウンターを食らってしまったのでした。ドリンカーとショウJr.の2人は、特許料を請求する権利をすべて失い、これで鉄の肺の価格は半額の1,000ドルに値下げされたのです。

　裁判に勝利したエマーソン医師は、医療機器メーカーを設立して合法のエマーソン式人工呼吸器を、さらに半分以下の価格で堂々と発売するようになります。そしてさらに、手動式人工呼吸器の「アンビューバッグ」など、多くの医療機器の製造販売を手がけたのでした。

　製造原価で売られ、配達設置もすべてボランティアが無償でやってくれる原価厨も納得の海賊版人工呼吸器が一般化したことにより、コリンズ社は経営破綻…。海賊版が正規品を駆逐してしまったのです。しかしなぜか、フィリップ・ドリンカーは特許が無効になったにもかかわらず、2007年に科学技術の進歩を促進する米国の特許を持っている人間だけが入れる全米発明家殿堂入り（NIHF）しています。まあ、当人は1972年に死んでいるので、どうでもいいのですけれど。

木の肺も違法に…海賊王の汚名を受けて

　時期が悪かったのは、木の肺と呼ばれた人工呼吸器の登場と同じ年に、製薬会社S.E.マッセンギルが売っていた子供用サルファ剤シロップに使われていたジエチレングリコールによる中毒で、100人以上の子供が死ぬ事件が起きたことです。粉末のサルファ剤は子供には飲みにくかったので、甘いジエチレングリコールに溶かして子供用シロップとして販売。当時はワインの味付けに使用されたりしていて、ジエチレングリコールの毒性が認識されていませんでした。薬ビンのラベルには、成分表示に「スルファニルアミド」「ジエチレングリコール」「水」「香料」と記載されています。なぜ売る前に毒だと気が付かなかったのかというと、当時は臨床試験を行う義務が無かったからです。製薬会社が薬だと言い張れば、毒でも何でも売れました。

　当時からポリオがウイルスによる病気であることも、サルファ剤が効かないことも分かっていたのですが、21世紀ですら有効な薬が開発されていない難病です。頭痛を訴える患者の頭に赤チンを塗るようなものですが、有効な薬が無かったので気休めでも子供用サルファ剤シロップを飲ませるしかありませんでした。S.E.マッセンギル社も「どんな病気でも治る薬」「治るまで飲ませ続けなさい」と宣伝していたので、医師や親たちは藁にもすがる気持ちで飲ませたのでしょう。当時は、誇大広告にも規制がありませんでしたから…。

Memo:

五大湖周辺の地図
アメリカとカナダの国境付近に5つの湖があり、この物語の舞台となっている。1895年に設立されたカナダ中東部のオンタリオ州にあるグランドリバー病院(Grand River Hospital)は、五大湖周辺都市の1つにある。1937年のポリオパンデミック時に、木の肺を受け取っている

　人工呼吸器に入れられた子供にサルファ剤シロップを飲ませた結果、助かるはずの子供たちは無意味な薬に含まれていた毒で死んだのです。この事件が原因でパンデミック翌年の1938年に、「連邦食品・医薬品・化粧品法（Federal Food, Drug, and Cosmetic Act）」が作られ、超高速立法で可決されました。本法案の成立に死力を尽くしたウィーラー・リー上院議員は、法案成立後に徹夜の連続がたたって過労死しています。文字通り死力を尽くしたのです。

　彼の功績を称えた議会は、誇大広告や虚偽広告を取り締まる法律に「ウィーラー・リー法」という名前を付けました。しかし、この法律では医療機器も対象となり、木の肺と呼ばれた人工呼吸器は違法な医療機器とされたのです。皮肉にも同じ年に、同じ場所で、同じ病気にかかった子供たちを「助けた違法な医療機器」と「殺した合法な薬」が一緒に規制されたのでした。

　この事件を知った子供用サルファ剤シロップを開発した科学者は自殺しましたが、もしかしたら会社に殺されたのかもしれません。アメリカ式の莫大な賠償金を請求されたS.E.マッセンギル社は責任逃れするために、100人以上の子供たちが死んだ原因は薬ではなく違法な人工呼吸器の使用によるものだと主張して、大企業を敵に回したレイノルズ氏とその仲間たちは刑事告発され犯罪者にされました。この当時の警察と弁護士は、大企業が賄賂を握らせれば簡単に言うこと聞きましたから…。

　レイノルズ氏とその仲間たちは、「100人以上の子供を殺した海賊」という事実と真逆の汚名を着せられ、国際指名手配されることに…。多くの人命を救い続けている木の肺は誕生から1年で、使うと犯罪になる違法機器になってしまいました。病院はタダ同然の木の肺を捨てて、高価な正規の医療機器である「鉄の肺」を使わなければ犯罪者になってしまうように法改正されたのです。

　再び、絶望の時代が訪れることになったのか…。92ページからの後編に続きます。

犯罪者の汚名を受けても信念を貫き伝説へ…

海賊王と呼ばれた男たち 後編

違法な機器と認定されてしまった「木の肺」だが、これで終わりではない。子供たちを救うという義のために男たちは戦い続け、その信念は遠く離れたオーストラリアにまで届いたのだ…!

　高価な正規品の人工呼吸器の代わりに、安価にDIYしたものは違法機器とされ、使用は規制されてしまいました。たった1年で、金が無ければ呼吸も出来ない絶望の時代に逆戻りしたかに見えましたが、医師をはじめとした臨床現場のスタッフらはそんな法律には従わなかったのです。

　違法とされた人工呼吸器「木の肺」は、ゴミと家電製品で作られています。分解すれば「壊れた木製冷蔵庫」「掃除機」「自動車のタイヤチューブ」「破けた革靴」「壊れたレコードプレーヤー」というゴミの山に。そして、それらは3分以内に合体させることができるのです。普段は病院の倉庫にゴミとして置いておき、人工呼吸器が必要な患者が出ると倉庫という建前の集中治療室に運び込み、即座に木の肺を組み立てて救命処置を実施。人工呼吸器が外せるようになったら患者を倉庫から一般病棟に移して、人工呼吸器をまた分解してゴミに戻します。違法な医療機器の使用が常態化していたわけです。

　違法であることは全員分かっていたので、国際指名手配犯になってしまったレイノルズ氏の名前は記録には残されず、彼の本業がプラント・エンジニアだったことからメディカル・エンジニア（Medical Engineer）を略して「ME」という隠語で語られるようになりました。日本で国家資格になっている、「臨床工学技士」の語源です。

　国際指名手配犯として追われることになったレイノルズ氏は、近づくと死ぬ伝染病患者という建前で病院に匿われたり、ヨットクラブの仲間に助けられたりしながら、彼らとともにDIY人工呼吸器の普及とポリオ根絶のために、ヨットで五大湖を駆け巡ります。時にはアメリカ沿岸警備隊（USCG）からも逃げたそうで、なんと時効まで逃げ切りました。そして、木の肺はエマーソン医師など多くの医療関係者らの尽力により、ついに安い合法医療機器として認められたのです。

　なお、S.E.マッセンギル社は責任転換に成功し、100人以上の死者は海賊王が殺したことにして賠償金を踏み倒し倒産を免れ、1971年に会社を売却するまで創業者一族経営で存続して逃げ切りました。今でもS.E.マッセンギルでググると、殺人シロップ「エリキシル・スルファニルアミド」の瓶がオークションに出ていたりして、負の歴史遺産になっています。

　アメリカとカナダにまたがるレイノルズ氏の国際指名手配は、その後も取り消さたりせず、5,000ドルの賞金首になってしまいましたが、誰も指名手配を信じていなかったので手配書が張り出されても破かれ、警察も沿岸警備隊も手配書をゴミ箱に放り込んで無視していました。そのため、現在では海賊王

Memo:
参考資料・画像出典など　● 「1952年製造の木の肺」：2008年5月29日にグランドリバー病院で発表された人工呼吸器のプレゼンテーション資料

海賊王レイノルズ一族の系譜	
1867年（慶応2年）、アメリカミシガン州マーケット郡マーケット市に到着した開拓団のリーダーが、初代レイノルズである。	
1世	1809年生まれ。スコットランド出身。アメリカ移民当時58歳
2世	1829年生まれ。アメリカ移民当時38歳
3世	1849年生まれ。アメリカ移民当時18歳
4世	1885年10月14日生まれ、1952年11月03日没（67歳）。Maxwell Kennedy Reynolds、仲間たちからはマックス（Max）の愛称で呼ばれていた。海賊王マックス（Pirate King Max）
5世	1918年11月9日生まれ、1988年11月19日没（70歳）
6世	1946年生まれ
7世	1982年生まれ

マクスウエル・ケネディ・レイノルズ
（Maxwell Kennedy Reynolds）
1936年にスペリオル湖沿岸で撮影されたレイノルズの写真。手配書にも使われている。なおこの写真は、曾孫であるレイノルズ7世から送ってもらったもの

の手配書は、オークションに出品されると手配書コレクター（Wanted poster collector）の間で100万ドル以上の値が付くといわれています。賞金よりも手配書の紙の方が高額って…？

 ## カナダからオーストラリアに届いた黄金の手紙

　1937年末、オーストラリア南部でもポリオによるパンデミックが発生していたことが『ニューヨークタイムズ』で報道されました。この時、「オール・レッド・ライン」と呼ばれたイギリスが敷設した世界一周海底ケーブルが既に完成しています。そこで、カナダのバンクーバーからオーストラリアのブリスベンへつながる海底ケーブルを利用して、レイノルズはオーストラリア南部にあるアデレード大学のテレックス・ナンバー宛に、木の肺のマニュアルを送ったのです。当時の通信費は、1文字1英国ポンドと非常に高額。彼は自分のヨットを担保に借金して、文書を送るために2,800英国ポンドの通信費を支払いました。月収100ポンドあれば高給取りといわれていた時代にです。

　船でマニュアルを送れば4か月以上かかり、それでは間に合いません（当時の貨物船や客船の北米東海岸～オーストラリア間の航路は100日以上かかり、そこから港の積み下ろしや陸路輸送を考えると最短最速で4か月かかり、半年以上を要するのが普通だった）。アデレード大学できちんとテレックスを受け取り、人工呼吸器を作ってくれる人がいるのかどうかは分からない、一方通行の手紙でした。

　幸いなことに当時のテレックスは料金が超高額であり、親書でわざわざカナダから悪戯やデマが送られてくるとは考えられません。1枚で月給4か月分もする文書が送られてきたら真剣に読むはずです。そ

The Middle-Class Plague: Epidemic Polio and the Canadian State, 1936-37*

CHRISTOPHER J. RUTTY

Abstract. During the pre-Salk era, paralytic poliomyelitis was one of the most feared diseases of twentieth-century North America. This perception, held most strongly by the middle class—polio's principal target—shaped a unique Canadian response to it based on comprehensive, standardized, and unconditional programs of "state medicine" at the provincial level. Of Canada's four major waves of provincial polio epidemics, the second struck Ontario to an unprecedented degree in 1937, generating a similarly unprecedented response from the Ontario government in its control, treatment, hospitalization, and aftercare measures. As this article discusses, the severity of this epidemic led the provincial, and other Canadian public health authorities, to face a central question: How far should governments be compelled to go to ensure the advantages of modern treatment for their people? This article helps place the social impact of, and political and scientific response to, epidemic polio within the context of Canada's evolving public health and state medicine infrastructure at the time.

Résumé. Durant l'ère pré-salkienne, la poliomyélite paralytique était l'une des maladies les plus redoutées de l'Amérique du Nord de ce siècle. Cette perception, ressentie le plus fortement dans la classe moyenne — qui était la principale cible de la poliomyélite — donna forme à une réponse canadienne unique à ce problème, basée sur des programmes provinciaux de «médecine d'État» globaux, standardisés et non assortis de conditions. Des quatre vagues principales d'épidémies canadiennes provinciales de poliomyélite, la seconde frappa l'Ontario à un degré sans précédent en 1937, provoquant une réaction également sans précédent de la part du gouvernement ontarien au niveau du contrôle, du traitement, de l'hospitalisation et des mesures de postcure. Cet article montre que la sévérité de cette épidémie a confronté les autorités de santé publique ontariennes et canadiennes à une question centrale: jusqu'où pouvait-on obliger les gouvernements à intervenir pour assurer à leurs ressortissants les avantages d'un traitement moderne? Cet article permet de situer l'impact social de l'épidémie de poliomyélite ainsi que la réponse politique et scientifique qu'on lui a

Christopher J. Rutty, Health Heritage Research Services, 35 High Park Ave., Apt. 1006, Toronto, Ontario M6P 2R6.

1952年製造の木の肺
1952年に製造された最終型の人工呼吸器。完全に専用部品で作られている。これ以降は、現代でも使われている挿管型人工呼吸器に世代交代する

Canadian Bulletin of Medical History
1936・1937年のカナダにおける、ペストとポリオの流行に関するリポート

こには「アメリカではこの装置で、大勢のポリオ患者の命が救われた」と書かれてあり、信じる人がいるのも当然だったでしょう。もし普通郵便だったら読まれずに放置されたか、読んでもらえても本気にされなかったかもしれません。まさに黄金の手紙だったのです。

　大学の研究生だったエドワード・トーマス・ボスは、そのテレックスを読んで即座にこれこそ救世主からの啓示だと理解しました。彼はその資料を元に木の肺1,700台を量産し、オーストラリアをパンデミックから救ったのです。

　その後、イギリス・ロンドンに呼ばれ、英連邦から人工呼吸器を広めた天才医学者としての名声を得ます。1941年、「大英帝国勲章」を受賞するとオーストラリアに戻ってボス電気会社を設立。現在でも使われている携帯用心電図、携帯用脳波計、加湿器、ウイルスを単離できる遠心分離機など、数多くの発明をして「オーストラリアのエジソン」と呼ばれることになりました。後に彼が発明した遠心分離機により、ポリオウイルスの単離に成功した科学者が現れ、ワクチンの製造が可能になります。ワクチンを作るために必要な道具を発明したというかたちで、間接的にパンデミック根絶に貢献したことになったのです。他にも多くのウイルスのワクチンが製造可能になり、世界中からパンデミックを根絶することになりました。

　もしもレイノルズがアデレード大学に莫大な通信費をかけてテレックスを送らなかったら、オーストラリアのポリオパンデミックは最悪の事態に陥ったと思われます。そして、ボスがそれを受け取らなけ

ジエチレングリコール

エリキシル・スルファニルアミド
S.E.マッセンギル社がかつて販売した、子供
用のサルファ剤シロップ「エリキシル・スル
ファニルアミド」に、有毒のジエチレングリ
コールが混入していた。ジエチレングリコー
ルは甘みがあるので飲みやすくするために使
われたが、100人以上の子供が亡くなるとい
う不幸な事件となった。その瓶は、海外のオー
クションに出品されることもあるようだ

ればただの大学の助手として一生を終えていたでしょう。ポリオワクチンだけでなく多くのワクチンの
誕生が、10年以上遅れていたかもしれません。

　ちなみに、アデレード大学にテレックスが導入されたのは1934年。当時最新式の通信手段であり、
同時に長文を送れる唯一の通信手段でした。1938年当時、オーストラリア南部でテレックスがあった
学術機関はアデレード大学だけ。つまり、電話帳を見たレイノルズが見つけることができたただ1か所
の送り先だったのです。そこに天才科学者がいたのは、偶然だったのでしょうか？

　アデレード大学が黄金の手紙の送り主が誰なのか知るのは、1992年のことです。まさか、送り主が
国際指名手配されている男で、逃亡中に送ってきたとは夢にも思わなかったでしょうね。

海賊王は永遠に…

　21世紀現在、海賊王と仲間たちの功績を称える「フィリス＆マックス・レイノルズ財団」があります。
フィリスとは川の女神のことで、海賊王の乗船の名前であり、五大湖と大西洋をつなぐ川の女神と海賊
王を記念した財団という意味です。海賊王と仲間たちをはじめ、五大湖周辺の病院にて命を救われた人々
が出資して作られた慈善団体です。

　不思議なことにググってみても登記情報や散発的な情報が見つかるだけで、財団のWebサイトも

SNSもEメールも無く、メンバーも運営内容もどこで寄付を受け付けているのかすら公開されていません。しかし、政府公認の公益法人なので寄付すると税金控除の対象になります。あまりにも不思議なので、財団の登記上の住所（アメリカミシガン州）に物理メールを出してみたら、物理メールで返事が返ってきました。しかも筆記体の手書きで。

　財団の登記住所は、レイノルズ氏の自宅でした。現在の家長でレイノルズ財団理事長であるレイノルズ7世は、インターネットはナードのオモチャという認識の人で、ネットもPCも一切使わないそうです。どうやら、アメリカ田舎町の頂点に君臨する、典型的なジョックの人みたいです。

　こちらの海賊王の仲間にガイ骨の音楽家がいたのかは不明ですが、レイノルズ財団が出資して作られたレイノルズ・リサイタルホールという収容人数300人のコンサートホールがあり、今も演奏会が行われているようです。Googleマップで周辺を調べたら、レイノルズ図書館、レイノルズ記念病院、レイノルズ公園…などめっちゃ地元の名士でした。海賊王の仲間には、司書とか医者とか園芸家がいたのでしょうか？

　そして、レイノルズ家は先祖代々、長男に同じ名前を継承させる家だったため、子孫も同じ名前を名乗っています。その子孫であるマクスウエル・ケネディ・レイノルズ7世、通称「海賊王マックス」は、今日も人々を救うためにレイノルズ財団が所有する船、フィリス号に乗って五大湖を駆け巡っているのです。今も海賊王と仲間たちは生き続けているのでした。

　スペリオル湖ヨットクラブの子供たちに、「マックスおじさん海賊王なんでしょ、ゴムゴムのピストルやって」とかせがまれたりしているのかどう知りませんが、多分、マンガとか読まない人だからやってくれないでしょうね。残念（笑）。

フィリス&マックス・レイノルズ財団 (Phyllis and Max Reynolds Foundation Inc)

海賊王とその仲間たちの功績を称える財団。フィリスは川の女神のことで、海賊王マックスの乗船の名前でもあった。五大湖と大西洋をつなぐ、川の女神と海賊王を記念した財団という意味だ。

財団のWebサイトはなく、登記上の住所が確認できるのみ。なお、レイノルズ氏の自宅だ

https://www.charitynavigator.org/index.cfm?bay=search.profile&ein=383354883

レイノルズ・リサイタルホール (Reynolds Recital Hall)

地元では病院や図書館などを運営。コンサートホールもあり、定期的に演奏会が開催されているようだ

Memo:

いつの時代も監視の目をくぐり抜けて持ち込まれる…

麻薬と密輸の科学　前編

心を惑わす悪い薬…「麻薬」。その多くは使用はもちろん、単純所持だけでも違法とされているのに、なぜか流通している…。麻薬ビジネスの裏側を前後編で解説しよう。　　　　　　文／くられ

　日本は世界的に見て、麻薬の流通量が極めて低い国ではありますが、それでも日々、麻薬スキャンダルなどで芸能人が逮捕されて、大河ドラマを撮り直すだの、CDを売らないようにするだの、それは関係ないんでは？みたいな過剰反応まで、メディアをあげてしております。しかし、よくよく考えれば、単純所持すらアウトなものがどうして流通しているのでしょうか？

　それは密輸によるものです。密輸とは読んで字のごとく、違法なモノや申請の必要なモノを無許可で国をまたいで移動させること。密輸内容は多岐にわたり、麻薬はもちろん、関税のドサっとかかるタバコや飲食物、金や大量の現金（地味に重罪）。最近では、トカゲなどの保護動物を密漁して密輸…なんてニュースもありました。

　麻薬の密輸ビジネスは、全世界を合わせると推定で年間30兆円規模の取引と考えられており、世界全体の貿易の1％近くを占めているといわれています。違法な取引であるにもかかわらず、それだけの需要があり、輸出入されているということです。

　つまり、麻薬は一つの産業として成立しており、その交易や販売を巡ってマフィアや国家がしのぎを削っているのです。その辺の話は、亜留間次郎氏の著作『アリエナイ理科式　世界征服マニュアル』に寄稿させていただき、製造者・販売者のお財布事情を紐解いてみました。今回は、麻薬と密輸という観点で、ブラックマーケットをもう少しマクロに見ていきましょう。

麻薬と貿易の歴史

　麻薬と貿易…といえば、イギリスと現中国の清朝で起こったアヘン戦争はご存じの方も多いと思います。一応ざっくりまとめておくと、イギリスは中国から陶器の食器、茶、絹などを輸入していたのですが、対価となるものが乏しかったため、別の利権で獲得していた麻薬であるアヘンを売りつけ、その結果、清朝に麻薬中毒者があふれ返りえらいことに…。そこでアヘン断ちをしようとしたら、イギリスが全力で殴りに来て、しかも清朝は負けてよりヒドくなった…みたいな話です。

　麻薬を全面的に合法化して、貿易を行うと、相手国から消え物を対価に金品を得ることができて、しかも相手国は中毒者の世話などで国力が低下するという実績があるため、基本的にそうした薬物は、先

進国の多くは「麻薬」として規制し、取り締まりを強化しているわけです。

　一方、貧しい国としては、麻薬だろうがなんだろうが基本的に需要があるなら作りたいし、高く買ってもらえるものなら売りたいということから、それをとりまとめるマフィアや国ぐるみのセーフティネットがあり、その結果、先進国側が厳しく取り締まるが、緩い国ではバンバン作られるという状況になっています。

　こうみると、先進国は麻薬をしっかり取り締まっているちゃんとした国で、貧しい国は麻薬でもなんでも売りつけようとする悪の帝国みたいに思われるかもしれませんが、そう単純ではありません。麻薬原料の中には医療用として必要なものも多く、それらを全面的に禁止することは先進国側の医療用麻薬（疼痛緩和のモルヒネなど）の供給を絶つことにもなるので、あくまで「違法取引」を摘発するしか方法が無いという状況になっています。

　では、そうした麻薬の原産国はどの辺なのか、この前編ではざっくりと解説しましょう。

■大麻

「大麻」「マリファナ」「ハッパ」「ポッド」…などと呼ばれる。世界中で最も知られていてポピュラーな麻薬であり、国によっては違法ではないため（アメリカは州法により規制がまちまちだが、大半は合法）、そうした国では普通に栽培されている。

　産地としては、大麻合法化を真っ先に行っていたオランダが有名だが、オランダは冬が長く露地栽培には向かないため、室内での栽培がメイン。日本でも栽培免許（大麻取扱者免許）を取得することで栽培可能であり、やや寒冷な水はけの良い土壌で作られている。

　世界的に貿易品として生産している国としてはモロッコが知られる。ヨーロッパで押収される8割近くが、モロッコ産の大麻樹脂（大麻の成分を集めた樹脂）である。

ヒロポン錠（大日本住友製薬株式会社）　https://www.ds-pharma.co.jp/
覚せい剤は日本でもごく一部で、合法的に生産・処方されている。取扱説明書には「劇薬」「覚せい剤」「処方箋医薬品」と記載

清朝時代のアヘン中毒者
1700年代半ばの明朝末期の頃から、イギリスとの三角貿易によりインドから大量のアヘンがもたらされた。次の清朝時にはアヘン中毒者が蔓延し、国力が大幅に低下。その国家的危機に対し清朝がアヘン全面禁輸を断行したため、イギリスとのアヘン戦争（1840〜1842年）へとつながった

■アヘン／モルヒネ／ヘロイン

「アヘン」は、特定の種類のケシ科の植物のつぼみのような未熟な果実を傷付けることで染み出してくる白い液体を集め、乾燥させたもの。さまざまなアルカロイドを含む。そこから抽出・精製してより効き目を上げたものが「モルヒネ」、さらに上げたものが「ヘロイン」となる。

　人間の脳の痛みをコントロールする仕組みにうまく入り込むことで、痛みを抑える強い働きがあり、がんなどのどうしようもない疼痛に医療用としてモルヒネが使われている。しかし、これを健常者が使うと、止めどない快楽を得られることから、廃人化しやすい麻薬の中でもぶっちぎりの危険性を持っているものとして知られる。

　ケシは暖かい地域を好む植物であり、日本でも栽培は可能だが、年に何回も収穫できる温暖な気候の国で主に作られている。栽培地としては、2004年までは東南アジアの3か国（タイ・ラオス・ミャンマー）が、「ゴールデントライアングル（黄金の三角形）」と呼ばれ知られていた。しかし、国をあげての規制強化により現在はかなり下火になっている。

　また、南米のメキシコやコロンビアも暖かいため栽培が盛んで供給国として有名だが、現在、最も世界的な生産地としては、イラン・パキスタン・アフガニスタンの3か国だ。横並びで存在する国なので、ゴールデントライアングルになぞらえて「ゴールデンクレセント（黄金の三日月）」と呼ばれている。

　どうでもいいが、戦前の日本は征服した東南アジアでケシを栽培させてそれを加工出荷する、アヘン生産量世界一の国であったこともある。

■コカイン

　アヘン／モルヒネ／ヘロインに並び、キングオブドラッグといわれるのが「コカイン」だ。日本では流通量が少なく知名度は低めだが（近隣に生産国が無く密輸ルートが乏しい上に、覚せい剤という競合があるため）、ヨーロッパやアメリカでは犯罪組織の資金源として重宝されている。犯罪組織にとって最大級の稼ぎ頭のトップ商品。実際に成人の数％がコカインの経験があるという。

大麻（Cannabis）

ケシ（Opium Poppy）

　コカインはコカ（コカノキ）という植物の葉から成分を抽出され、化学的な調整を経て塩酸塩として流通する。大半が麻薬としてだが、局所麻酔薬としても多少の需要があり、アメリカなどでは医療用で使用されることもある。

　製造元はコカの原産地でもある南米。ただ、やや寒冷多湿な環境を好む割とニッチな性質があり、栽培地はアンデス山脈に連なる高地があるコロンビア・ペルー・ボリビアになる。コロンビアでは9万ヘクタール、ペルーとボリビアは足して7万ヘクタールほどで栽培されている。

■覚せい剤

「覚せい剤」は、元々は麻黄（マオウ）という漢方薬にも多く使われる植物の主成分であるエフェドリンを化学的に加工したものである。1885年、日本の薬学者・長井長義が麻黄からエフェドリンの抽出に成功する。そして1887年に、ドイツでアンフェタミンが製造。6年後の1893年、長井と医学者・三浦謹之助によってエフェドリンを原料にアンフェアタミンよりも強力なメタンフェタミンが合成された。その後、完全合成法も日本とドイツではほぼ同時に完成している。

　非常に分子構造が単純であり、鎮咳作用や元気を出す作用（賦活作用）から万能薬かと期待されたが、乱用が相次ぎ、非合法化されたという経緯がある。現在もアメリカでは、アンフェタミンは割とポピュラーに睡眠発作やADHDの治療などに使用される。日本では、大日本住友製薬株式会社が「ヒロポン錠」として生産・販売しており、極めて限定的に処方されている。

コカ（Erythroxylum Coca）

麻黄（Ephedra Herb）

　一方、ブラックマーケットでは、合成が容易であるがゆえに、原材料を調達しやすい国（多くの国では主要原料が麻薬指定されていて買いにくい）にて、アンダーグラウンドラボで製造。その多くが文字通り、カモフラージュされた地下施設のようなところだ。

　主な製造国は、エフェドリンの原材料として麻黄が潤沢に手に入る、麻黄の原産地でもある中国。そこから地続きの北朝鮮では、外貨獲得の国策として大量に作っているとされている。また、ベトナム・シンガポール・ロシアなどの原料規制の緩い国、ナイジェリア・ウガンダ・ケニアなどのアフリカ諸国でも合成プラントが摘発されている。また、本来は麻薬の仲介ビジネスで利益を得ていたメキシコマフィアも合成プラントを所有するようになり、地下工場が多く摘発されている。

■その他の合成麻薬
「MDMA」「LSD」などの合成麻薬は、ロシア・メキシコ・ベトナム・インド…などかなり点在している。メジャーなドラッグに比べて非常に原価がかかる上、合成工程も煩雑なものが多いので、犯罪組織が組織的に行っているというより、下っ端がアルバイト感覚で作らせていることが多いようだ。

　また最近は、法規制されていない新麻薬などの開発や、102ページから解説する分子的偽装麻薬など法の網をかいくぐる研究も海外の犯罪組織では行われているようです。

物理的隠匿から分子的偽装に進化…

麻薬と密輸の科学　後編

97ページからの前編で　麻薬の種類と原産国などをひと通り押さえたところで、ここからは密輸方法の変遷を解説していく。分子的に別の物質に偽装する手口も登場…。 　　文／くられ

麻薬の輸出入は、陸路・海路・空路と普通の貿易ルートと変わりません。ただし、それぞれの検問に引っかからないようにさまざまな偽装工作をして密輸されてきました。ここでは戦後から現代までの、麻薬と密輸の手口の移り変わりをまとめておきましょう。

 物理的に隠して持ち込む

戦後間もない1946年（昭和21年）あたりに、内政の混乱に乗じて暴力団が台頭してきます。彼らは元々あった東南アジアとのパイプを活かして、原料のアヘンを輸入し、それを精製しヘロインとして販売。凄まじい量の中毒者を生み出し社会問題化しました。この頃は、賄賂や書類改ざんなどで堂々と持ち込んでおり、密輸という技術自体はあまり重要ではなかったようです。

その後、戦後の政府の横流しによる覚せい剤ブームなどから麻薬の規制がいっきに進みます。高度経

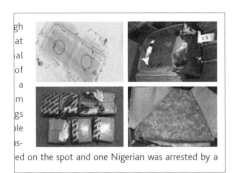
gh
at
al
of
a
m
gs
le
s-
ed on the spot and one Nigerian was arrested by a

スーツケース二重底
スーツケースが二重底に加工され、14kgの大麻を収納。X線にて発覚した

On 18 August 2008, acting on intelligence, custo
Airport Customs seized 329g of methamphetamine
from Shenyang, China. The drugs were concealed o
Korean was arrested on the spot.

二重パンツ
二重パンツにして隠し持っていた。この太いブツは、メタンフェタミン（329g）

（Korea Customs Serviceによる資料「Combat against Drug Smuggling in Korea 2009」参照）

Memo:
参考資料・画像出典など　● 「Combat against Drug Smuggling in Korea 2009」韓国関税庁（Korea Customs Service）Webサイト
http://www.customs.go.kr/kcs/main.do

「覚醒剤に変わる液」密輸容疑で初摘発　成田空港の税関

福田祥史　2019年3月21日 5時15分

化学処理をして覚醒剤にできる「ｔ－ＢＯＣメタンフェタミン」と呼ばれる液体の指定薬物を密輸入しようとしたなどとして、東京税関 成田税関支署と千葉県警 成田国際空港署は２０日、中国籍の汪長権容疑者（３５）を関税法違反（指定薬物の輸入未遂）と薬機法違反（業として の指定薬物輸入）の疑いで逮捕したと発表した。２０１７年１２月に指定薬物とされて以降、摘発されたのは全国初という。

税関支署と空港署によると、汪容疑者は２月２７日、香港から成田空港に到着した際、ｔ－ＢＯＣメタンフェタミン約７３００グラムと、指定薬物を含む危険ドラッグ「ラッシュ」約２０グラムを日本国内に持ち込もうとした疑いがある。税関の手荷物検査で発見したという。

ｔ－ＢＯＣメタンフェタミンは、エッセンシャルオイル（精油）の製品を装って容器

摘発され、鑑定のための容器に移された ｔ－ＢＯＣメタンフェタミンの液体。石鹸の菓品 ボトルに入っていたという＝２０１９年３月２０ 日午後１時４６分、東京税関成田税関支署。福田 祥史撮影

t-BOCメタンフェタミン
（覚醒剤と構造が類似、簡単に覚醒剤が製造可能）
隠匿されていたボトル

H29.12.29　指定薬物に指定
麻薬取締所にて撮影

厚生労働省「日本で規制されていない薬物や使用形態が変化した薬物」参照

覚せい剤（メタンフェタミン）にアミノ基の保護基「t-BOC基」を付けることで、別の物質「t-BOCメタンフェタミン」になる。2017年12月にそれらも指定薬物として規制され、摘発されたことで知られるようになったが…。成田国際空港の税関では、足つぼ用オイルなどに偽装されたものが見つかった
（『朝日新聞DIGITAL』参照）

済成長とともに1970年代に入ると安定し始めた社会をベースに、LSD・大麻・コカインなどが海外から入ってくるようになり、それにまつわる法規制も後手後手だったものの徐々に進んでいきました。

1980年代に入り、日本の経済が世界に対し強くなってくると、国内の暴力団だけでなく、海外の犯罪組織もその資金調達のため日本市場を狙うようになります。密輸が本格的に巧妙化してきたのです。

1990年代に入ると、変造テレカと麻薬密売はセットでブラックマーケットのベースとなり、乱用者もかなり増え始めました。芸能界における麻薬汚染スキャンダルも増えてきましたが、実際は氷山の一角だったといわれています。

日本は麻薬を持ち込む場合、陸続きの他国が無いため陸路ではなく、海路と空路の2パターンです。特に大型密輸の場合は、海路での荷物混入がよく使われる手口。最初はビニール袋に入れて丸めたものを、民芸品やピアノなどの空洞の多い貨物に隠すだけでしたが、年代を経て、タイヤ内部や、加工済みの缶詰に偽装して普通の缶詰のコンテナに紛れさせるなどに進化しました。

一方、空路の方も、スーツケースを二重構造にするなどして、板状に成形した麻薬をみっちり詰めて持ち込むとか、人の目をごまかす工夫が取られるようになります。擬装グッズも巧妙になり、機内持ち込みのペットボトルにカモフラージュしたもの、ヘアブラシや歯ブラシなどの内部に入れ込むものなどが登場。小規模ながらも密輸するのに、そうした擬装グッズが使われました。

しかしこうした所持品は、麻薬探知犬やX線検査によって判明してしまうため、それを回避するために1990年代後半から使われ始めたのが、人間自体を運び道具にするという手口です。具体的にはコンドームなどで麻薬を梱包し、それを飲み込み体内に麻薬を隠し持って密輸するという方法。非常に危険

● 「日本で規制されていない薬物や使用形態が変化した薬物」厚生労働省Webサイト　https://www.mhlw.go.jp/content/11126000/000341873.pdf

そうに思われますが、実際にかなり危険です。胃の中でうっかり破れて、致死量の何百倍もの麻薬を服用することになったり、腸閉塞を起こし搬送されるケースが続出したため、この手口が判明しました。現在は、疑わしい場合は別室でレントゲン検査をされ、専用トイレにて排泄したところで逮捕という流れになっています。

　2000年代に入り、海路では、位置ビーコンを埋め込んだ浮きを付けていったん洋上に投棄し、それを漁船などにまぎれて船で回収するという複雑な手口が横行するようになりました。

　また、海外の事例でも驚きの手口が発覚。メキシコでは湾岸線の海底を運ぶための密輸潜水艦が押収されています。2015年あたりから、アメリカの国境付近ではドローンも盛んに利用されているとか…。

分子的に偽装して密輸

　麻薬の密輸において、現在、最高の手口といわれるのが、分子的な偽装を施す手法です。

　多くの国では、覚せい剤などの麻薬を分子構造で指定し、「この物質は禁止」と制定しています。日本でも完全に分子構造が違法なモノと合致しなければ、違法とは認めないという法規制となっています。この法律の善し悪しはおいといて、その分子構造から外れているのに、作用自体は麻薬的な効果を持たせたものとして出現したのが、一時期大ブームとなった脱法麻薬の類いです。

　日本ではそうした脱法麻薬（危険ドラッグ）は2014年から何年かに分けて、包括指定という今後作られそうな脱法麻薬をあらかじめ大量に追加しておくことで、大幅に激減しました。2014年に1,370種、その後も増え続け2千数百種が指定されています。

　脱法麻薬は、それまで法律的に違法ではなかったので合法的に堂々と持ち込まれていました（「合法ドラッグ」とも呼ばれた）。そのため密輸とは無関係でしたが、そこで培われた技術をベースにしたのか、近年、新たな密輸手段が台頭してきています。少し前置きの説明が長くなりましたが、ここからがいよいよ本題です。

　誰もが知っている麻薬自体を、全く別の分子構造に偽装して国内に持ち込み、その分子構造を元の麻薬に戻すという手法。分子的に偽装して持ち込むという点では、従来の何かに物理的に隠すという手段とは根本的に異なる、極めて未来的な、化学的な密輸手口といえます。

　古典的麻薬である覚せい剤があるとしましょう。そのままでは通関の品目検査の段階で当然通れませんし、また巧妙に隠したところで、厳しい訓練を受けた麻薬探知犬に、鋭い嗅覚で見つけられてしまいます。しかし、この覚せい剤を分子的に別の物質にしてしまえば、それ自体は違法ではないため、規制されてなければ通関で止めることはできませんし、麻薬探知犬がメタンフェタミンを検知することも不可能です。

　ここ最近ニュースをにぎわせたその手口は、覚せい剤に分子的装飾を施すといういうもので、ペプチドの合成などに用いられるアミノ基の保護基を付ける技術自体が悪用されたかたちです。2017年12月に指定薬物として規制されるまで「違法な物質」ではなかったので、事実上、堂々と輸入し放題な状

t-BOCメタンフェタミンを分解
「t-BOCメタンフェタミン」を熱水に溶かして、塩酸処理することでメタンフェタミンを取り出せる。分解された保護基は、無害なイソブテンと二酸化炭素になる。なお、「t-BOC」はターシャリーブトキシカルボニルのこと

フタルイミドプロピオフェノン
プロドラッグ型の麻薬「フタルイミドプロピオフェノン」。体内で分解されると、麻薬成分を示すカチノンという覚せい剤に近いものになる。なお、2015年にカチノン系化合物群は、危険ドラッグとして包括指定されている

態だったといえるでしょう。

　この「t-BOCメタンフェタミン」は、「t-BOC基」という保護基構造を持ちます。覚せい剤に保護基を付けたものなので、それによってある程度安定して覚せい剤を含むものの、見かけ上は別の分子になります。そしてt-BOC基は、強酸や熱によって分解するのが特徴で、しかも分解物はイソブテンと二酸化炭素というほぼほぼ無害な物質。つまり、密輸したt-BOCメタンフェタミンを熱水に溶かし、塩酸処理することで塩酸塩の覚せい剤として再生することができるのです。その手順自体は、カップラーメンを作るレベル。

　また、プロドラッグ型の麻薬も登場してきています。「プロドラッグ」とは、摂取すると体内で代謝作用により活性代謝に変化して薬効を示す医薬品のこと。その技術を麻薬に適用し、体内で分解されて麻薬成分に戻るというものです。現在見つかっているのは「フタルイミドプロピオフェノン」というもので、体内で代謝を受けるとカチノンと呼ばれる覚せい剤に近い性質の麻薬に変化します。

　このように密輸といっても、トランクに擬装して忍ばせる時代から、現在は分子構造に装飾したり、もしくは麻薬のキー物質となる前駆体を装飾して持ち込む…などに進化。そうなると、単純にこの物質は違法…という従来の規制は意味が無くなると考えられます。

本物のエリート医師が開業している!?

合法的な闇病院

医師免許を持たない凄腕の元医師が、訳あり患者を診てくれる…というのがフィクションにありがちな「闇病院」のイメージ。しかし現実は少し違うようだ。その一例を紹介しよう。

　情報化社会の発展により、誰でもネットで医療情報を手に入れやすくなった現代。薬の名前や効果にちょっと詳しい、素人に毛が生えた人が大量に生まれました。患者はとにかく、すぐに効く強い薬を欲しがりますが、それらは医師の処方箋が無ければ買えないものばかりです。その結果、来院すると「○○○○○を処方してくれ」と医師に注文する患者が激増しました。とはいえ、普通の医師はプロなのでそんな注文は聞きません。

　しかし、中には聞いてしまうダメ医者もいて、やたらと薬を欲しがる患者は自分の言う通りにしてくれる医者こそ名医と思い込むようになりました。そのダメ患者の代表例がアドルフ・ヒトラーです。彼は独裁者の権限で、やたらと薬をくれる医者を主治医に任命しました。

　そして現代の日本社会でも、すぐに望み通りの薬を処方してくれる病院に患者が集まる傾向があります。でも、保険診療だと「○○薬は△日分まで」など、さまざまな制限があって患者の望み通りには処方されません。すると、「保険が効かない自由診療でもいいから」と言う患者が出てきます。ならば患者の言う通りに薬を売れば儲かるのでは？…そんなことに気が付いてしまった医者が現れるのは時間の問題でした。

　場末の雑居ビル辺りに経歴がやたらとエリートな医師がいるという診療所があれば、そこは怪しいかもしれません。その理由が分かる、あるエリート医師の転落の物語をここから語りましょう。

 ## エリート医師の転落人生

　昔々あるところに、県1番の名門高校を卒業して、3浪の末に名門大学医学部に入学し、1留して何とか卒業し医師になった人がいました。

　しかし、出身校附属病院の循環器内科勤務になった彼を待ち受けていたのは、周囲の冷たい仕打ちだったのです。世間一般から見れば、彼は名門大学医学部卒のエリート医師なのですが、超エリートが集まる病院内では3浪1留の田舎者は落ちこぼれ扱い。冷たい目で見られたのです。

　翌年、彼は外部の病院へ出向させられます。名門の序列からいえば左遷です。地方医大卒ながらも頑張って、名門大学医学部附属病院で働かせてもらっていた高校の後輩も一緒でした。

Memo:

本物の医師が反社の手先となり、薬を売りまくって稼ぐ闇病院は実在する。マンガ『カイジ』シリーズに出てくる金融会社・帝愛にむしり取られる負債者のように、その医師もこれから一生…。貧相な場末のクリニックなのに、やたらとエリートな経歴を持つ医師がいる場合、訳ありの可能性がある

　出向先でもめげずに働いた彼は、その翌年には元の附属病院内科へ戻ることができたのですが…。しかし、特に医師としての業績も実力もない彼に対して、周りの態度は相変わらず冷たいものでした。

　有能な若手が下からどんどん上がってくる中で、無能な先輩に居場所はありません。彼は病院を辞めさせられました。その後、名門大学医学部附属病院の医師だった肩書きを利用し、大手医療法人が運営する地方病院の雇われ病院長になります。オーナーとしては、名門大学医学部出身の医師がいるという看板が欲しかったのでしょう。

　しかし、雇われ生活も2年しか持たず、病院長を辞めて後輩と2人で開業医になる準備を始めます。そしてある年の夏、2人で医療法人社団を設立して都内で開業したのです。

　ところが、病院経営はうまくいかず、1年目にして1千万円以上の赤字を出して資本金のほとんどを取り崩す事態に。何とか儲けようと謎のエキスとか得体の知れない漢方に手を出したりして、必死に頑張ったのですが…。開業からわずか2年後、900万円以上の債務超過に陥って経営破綻してしまいます。

　そして、後輩は先輩に借金を押し付けて逃げたのでした。

親切な悪魔に魂を売ってみた

　すべてを失い、借金漬けになった彼に残されたものは医師免許だけ。そんな彼に仕事を世話してくれた親切な的屋がいました。病院が潰れた翌年、彼は借金のカタに名義貸しをして、都内のビルの狭い一室に診療所を開業。的屋は合法的に薬を仕入れるために病院の名義が欲しかったので、借金で困っている医師を利用したのです。的屋は自分の病院も全財産も失った彼に、その診療所で医師を続けることを勧めました。診療所として最低限の設備すら置けないような狭い貸しビルの一室でしたが、的屋は「薬を欲しがる患者は多い。合法的に病院で処方できる薬を、自由診療で相場よりも高い価格で売れば儲かる」と入れ知恵したのです。

　そして、悪魔に魂を売り渡し、医師としての誇りも倫理観も捨て、薬売りに専念すると、あっという間に年商1億円以上を稼ぐ診療所になりました。それから10年…、彼の診療所は「患者の言う通りにすぐに欲しい薬を売ってくれるクリニック」として今も繁盛し続けています。まさに、「当たれば儲か

る的矢」が的屋の語源とはよく言ったものです。

　つまり、彼は受験勉強では勝ち上がったけど、医師として無能過ぎて闇医者としても使い物にならないので、的屋に合法薬物の売人をさせられているというわけ。売り上げの大半は、借金の返済に消え続けているのでしょう。

　転落し過ぎて名門大学の同級生や同僚医師からは相手にされなくなってしまい、的屋の売り子になってしまった彼ですが、今でも地元高校の同級生や先輩後輩相手には「俺は名門大学医学部卒の開業医」だと自慢しているのか、同窓会の事務局長を引き受けています。彼の自尊心を満足させてくれる場所は、もうそこしか残っていないのでしょう…。

　このお話は、実話を元にしたフィクションです。ですが世の中には、妙に貧相なクリニックの割に、医師の経歴がやたらエリート過ぎる謎の診療所が実在します。それは決して経歴詐称しているわけではなくて、その裏にはいろいろと事情があってのことです。

　そういったクリニックを利用すれば、ドラッグストアでは買えない処方薬を合法的に手に入れることは確かに可能ですが、患者の健康のことなどは一切考えてくれません。ひと昔前に消費者金融のテレビのCMであったように「ご利用は計画的に」…すべては、自己責任になります。

　借金は自己破産できても、不健康は清算できません。

「名医がいる病院」といわれる中には、患者が望んだ薬を何でも好きだけ出してくれるから…という理由で支持されているところがあるかもしれない。合法的に処方薬を入手できるからといって、そういうクリニックを利用するのは、リスクが高いことを覚えておこう

Memo:

裏基礎医学

[KARTENo.024-039]

アミバ様が新しい経絡秘孔を発見したら儲けられるのか？

医療特許とは何ぞや？

**怪しげなサプリメントや健康グッズの広告に、「医療特許」という言葉が出てくることがある。
医学的なエビデンスがあって、効果がありそうなものに見えるが、その実態は…？**

特許制度の一つに、分類指標を国際的に統一すべく設けられた「特許国際特許分類（IPC：International Patent Classification）」というものがあります。Aが生活必需品、Bが処理操作；運輸、Cが化学；冶金…と大きな分野ごとにA〜Hまでセクション分けされていて、その中のA61が、いわゆる「医療特許」になります。セクションはさらに、クラス→サブクラス→メイングループ→サブグループと階層ごとに分類。特許情報を検索するためのインデックスとしての役割があるのです。

つまり、医療特許とはあくまで特許事務を円滑に処理するための分類であり、特許を扱う弁理士の仕事道具の一つということ。医療従事者が使用する医薬品や医療機器限定の特許ではなく、医学とも何の関係もないのです。また、特許分類は特許出願時に書類に自己申告で書くので、特許の内容を見て特許庁が分類しているわけではありません。某前立腺マッサージ器具が「医療特許取得済み」とは、つまりこういうことなのです。

例えばA61Hというサブクラスを見てみると、「A61H 31/00：人工呼吸 心臓刺激」という人工呼吸器やAEDなどの特許と、「A61H 19/00：生殖器のマッサージ」といういわゆる「大人のおもちゃ」も入っています。さらに、「A61H 21/00：人体の腔部をマッサージする用具」はかなりカオスで、電動歯ブラシとリモコンバイブが同じグループです。繰り返しになりますが、医療特許とは特許事務処理上の都合で存在しているのであり、医学とは無関係で、医療特許があったとしても、医薬品でも医療機器でもありません。

もう1つ、サプリの例を見てみましょう。「20150806：黒酢グルコサミン混合物を含有する錠剤」の特許は、「A61K 9/00：特別な物理的形態によって特徴づけられた医薬品の製剤」に分類されています。しかし、特許の内容は「苦みやえぐみを感じることなくグルコサミンを摂取しやすい形状にすること」です。グルコサミンに関節の痛みなどの改善効果があるかどうかは出願者の自称であり、医学的根拠は保証されていません。何の意味も無い医療特許を掲示しているのは、違法な不当表示にならないギリギリのラインを攻めているからです。こういうのはインチキ商品だと疑っておきましょう。

Memo:

A61H:

公知日 - 公報の名称

- 20170727 - 大人のおもちゃのスマート無線制
- 20160407 - 往復運動を行うマッサージ具
- 20131128 - 口腔内マッサージ器
- 20120315 - マッサージ具
- 20060706 - 前立腺マッサージ器

国際特許分類検索ホームページ

トップ > IPCトップ　　　　　　　検索

国際特許分類カテゴリ A61

A61B 診断 手術 個人識別

A61C 歯科 口腔 歯科衛生

A61D 獣医用器具, 器械, 器具 用法

A61F 血管へ埋め込み可能なフィルター 補綴 人体の管状
構造を開存させる 虚脱を防ぐ装置，例．ステント 整形外
科用具，看護用具 避妊用具 温湿布 目 耳の治療 保護 包帯
被覆用品 吸収性パッド 救急箱

A61G 病人 身体障害者に特に適した輸送，乗りもの，設
備 手術台 いす 歯科用のいす 葬儀用具

A61H 物理的な治療装置，例．人体のつぼの位置を検出
刺激する装置 人工呼吸 マッサージ 特別な治療 人体の特
定の部分のための入浴装置

A61J 医療 製剤目的のために特に適合させた容器 医薬品
を特定の物理的形態 服用形態にするため適合させ 混合させ
た装置 方法 食品 医薬品の経口投与装置 おしゃぶり 哺乳
け用具

A61K 医薬用，歯科用または化粧用製剤

A61L 材料 ものを殺菌するための方法 装置一般 空気の消
毒 殺菌 脱臭 包帯，被覆用品，吸収性パッド，手術用物
品の化学的事項 包帯，被覆用品，吸収性パッド，手術用
物品のための材料

A61M 人体の中へ，表面に媒体を導入する装置

A61N 電気治療 磁気治療 放射線治療 超音波治療

A61P 化合物 医薬組成物の治療活性［7］

A61Q 化粧品 類似化粧品製剤の使用［ipc8］

Copyright 2007 © Ken Taneka　国際特許分類データの著作権は、日本国政府にあります。

国際特許分類カテゴリ A61

「A61」に、いわゆる「医療特許」に関する情報がまとめられている。「A61H 21／00：人体の腔部をマッサージする用具(5)」
には、リモコン式の「大人のおもちゃ」と電動歯ブラシである「口腔内マッサージ器」が記載。あくまで特許事務処理上の都
合で分類しているだけで、医薬品や医療機器というわけではない
「国際特許分類メニュー＆検索システム」http://www.publish.ne.jp/ipc/

 ## 認められない医療特許

　逆に特許があっても良さそうなのに、医療特許が認められないものがあります。

　例えば、医療マンガで有名になった「バチスタ手術」は、特許を取ることはできません。医療従事者
が行う手技、いわゆる診断方法や治療方法などには特許が認められないのです。というのも、医師がい
ちいち特許処理を行わないと診断や治療ができない状況になると、患者が死ぬからです。医師は論文で
見つけた治療方法を実践する際、その技術に特許があるかどうか考慮する必要はありません。

　ちなみに、医薬品や医療機器を開発し、特許を取ることは認められています。そして仮に、それら医
薬品や医療機器に特許侵害があったとしても、製薬会社や医療機器メーカーが訴えられて責任を取るべ
きことであり、購入して使った医師が特許処理に関わる必要はありません。人の生き死にがかかってい
るので、この辺はなんだかんだでよくできているのです。

 ## 経絡秘孔の特許は取れるのか？

　さて、ある意味、ここからが本題（笑）。マンガ『北斗の拳』に登場する、自称天才のアミバ様が新
しい経絡秘孔を発見して、病人の治療に使ったら医療特許で儲けられるのか？という話ですが…、以上
のような理由から、医療特許は取れないでしょう。治療方法は特許が取れないので、新秘孔を特許出願
しても認可されず、他の誰かが同じ秘孔を利用して治療を始めても訴えることはできません。

A61H 39：物理療法のため人体の特定のつぼの位置を検出 刺激する装置

アミバ様が新しい経絡秘孔を発見したならば、誰でも使える特定のつぼを押す装置を開発して特許申請すれば、みんなが幸せになれるかもしれない。アミバ様は儲かり、患者は病気が治って救われる…

　なので、医療特許を取って儲けるには、別のアプローチが必要になります。具体的にいうと、メイングループ「A61H 39：物理療法のため人体の特定のつぼの位置を検出 刺激する装置」で、新秘孔の位置を正確に適正な力で突ける装置を開発して特許を取ればいいのです。サブグループの「A61H 39/02：つぼの位置を検出する装置」として新秘孔の位置を検出する装置を出願し、「A61H 39/04：つぼを圧迫する装置」として新秘孔を突く装置を出願すれば完璧でしょう。

　誰でも北斗神拳と同じことができるようになるデバイスを開発すれば、特許で儲けられるだけでなく、北斗神拳が使えない普通の医師でも経絡秘孔を使って患者を治療することができるようになり、大勢の人間が救われます。しかも、秘孔を間違えて患者がひでぶする事故も防げるでしょう。

　もしも、世紀末が訪れずに平和な時代が続いていれば、北斗神拳は平和な社会で存在が許されない殺人術に過ぎません。現実のような世紀末にならなかった世界線では、アミバ様が北斗神拳を医療に応用して大勢の人間を救っていたかもしれないのです。まあ、99.9999％の確率でマッド・ドクターになっているでしょうけど…。

　ならば、トキやケンシロウが特許を申請すればいいのかというと、それは不可能です。北斗神拳は一子相伝の拳法なので、経絡秘孔を公にはできません。つまり、経絡秘孔の特許を申請してしまうと、その情報が公開され北斗神拳が一子相伝ではなくなってしまいます。正当伝承者でないアミバ様は一子相伝とか関係ないので特許出願できますが、トキやケンシロウは家庭の事情でそれが許されないのです。

　技術の中でも特に医療技術は、秘匿すべきものではありません。公共の福祉のために、北斗神拳は一子相伝をやめるべきです。そうすれば北斗四兄弟は、平和な世界で全員仲良く暮らせるのです。

Memo:

ホントに同じ？違いを分かった上で選びたい

先発薬とジェネリック医薬品

「ジェネリック医薬品」は、「新薬（先発医薬品）と同じ有効成分を使っており、品質、効き目、安全性が同等」とされている。しかし、必ずしも「新薬と同等」というわけではないらしい。

そもそも、「ジェネリック医薬品（後発医薬品）」とはなんでしょうか？　日本ジェネリック製薬協会では、このように説明しています。

ジェネリック医薬品は、新薬（先発医薬品）と同じ有効成分を使っており、品質、効き目、安全性が同等なおくすりです。（日本ジェネリック製薬協会「ジェネリック医薬品ってどんなおくすり？」より引用）

しかしながら、日本ジェネリック製薬協会は同時に「効能効果、用法用量等に違いのある後発医薬品リスト」も公開しています。つまり、ジェネリック医薬品と先発医薬品が“完全に同じ”というわけではないのです。なぜこういうことが起きるのかというと、それは下記の理由から。

- 特許が切れたからといって、先発薬を開発したメーカーが企業秘密である製造工程を公表するわけではないため、ジェネリックメーカーが独自の製法で製造している
- 主成分の特許は切れていても、副成分の特許が残っているので、その部分が異なる
（先発薬メーカーが成分・製法を許諾した「オーソライズド・ジェネリック」もあるが、まだ少ない）

ゆえに、「ジェネリック薬に変えたら効かなくなった」ということは、アリエルわけです。

「ジェネリック医薬品ってどんなおくすり？」
日本ジェネリック製薬協会
https://www.jga.gr.jp
ジェネリック医薬品は、新薬をベースに作られるため、開発費などを抑えられるので安価に提供できる。同じ有効成分を同じ量含み、新薬と同じ4項目の試験も実施し、効き目や安全性は保証されている。ただし、効果に影響がないとされる添加剤などは異なっており、新薬と全く同じというわけではない

参考文献・画像出典など　●日本ジェネリック製薬協会「効能効果、用法用量等に違いのある後発医薬品リスト」
http://www.jga.gr.jp/library/medical/effectiveness/170922_effectiveness.pdf

「先発品と同等」ではなかった例

　具体例を見ていきましょう。2007年に、「後発医薬品の適正使用と医薬品添加物に関する研究」という論文が発表されました。これは、睡眠鎮静剤（ハルシオンなど）とそれらの後発医薬品を用いて、マウスに対する催眠作用の比較及び主成分含有量と血中濃度を比較検討したものです。この論文では、Triazolam（トリアゾラム）の含有量が先発品のハルシオンと同等であったにもかかわらず、作用が有意に弱い後発薬があったことが報告されています。あくまでも動物実験の結果であり、人間にそのまま当てはめることはできませんが。

　また、2008年には切迫流産・早産治療薬であるウテメリン（先発薬）のジェネリックに不純物が入っていて、問題になったケースもありました。主成分にも添加剤にも問題はなかったのですが、製造工程で加熱処理時にリトドリンに亜硫酸イオンが付加し変質したものが、不純物として混入していたのです。その後、各メーカーで改善が行われ、現在流通しているものについては、不純物含有量に問題ないことが確認されています（「第2回ジェネリック医薬品品質情報検討会で品質課題が指摘されたリトドリン塩酸塩注射液の再試験結果報告」を参照）。

日本ジェネリック製薬協会
「効能効果、用法用量等に違いのある後発医薬品リスト」

YAKUGAKU ZASSHI127(12) 2035—2044 (2007)
「後発医薬品の適正使用と医薬品添加物に関する研究」

Memo:
●YAKUGAKU ZASSHI127(12) 2035—2044 (2007)「後発医薬品の適正使用と医薬品添加物に関する研究」
https://yakushi.pharm.or.jp/FULL_TEXT/127_12/pdf/2035.pdf

医療費の増大が社会問題になっている昨今。価格の安いジェネリック医薬品が推奨されている。病院でもらう処方箋にも「ジェネリック医薬品を希望する」という欄がある。メリットとデメリットをきちんと理解した上で選ぶようにしたい

ジェネリック医薬品(後発医薬
適切であれば、処方(調剤)を
希望します。

✓ ジェネリック薬に医師の7割が不安

2015年(平成27年)に行われた行政改革推進会議「歳出改革WG重要課題検証サブ・グループ(第6回)」では、医療関係者へのヒアリングでジェネリック医薬品について以下のようなネガティブな意見が出ていました。

 後発医薬品のメーカーは医薬情報担当者(MR)が少なく、来る回数も少ない
● 中小メーカーが製造しており、安定供給に懸念がある

新薬メーカーは企業規模が大きい分(新薬開発には何百億円もの資金が必要)、人材が豊富でサポートもしっかりしています。それに比べると、ジェネリックメーカーは規模が小さく、サポート面も不十分というケースもあるのでしょう。そういった事情などもあり、「医師の7割も、漠然としてであれ品質に不安を感じているのが現状」と、現場の医師たちもジェネリック医薬品に対して不安を抱いているようです(「歳出改革WG重要課題検証サブ・グループ(第6回)」配布資料「資料4 これまでのヒアリングで出された主な意見」より引用)。

日本の薬はかなり厳しく管理されているため、重大な不良品が流通する可能性は極めて低いでしょう。そして、先発薬と同等といえるジェネリック医薬品もたくさんあります。ブラッシュアップされ、飲みやすく形状などが改良されているものも多数出てきています。ですが、効果に違いのあるものが存在していることは事実です。ゆえに「先発薬」と「ジェネリック医薬品」を選べるならば、価格が高くても安全性などがより長く確認されている「先発薬」を選択する方が、現状においては無難といえるかもしれません。もちろん一概にはいえないので、結局のところは薬剤師にきちんと確認するのがベターという結論になりますが…。

● 「歳出改革WG重要課題検証サブ・グループ(第6回)」配布資料「資料4 これまでのヒアリングで出された主な意見」
http://www.kantei.go.jp/jp/singi/gskaigi/working/dai6/siryou4.pdf

大災害が起きて極限サバイバル時の選択

期限切れの薬は飲むべきか否か?

**期限切れの薬は、医療従事者が口を揃えて言う通り飲んじゃダメ。しかし物事には例外がある。
大災害が起きて、極限状況下だったらどうすべきなのか? 知識として知っておこう。**

「期限切れの薬って飲んでいいの?」と聞かれたら、医療従事者全員が飲んじゃダメって怒ります。皆さんもお手元の薬が期限切れだったら絶対に捨てて下さい。しかし、もし仮に、最悪の非常事態に陥った場合に、手元に期限切れの薬しかなかった場合はどうすべきなのでしょうか?

実際に、いくつかの大震災で防災倉庫などから医薬品を出してきたら期限切れだった…、そんなことが起きているのです。

防災グッズって1度買うと、そのまま何年も放置ということが珍しくありません。2011年に起きた東日本大震災から9年以上経過している現在、あの直後に防災グッズを揃えたけど放置したままという人は、今から中身の期限を確認しましょう。医薬品とか保存食の使用期限は5年以下が多いので、9年近く前に買った物は期限切れになっている可能性が高いです。

地方自治体などには「災害対策用医薬品等の備蓄」という制度があり、地域防災計画に基づいて医薬品等卸売業者との委託契約により防災基地に医薬品を備蓄しています。ちゃんと卸売業者が管理しているはずなので、期限切れの薬が備蓄されていることはないと思うのですが、お役所の予算の都合で、委託契約は最初の納品だけでその後は何もしてないとかヒドイ対応が東日本大震災時に明らかになりました。さすがに現在は、そんなことはないでしょうけど…。

さて、被災地で防災倉庫を開けてみたら、入っていた薬がすべて期限切れで目の前に患者がいるという極限状態に追い込まれた時はどうすべきでしょうか?

ワシが考える正解は薬を使用するです。すべての医薬品は、安定性試験を行った結果により使用期限が決められています。そして、期限切れになった薬がどうなるかまで検証されています。ごく一部に毒性を持つ薬もありますが、効果が減る、効果が無くなるが最多です。そして、使用期限は絶対確実に保障できると断言できる余裕のある期限となっているため、期限の2倍以下までならほとんど品質には影響しないといわれています。人の命に関わるだけに、安全率が大きく取られているのです。

 ## リスクがあると分かっている…究極の選択

アメリカ人がラムネみたいにボリボリかじっている、消炎・解熱・鎮痛剤の「アスピリン」。使用期

Memo:
参考資料・画像出典など ●「薬剤師のための災害対策マニュアル」 平成23年度厚生労働科学研究「薬局及び薬剤師に関する
災害対策マニュアルの策定に関する研究」研究班 報告書 https://www.nichiyaku.or.jp/assets/uploads/activities/saigai_manual.pdf

薬剤師のための災害対策マニュアル
大阪府薬剤師会が災害用備蓄医薬品としてまとめている中に、テトロサイクリン系の薬として「ミノマイシンカプセル」と「ビブラマイシン錠」がリストアップされている。仮に使用期限が切れたものを服用すると、腎臓疾患を引き起こす恐れがあると指摘されている。そんなものを飲みたくないなら、自宅の薬箱を今すぐチェックしておくべし

限は5年で、それ以上経過するとアセチルサリチル酸が分解してサリチル酸になり、飲むと胃腸障害を起こすようになります。

また、広範囲の感染症に有用な抗生物質であるテトラサイクリン系抗菌薬。衛生状態の悪化した被災地に蔓延しそうな肺炎球菌・大腸菌・赤痢菌など、そして蔓延したら確実に大惨事になる病気に効きます。しかし、期限が切れて古くなると毒性を持つようになるのです。使用期限は2〜3年しかなく、期限切れを服用した場合は「後天性ファンコニ症候群」という腎臓疾患を起こす恐れがあると医療事典「MSDマニュアル」に書いてあります。なので、使用期限を厳重に管理して、切れたら確実に廃棄しなければなりません。

なお、このテトラサイクリンは、炭疽菌にも強い抗菌力を示すため、テロで炭疽菌を撒かれた場合にも頼りになります。3年おきに全廃棄、全交換するのは大変ですが、それほど高額ではなく、1万錠買っても40万円程度です。それだけあれば1,000人以上は確実に救えるので、費用対効果はバツグン。ぜひとも備蓄しておいてほしい薬です。実際に、大阪府薬剤師会が災害用備蓄医薬品としているリストにも入っています。

そして、ここで再度、クエスチョンです。防災倉庫を管理する役所が手抜きをし、被災時に期限切れの抗生物質しかない場合はどうすべきでしょうか？　投与しなければ目の前の患者が死んでしまうという極限状態で、毒性があると分かっている薬しかないとしたら…。

この場合も、正解は投与するしかありません。

薬効による利益が明らかに副作用のリスクを上回る場合は使用するという、医療の原則に従った行動です。この場合はリスクが腎臓疾患であり、即死するような毒性ではないため、とりあえず患者に生きてもらうことを優先します。腎臓疾患を治療できる名医はいても、死人を生き返らせることができる名医は存在しないからです。

そんなリスクのある怖い薬は嫌だと思った皆さん。今からすぐに、ご自宅の薬箱と防災グッズの日付を確認して下さい。

● 「MSDマニュアル プロフェッショナル版」 テトラサイクリン系　https://www.msdmanuals.com/ja-jp/

尻の穴から食べる究極のグルメ!?

はじめての滋養浣腸ガイド

グルメな話題が目白押しの昨今だが、料理の常識を覆す究極のメニューを紹介しよう。題して「尻の穴から食べる料理」。医療行為として開発され、現在も実在している…。

　人類誕生以来、どんな料理でも口から食べるという常識に縛られてきました。しかし、科学の進歩は数万年にわたるそんな常識も打ち破っているのです。

　歴史を振り返ると、意外と近代というべきか、昔というべきか、始まりは1880年代フランスの精神病院だったそう。拒食症の患者に栄養を取らせる方法として、ブドウ糖液を浣腸したというのが始まりみたいです。それ以前は無理やり口をこじ開けて流し込む乱暴な方法で、患者が傷付くことが多く、看護士も噛まれたりして大変だったので、一気にこの方法が広まったといいます。

　拘束台に固定されてケツの穴丸出しで浣腸されるキ○ガイって、絵を想像するとなかなか刺激的ですね…。とにかく、この方法は21世紀の現在も実在しており、医学用語で「滋養浣腸」といいます。

　1865年にドイツの科学を世界一ィィィイイイ!!にした天才科学者ユストゥス・フォン・リービッヒが発明した肉エキスが販売され、広く滋養強壮薬として飲まれていました。これが、「ユ○ケル」みたいな栄養ドリンクの始祖だったりします。

　これで滋養浣腸しようと考えたのは当然の帰結で、ドイツで幅広く行われたそうです。まあ、この肉エキス、ユ○ケルなんかと同様に気休め程度の栄養しかなかったんですけどね。

　ちなみに、このリービッヒ博士は育児用粉ミルクも作っていて、粉ミルクを使った滋養浣腸も広く行われました。そしてこれが、現代のSMプレイの一種である、牛乳浣腸の始まりだった…とはいわれておりません…。

　明治になって日本の医学会に、世界一ィィィイイイイ!!なドイツの最新医学として滋養浣腸が伝わると、日本でも広く実施されるようになりました。その後、大正時代に入ると民間で滋養強壮のために変

明治時代の浣腸器　ドイツ・チューリヒ大学医学史博物館の所蔵

Memo:

現在のアナルプラグ
アダルトグッズとして販売されている。元々は医療器具だった…！

アナルプラグ
アメリカのヤング博士が開発した直腸拡張器。1905年(明治38年)に日本にも輸入され、1本2円50銭(現在の価値で2万〜3万円)で販売されていた。滋養浣腸に使用されたという。アメリカ・グロア精神医学博物館所蔵

なもので試す人がかなり出たそうです。さまざまなアミノ酸が溶け出しているスッポンスープが人気で、尻の穴に注入するスッポン料理が実在した模様。水の煮汁のままだと浸透圧の関係で吸収が良くないため、10%はエーテルを入れるのがコツだそうです。まさに、斬新にして古典な究極のメニュー、「肛門から食べるスッポン料理で滋養強壮」なのでした。

　滋養浣腸自体は戦前、頻繁に行われていたそうなので、明治浪漫物とかで食事が食べられない病人に栄養をつけられる西洋秘伝の料理、西洋では肉から抽出した肉エキスというものを使っているらしいが、日本では手に入らない。そこで、伝統の食材・スッポンのエキスを使うことを思いつき、ケツの穴から食べる料理でたちまち元気回復…これなら歴史考証でも医学考証でも完璧でしょう。ナニ？　そんな話聞いたことがない？　それは貴方が不勉強なだけです。当時の文学作品をよく読むと、滋養浣腸はしっかり登場しています。

　夏目漱石大先生の『行人』に、滋養浣腸している女性が登場しているぐらいですから。そして、夏目漱石先生ご本人も死ぬ直前は滋養浣腸で命をつないでいたそうです。

　アメリカでもウィリアム・マッキンリー大統領が銃で撃たれて胃に穴があいたため、感染症で死ぬまでの8日間は浣腸で栄養を取っていたのだとか。意外と尻の穴から食べる料理を召し上がっていた著名人はたくさんいらっしゃいます。

　滋養浣腸をしただけではもちろん漏れてしまうので、栄養が腸から吸収されるまでフタをしておく必要があり、そこで、木や金属でできた肛門の栓、つまり、アナルプラグが使用されていました。SMグッズのアナルプラグを想像するかも方も多いかもしれませんが、元々は滋養浣腸で使う医療器具だったんですよ。今度は本当です。きっと、夏目漱石先生がお使いになられた霊験あらたかなアナルプラグとかもあったんでしょうねえ。

滋養浣腸液の「調理法」

　この滋養浣腸液。調整が大変な上に、実は吸収効率が良くありません。点滴が実用化する以前は、モノを食べられない人間が栄養を補給できる唯一の手段として用いられてきましたが、あまり栄養が摂取できないことが分かって廃れていったのです。それもそのはずで、大腸と小腸の間には逆流防止の機能があって、浣腸は大腸の中までしか入りません。

　なので、大腸から吸収されるように料理しなければならないのです。消化を省略して吸収できるようにするわけですから、タンパク質をアミノ酸レベルまで分解する必要があります。タンパク質のアミド結合は極めて安定していて、半端な調理法では分解できません。

　で、実際にどうするかというと、しょうゆ風調味料の製法に似ています。高圧鍋に濃塩酸を水で半分に薄めたものを入れ、肉や野菜を浸して110℃で24時間煮込みます。煮込み終わる頃には、肉でも野菜でも完全に溶けて液体になっているはずです。あとは少し減圧して蒸留し、塩酸を取り除きます。これを忘れると大変です。塩酸入りのまま浣腸すると、絶命しかねませんので…。

　こうして出来上がったものは「タンパク加水分解物」と呼ばれ、コクやうまみをもたらす目的でしょうゆなど普通の加工食品にも入っています。もちろん健康上、全く問題ナシです。

　ちなみに、浣腸は個人がやっても医師法違反になりません。一般人が薬局でイチジク浣腸を買ってきて、自宅で使っても合法なのと同じ理屈です。つまり、料理店で尻の穴から料理を食べさせる浣腸料理は法律違反にはなりませんので、バンバンご活用下さい。

　たまたま（検閲済み）している（検閲済み）がご飯を食べてくれなくて弱ってきた時、一般人では点滴を入手するのは困難なので大活躍するでしょう。…多分。

　栄養の摂取効率が悪く、点滴より劣るため現代では行われなくなったと上述したところですが、なぜか平成30年診療報酬点数表にまだ載っていたりして、保険点数45点がつく保険適用の医療行為です。

　なので、尻の穴から食べてみたい人は、病院でやってもらうといいかもしれませんね。まあ、その場合、保険が適用されるかどうかは知りませんけど…。

夏目漱石
（1867～1916年）

行人(集英社文庫)
夏目漱石

明治の文豪と知られる夏目漱石の著作『行人』に、滋養浣腸をする女性が登場する。また、夏目漱石本人も滋養浣腸を受けて命をつないでいたという。点滴の無かった時代には、有効な治療法だったのだ

Memo:

滑って転んで偶然に…幼女性行為の真実

アリエナイ処女喪失

幼女の膣異物挿入は、小児科医も積極的に症例報告しようとはしない。しかし、時にはあまりにも悩ましい症例で、報告せずにはいられなかったという場合もあるようだ…。

　あるところに、3歳の娘と一緒に風呂に入っていたら、娘が滑って偶然に子供用風呂手桶の柄が膣の中に入ってしまい、股間から血が止まらなくなったとして来院した親子がいました。幼女の膣に、アルギネート創傷被覆材及びガーゼを詰め込んで圧迫止血を行い、1時間弱の圧迫により止血に成功。検査と治療の結果、処女膜損傷及び小陰唇裂傷のみで内臓に穿孔などの異常はなく、軽症と診断され、精液などの付着も確認できなかったそうです。

　アナル異物挿入で来院する患者の中には、「風呂場で滑って転んだら偶然お尻の穴に入ってしまった」と嘘をつく人が珍しくありません。そのため、診察した小児科医の先生は虐待の疑いで通報すべきか非常に悩んだそうで、家に帰さずに経過観察が必要という理由で入院させました。両親を厳しく尋問し、風呂場にあったとされるディ○ニーの子供用手桶を病院に持ってこさせたりして徹底的に調査。結果、その子供用手桶の柄の部分（長さ9cm、直径18mm）が膣に入った原因対象物で、性的虐待の証拠は見つからなかったそうです。その後も通院させて経過観察を行ったのですが、両親の証言は虚偽ではなく、虐待の可能性は無いと結論したのだとか。そんな偶然あるんですねー。

　治療した小児科医は、膣に入ってしまった原因対象物を四面から撮影して、正確な寸法と形状まで記載し学会に報告したのですが、学会誌に掲載された時には何かがマズイと判断されたのか原因対象物の写真が黒く塗りつぶされていました。学会としては患者のプライバシー以外にも、ディ○ニープリ○セスソフ○アが幼女の処女を奪ってしまったことにも配慮する必要があったのでしょうか？

　ちなみに、成人であっても初体験時に処女膜損傷や腟内外傷に至った場合には、外科的処置を必要とすることがあります。創傷被覆材やガーゼを詰め込んで圧迫止血をしたり、縫合処置が行われることがあるのです。まあ、相手がよほど巨根か乱暴しない限り、そこまでいかないはずなんですけどね。1日経っても血が止まらない場合は、産婦人科を受診した方がいいと思います。

医学的に見る性交可能な年齢とは？

　世界的にも性的虐待に関連した小児女性生殖器外傷はよくあることで、最も多いのは4～7歳の少女というアメリカでの報告があります。

これはあくまでも医学的に身体を考察した場合にのみ当てはまる専門知識ですが、平均的な女性の体格で平均的な成人男性器を挿入して性行為可能になる年齢は6歳8か月と推定されているのです。実際に6歳の女の子と常習的に性行為していた男が逮捕された時、子供の精密検査が行われたのですが、膣や子宮を含めてどこにもケガがなく傷害罪での立件見送りという実話があります。

　性行為が何なのか理解して、同意能力があるとみなされる年齢を意味する「性交同意年齢」は16～18歳程度。ですが、医学的に膣にペニスを挿入して射精する性行為が可能となる「性交可能年齢」自体は、6歳8か月と意外なほど若いのです。

　ただし、人間の身体には大きな問題があります。骨盤が第二次性徴終了後のサイズにならなければ、自然分娩が可能になりません。第二次性徴期が始まるのは、平均して男子が11歳6か月、女子が9歳9か月。早い場合で男性9歳、女性7歳で、遅い場合で男性14歳、女性12歳と、基本的に女性の方が早熟です。遅い方を基準に、大半の女性が自然分娩可能といえる年齢は15歳以上と推定されています。

　結婚できる年齢が日本の法律で男子18歳、女子16歳と定められていたのは、医学的に妥当な基準なのです。法律的に女性が2歳若いのを疑問に思った人も多いかもしれませんが、女性の方が早く成熟するからです。法改正により男女共に18歳に引き上げられ（2022年施行予定）、そして多くの国が法律上は18歳に設定されています。

　古い法律で結婚できる年齢が男子18歳、女子16歳と制定されたのは、当時、年齢の計算方法は生年月日基準の満年齢ではなく数え年だったためです。最も極端な例ですが、12月末に出産すると出生時に1歳、翌年1月から2歳となるため、実際は生後たった1か月の子供が数えの上では2歳になってしまう場合がありました。そのため、15歳ではなく16歳と規定したのです。

　戦後に年齢に関する法律が改正されるまでは、数え年16歳で満年齢15歳で結婚する人が多くいました。童謡の「赤とんぼ」の歌詞に、「十五でねえやは嫁にいき」とあるのはこのためです。

　つまり女性は、性交可能年齢と出産可能年齢と性交同意年齢の間がかなり開いているのです。性交可

海外では性的虐待による小児女性生殖器外傷が少なくない。アメリカでは、4～7歳の少女が被害に遭っているという報告がある。肉体的に成人男性との性行為が可能な年齢は、6歳8か月と推定されているデータがあるが、あくまで医学的な理論上のもの。身体的に出産は不可能。いろんな意味で幼女との性行為は許されない

3歳児の処女を奪った手桶。キャラクターが描かれてる部分
が切り取られている
（『日本小児科学会誌』120巻第11号参照）

受傷時期	2016年7月7日18時30分頃
受傷原因物	長さ9センチ直径18ミリの子ども用風呂手桶の柄
年　齢	3歳8か月
体　重	14kg
身　長	96cm

能年齢と出産可能年齢のギャップは、人間というかホモサピエンスという種だけが持つ特殊な問題で、他の哺乳類は性交可能年齢と出産可能年齢が一致しています。これは人間の胎児の頭が、他の哺乳類よりも大きいことが要因です。人間は全哺乳類の中で最も難産な動物で、全哺乳類中トップの出産リスクを抱えている面倒な動物といえます。身体の大きさが最大の状態にならなければ出産可能にならないというのは、人間だけが抱える難問なのです。

　逆にネズミ目は、早い時期に出産を経験しないと難産になる、人間とは逆のリスクを抱えています。モルモットの場合は1歳が人間の30歳ぐらいに相当し、モルモットのメスが繁殖可能になるのは4〜5か月ぐらいです。9か月でもう高齢出産になります。9か月ぐらいまでに初産を済ませないと骨盤が癒着して広がらなくなって難産になり、人間の30代相当ではもう自然分娩が困難な状態に。1年以上飼育してから繁殖させると高確率で母子共に死にます…。

　なので、ペットにネズミを飼っている人は繁殖させないまま歳をとらせてしまうと、出産リスクが高くなり繁殖させられなくなります。このため、飼育歴が1年を超えるマウス・ラット・モルモットの個体は、雌雄を一緒にしてはいけないのです。

　人間に話を戻すと、世界的に問題になっているのが出産可能年齢未満で妊娠した女性です。自然分娩で出産しようとすると、そのまま母子共に死んでしまう可能性が高く、出産できても組織が壊滅して膣が穿孔して直腸と穴があいてしまい悲惨なことになったりするので、医療の整っている国であれば帝王切開するしかありません。

　じゃあ避妊さえすれば7歳から性行為OKなのかというと、避妊は100％絶対的なモノではないので、純粋に医学的知見から見ても7歳児と性行為してはいけないという結論になります。

　医学的にも、幼女と性行為したら逮捕しなければならないと考えるのが妥当でしょう。

ホウキにまたがって空を飛んではいけない！

魔法少女の職業病を救え

魔法少女作品に出てくるヒロインたちは、股間の痛みに耐えながらホウキに乗っているのかもしれない。そこで、彼女たちの股間の安全と健康を守る方法を考えてみたヨ。

『魔女の宅急便』『魔法使いプリキュア』『魔法使いサリーちゃん』…などでおなじみの、ホウキにまたがって空を飛ぶ少女たち。これは小児医学的に見て極めて危険な行為なのです。

　魔女の宅急便では、13歳の少女がホウキという細い棒にまたがって長時間、空を飛んでいますよね。細い棒1本にまたがり股間に全体重がかかっている状態は、たとえ短時間でも危険で、何もせず1時間程度またがっているだけでも深刻な外陰部外傷を負うことになるのです。

　女性の股間の会陰部には神経や血管が密に分布しており、ホウキと恥骨の間で圧迫された状態が一定時間続くと、外陰皮下の血管が切れ、それが動脈であった場合は多量の出血に至ることも。外陰部外傷にまではならなくても、小児外陰炎となる可能性が高く、紫色に腫れたりして大幅にQOLが低下します。

　これは医学界では「サドル外傷（Saddle trauma）」として知られている症状。性器が十分に発達していない少女が受傷する症例が多く、性成熟した大人では受傷率が低下します。

傷害が発生した自転車とサドル（右の2枚）

日本小児科学会こどもの生活環境改善委員会
「InjuryAlert（傷害注意速報）No.15 自転車のサドルによる外陰部外傷」
5歳の少女の股間に傷害が発生した自転車とサドルの写真。これは学会で発表された資料だ

Memo:
参考資料・画像出典など　●日本小児科学会こどもの生活環境改善委員会「InjuryAlert（傷害注意速報）No.15 自転車のサドルによる外陰部外傷」
https://www.jpeds.or.jp/uploads/files/injuryalert/0015.pdf

魔法少女の職業病
細い柄のホウキに長時間またがることで、魔女っ子
たちの股間は危機に瀕している可能性がある。ウレ
タンなどを巻いてガードすれば、ケガなどを回避で
きるようになるはずだ。彼女たちの股間を守るには、
産業医が勧告し職場環境の改善が必須だろう

 ## 自転車で起こるサドル外傷とは？

　1度、現実世界に戻りましょう。サドル外傷とはその名前の通り、自転車に乗ることが原因で起こる
外陰部のケガです。特に、ロードレーサーなど高級スポーツ自転車界隈では、サドルが極限まで小型軽
量硬質化しており、非常に健康に良くありません。女性の競技人口の増加により、アソコを痛める女性
が増加し続けています。
　日本でも、5歳の少女が自転車で入院するほどのサドル外傷になった症例が報告。親御さんは注意し
ないと、大切な娘のアソコが裂けて大変なことになりますよ！
　余談ですが、小児医学的に見た子供用自転車の購入時の指針として以下の5項目が挙げられます。幼
い娘を持つ親御さんは、ぜひ参考にして下さい。

1.サドルの材質が硬質なものは不適切であり、軟質なサドルを選ぶこと
2.外陰部の前面が当たるサドルの部分が隆起していないこと
3.サドルの前後方向の角度が地面に対して平行であること
4.サドル前部の左右方向の幅が十分に広いこと
5.子供の身長に対して自転車が大き過ぎないこと

　子供がすぐに成長するからといって大きめの自転車を購入せず、ちゃんと両足が地面に着くサイズを
選んであげて下さい。124ページの写真は、5歳の少女が入院する原因になった自転車です。これは学
会で発表され、医師が幼女の股間には最悪の欠陥品と断罪しました。

 ## ホウキによって起こるサドル外傷

　話を魔女っ子に戻しましょう。ホウキにまたがって空を飛ぶ少女たちの大半は、股間の痛みに耐えな
がら飛んでいると考えられます。我慢し続ければ炎症は悪化し、小児外陰炎となってオシッコをする時

● 「Perineal Injury in Males What is perineal injury in males ？」サドル外傷の画像　National Institute of Diabetes and Digestive and Kidney Diseases
https://www.niddk.nih.gov/health-information/urologic-diseases/perineal-injury-males

に痛むようになり、トイレで痛いと泣いているかもしれません。中には外陰部から出血して、生理でもないのにナプキンを当てて我慢しながら飛んでいる少女もいる可能性も…。

　抗生物質や抗炎症薬などの投与による治療は行えますが、ホウキにまたがって空を飛ぶという行為をやめさせない限り完治は困難です。また、10代前半という年齢から想像すれば、「股間が痛い」「性器が腫れて血が出ている」なんて恥ずかしくて周囲の大人には相談できないでしょう。成人した先輩からは、「大人になれば治る」「私も見習いの頃は我慢していた」「根性が足りない」などといったパワハラを受けているかもしれません。

　作中でキキが飛べなくなった理由は明言されていませんが、職業病として深刻なサドル外傷に悩まされ股間の痛みに耐えられなくなった…そんな可能性をワシは少なからず考えています。

少女の股間を救えるのは産業医だけ

　ならば、魔女の宅急便業者は、配達員の股間を守り職業病を予防して苦痛から救うためにどうしたらいいでしょうか。簡単な解決方法として、宅急便業者なら常備しているウレタンなどをホウキのまたがる部分に巻き、直径が10cm以上になるようにすればいいのです。

　たったこれだけのことで少女たちは股間の苦痛から解放されるのですが、魔法少女たちがいくら性器が傷付いて辛いことを上司や先輩に訴えたところで、大人になれば治る、根性が足りない、嫌なら辞めろとパワハラを受ける可能性があります。サドル外傷という医学的な概念を知り、魔女たちの訴えを聞き、その原因が使用しているホウキが不適切に細いことを特定し、労働安全衛生法第13条に基づいて事業者にホウキにウレタンを巻くよう「勧告」できるのは産業医だけです。そして、事業者は産業医の勧告を尊重しなければなりません。

　でも、キキは個人事業主では？

　ならばどうしたらいいのかというと、普通に魔女がいて働いている世界なら魔女の健康保険組合や労働組合が存在しているはずです。魔女の組合（ギルド）に産業医を紹介してもらい、職業病の予防と改

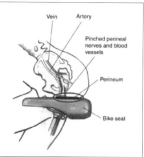

サドル外傷
アメリカの研究機関NIDDKによる報告。自転車のサドルのように小さく狭いものにまたがると、普通のイスに座るよりも股間の血管と神経が圧迫される。それによって、さまざまな障害が引き起こされる危険性を示唆している

Memo:
● 「Perineal tear」　会陰裂傷の画像　https://en.wikipedia.org/wiki/Perineal_tear

善について相談します。組合は会報などに産業医からの勧告を掲載して啓蒙活動を行い、魔女っ子たちをサドル外傷から守る…というのが理想でしょう。

　真面目な話に戻すと、患者を直接治療するだけが医学ではありません。病気やケガをしないように予防するのも医学の重要な仕事であり、その中には職業病の予防のために機材や作業手順の改善を勧告する、産業医という仕事もあります。職業病の予防は産業医の重要な仕事であり、産業医学も多くの患者を救う立派な医学の一分野なのです。

　他の医者には無く、産業医だけが持つ特殊能力が、上述した「勧告（リコメンデーション）」です。産業医は事業者に対して、「仕事のここが悪いから病人やケガ人が出ているんだ。医者の言う通り直せ」と意見できます。ただし「勧告」であり、「命令」ではありません。事業者は尊重しなければならないと法律に書いてありますが、「尊重」ということは無視しても構わない、無視しても罰則が無いということです。

　産業医が「Aさんは残業時間超過で瀕死です。休ませてあげて下さい」と勧告しても、事業者が無視して働かせても罰則はナシ。Aさんが過労死したり自殺した後に、産業医の勧告が裁判で証拠になるぐらいでしょう。

　残念ながら日本における産業医の存在は、事業者から見れば法律上の義務だから税金だと思って仕方なく支出しているだけ。医者の側から見ても、楽な仕事で企業からお金がもらえるバイトぐらいにしか認識されていません。患者の側から見ると、うつ病社員を休職させたり退職に追い込んだり、残業超過な社員と面談して「君は月80時間残業してるけど健康状態に問題ないから残業OK」と言って酷使するお墨付きを与えるブラック企業の味方も多いようです。本気で職業病を無くそうと思って、仕事内容や機材にまで口を挟む医師はほぼほぼ皆無というのが現実でしょう。

　まあ、現実の産業医は世知辛いですが、そこは夢を見て「産業医の俺が異世界転生して魔法少女ギルドの専属医になったら」とか誰か書いてくれませんかね？

　医師のスキルで無双チートできるかと思ったら、治療魔法で病気もケガも治ってしまうファンタジー世界では全くの役立たず。途方に暮れていたところ股間の痛みに悩む魔法少女に出会い、ホウキに毛布を巻くように教えてあげたら国中の魔法少女に広まり、魔法少女ギルドの長から助言を求められるようになった。魔法の使えない俺が産業医学の知識でドワーフ職人の職場環境を改善したら、ケガ人も病人も出なくなり大感謝される。あらゆるギルドから助言を求められるようになり国中の評判に。各ギルドの生産性は劇的に上がり、ギルドの収入は激増。国庫は潤い俺は王宮に呼ばれることになった。しかし、患者の激減により治療魔法使いが次々と食い扶持を失っていく。そこで彼らは患者を作るためにデマをバラ撒き、ついには俺の命を狙うように…。

きっとまだ手つかずの新ジャンルですよ。誰か挑戦してみて下さい。

● 「Pediatric genitourinary injuries in the United States from 2002 to 2010.」米国における小児性泌尿生殖器傷害　NCBI
https://www.ncbi.nlm.nih.gov/pubmed/23174237

非処女は罪? 海外の歴史と宗教の闇

世界の狂った処女厨たち

女性の処女性にこだわり過ぎて、男性経験のある女性を侮蔑する、いわゆる「処女厨」は世界中に存在する。日本の一部のキモヲタに限ったことではない。むしろもっと重症だ…。

処女厨をこじらせ過ぎて「処女じゃなかったら犯罪」「処女だという証拠を見せろ」ってアホが世界中にあふれています。そんな処女厨のために「処女検査」が世界中で行われ、「処女証明書」が発行されたりしているほどです。あんまりにも処女厨による人権侵害がヒドイので、国際連合人権理事会・UNウィメン・世界保健機関（WHO）などの公的機関が処女検査を行ってはならないと声明を出したり、アメリカやカナダなどでは医学倫理団体が「処女証明書」を発行した医師を処分すると警告しています。

なんか処女厨というと、日本のオタクの悪習みたいに思われそうだけど、キリスト教もイスラム教もかなり処女厨をこじらせた信者が多いです。欧米でも処女検査は行われていて、処女検査を依頼するのは夫や彼氏ではなく、自分の娘が非処女になってしまうことを恐れている親だそう。娘にボーイフレンドができるなど疑惑があるとすぐに病院に連れて行って、処女検査を受けさせるヤバイ親は実際にいます。毎週のように娘を処女検査に連れて来る父親もいる始末で、児童虐待の疑いで医師に通報されて児童相談所が出てきたりして、議員が法律で禁止できないか真剣に悩んだりしています。こうなると、娘じゃなくて父親を精神科に連れて行った方がいいような気がするんですけど…。

処女厨は、男だけではなく女性も大量にいます。キリスト教では聖母マリアの処女懐妊が有名なためでしょう。アメリカで行われた調査において、200人に1人の女性が処女で妊娠していると矛盾回答した論文が話題になりました。これは『BMJ』という世界的にも権威の高い医学雑誌に掲載された論文の統計によるもので、かなり信頼性の高い資料です。実際のところは、無知シェチェで性行為の自覚が無いまま妊娠しただけの気がするんですけど。大正時代の日本でもそんな事件あったし…。

医学的には？な処女判定法

処女かどうか確実に診断できる、医学的にエビデンスのある検査は存在しません。いわゆる「処女膜」の形は個人差が非常に大きく、処女喪失時の痛みも感覚も個人差が大きいため、医学統計学的形態論に基づいて処女膜が破れているかどうか診断することは困難です。中には処女膜強靭症という性交しても処女膜が破れない人もいるぐらいなので、専門の産婦人科医であっても性交経験の有無を正確に診断することは不可能でしょう。ゆえに、日本で処女証明書を発行してくれるまともな産婦人科はありません。

Memo:

参考資料・画像出典など　●「Like a virgin (mother): analysis of data from a longitudinal, US population representative sample survey」

https://www.bmj.com/content/347/bmj.f7102　女性の0.5%（45人）が処女懐妊していると回答した調査の論文

CERTIFIED VIRGIN
http://certifiedvirgin.com/

処女性にこだわるのは、日本のキモヲタだけではない。海外の方が宗教や社会的慣習と組み合わさってより深刻化。21世紀とは思えないほどの人権侵害が実在する。それがあまりにも酷いため、「CERTIFIED VIRGIN」などという処女証明書を1ドルで発行してくれるジョークサイトまであるほどだ

逆にあったら、それは怪しい医者と判断できます。

　ただ、処女厨の彼氏がうるさくて困っているとゴネれば、診断書の名目で処女だという自己申告を元に書いてくれる、優しい医者も中にはいるかもしれません。なので、どうしても処女証明書が欲しい女性は、産婦人科に相談してみて下さい。必ず出してくれるとは保証できませんし、自由診療になるので高くつくでしょうけど…。

　世界的に処女検査と称して「二指検査（Two-finger test）」と呼ばれる方法が用いられていますが、これは産婦人科のマニュアルにも載っている基本的な膣部内診の方法です。つまり、処女かどうかを判定できるガイドラインは存在しません。検査した医師の指先の感覚と見た目だけで処女かどうか判断している適当な診断です。

　また、日本を含む世界中で「処女膜再建手術（Hymenorrhaphy）」という、処女に戻してくれる手術が自由診療で行われています。これはどういうことかというと、女性器の一部を縫い合わせて、膣に異物が挿入された時に出血しやすい箇所を人工的に作り出しているだけです。確かに手術後の性行為で痛みを感じて出血するので、処女に戻った実感を得られるかもしれません。が、それに意味があるのかどうかは全く別の問題でしょう。

●Iraq Ministry of Health Medical Legal Institute　イラク保健省医療法務機関

英国には最凶の処女厨がいた…！

　かつて英国教会法に、「国王と皇太子の結婚相手は処女でなければならない」という法律がありました。この法律には厳しい前例があって、独身のまま国王に即位したエドワード8世（1894〜1972年）の交際相手だったウォリスさんが非処女だったことを、英国最凶の処女厨である英国教会の最高指導者カンタベリー大主教コズモ・ラングが大騒ぎしてヒドイ粘着を繰り返した末に、そんなヤリマンビッチとの結婚は教会が認めないから英国で結婚するのは不可能と言い出したのです。

　エドワードさん、あなた国王なんだからそんな処女厨は首にして法律変えたらいいじゃない…と思うでしょうけど、英国王には人事権も法律変える権限も無いので何もできず、教会の権威を振りかざした処女厨にマウント取られっぱなしでした。結局、エドワード8世は国王を辞めることを決意して、在位日数325日で退位。ウォリスさんと結婚して、平民として幸せな人生を送ったようです。

　この法律は21世紀になってチャールズ皇太子がカミラさんと結婚する時も問題になったのですが、ラング大主教みたいな処女厨がいなかったので無事に廃止され、チャールズ皇太子は結婚できました。メデタシメデタシ。

海外の処女検査「二指検査」のイメージ
こちらは医学生向けの練習用模型「臨床用女性骨盤部トレーナーMk3 スタンダード」の紹介サイト。海外の処女検査では、この写真のように2本指を入れてテストする方法（膣部内診）が用いられているという
日本ライトサービス
https://www.medical-sim.jp/

処女厨の魔窟・インドネシア軍の実態

　インドネシア軍は、いまだに処女厨が軍部を支配しています。女性軍人と婦人警官は全員処女でなければならないという掟があり、入隊時に必ず処女検査が行われ、男性経験があると入隊できません。結婚したら除隊です。

　最近では軍将校の結婚相手にまで処女検査の対象が広がっていて、非処女と結婚したら昇進できなくなるとかいわれる始末。ある時、未亡人との結婚を本気で考えている軍将校が出世を諦めて結婚するか悩んでモスクの聖職者に相談に来たそうです。聖職者は「未亡人と結婚する彼は素晴らしい善人です。そんな善人を出世させないのは悪行です」として、宗教令（ファトワー）を出したなんて珍事まで起きています。

　インドネシア軍はまさに処女厨の魔窟です。

アフガニスタンとエジプトの非処女罪

　現在もアフガニスタンには、未婚の非処女は3か月以下の懲役という法律が実在します。非処女の疑いをかけられた女性は警察に逮捕されて処女検査を受けさせられ、非処女と判定されたら投獄。2018年10月に行われた調査では、190人の女性が非処女罪で服役していたそうです。

　しかも、「こいつら非処女だからナニしてもOK」と思った不届きな男たちが、服役している女性らを実質的に性奴隷化していることが発覚して、議会で非処女罪の廃止が議案に上げられる予定でした。しかし、政府が半崩壊状態で法改正される見込みは立っていません。

　エジプトでも、警察に捕まって処女検査でアウトだと売春罪に。1年以下の懲役になる女性が続出していて、実質的に非処女罪となって社会問題化しています。

神の教えに非処女は半額なんて書いてない

　イスラム社会では結婚する時に、男性は必ず花嫁に結納金（マフル）を支払わなければならないとイスラム法で明文化されており、決められた金額が払えなければ結婚できません。この金額にはその地域での社会通念上の相場があり、双方の親族が集まって会議を繰り返して決めるのが通例です。その金額査定の重要なポイントに処女かどうかがあり、非処女は半額でOKという社会通念があったりします。

　大変に重要なことですが、しかしイスラム教の聖典である「コーラン」のどこにも非処女は半額なんて書いてありません。そして、教祖様である預言者ムハンマド自身が非処女と結婚してるけど、非処女の妻たちが半額だったとか、処女の妻が2倍もらえたとかそんな伝承も証拠も一切残っていないのです。

　イスラム法には「すべての妻を平等に扱え」と書いてあって、「非処女半額」とする法的根拠も神の啓示も一切存在しません。あくまでも社会通念であって宗教的根拠は何も無いのですが、処女厨の皆さんは勝手に神の教えみたいに思い込んでいます…。

バグダッドの処女検査室
イラクの首都・バグダッドで2012年に行われた処女検査の様子。この記事は、イラクの女性は処女検査を強制されているといった見出しだ　　「PRI」https://www.pri.org/stories/2012-07-03/iraqi-women-forced-undergo-virginity-testing

独裁者が作った処女証明機関

　中東のメソポタミア地方辺りの処女厨はこじらせきっていて、処女じゃなくなったら殺してOK、非処女を殺すのは名誉ある行為…などと言い出し、「名誉殺人」なんてことを行って世界中から非難を浴びています。「非処女の可能性があるだけでアウト」という、推定無罪の原則すら無視して非処女を殺害する人たちに手を焼いた当時のイラクのサダム・フセイン大統領は、保健省に医療法務機関という部局を設立しました。この組織はフセイン政権が崩壊した現在も存続しています。

　この役所は非処女の疑いがある場合には裁判所に申し立てて、裁判所が検査の必要ありと認めて検査命令があった場合に、医師が処女かどうか検査する公的機関です。そして、公的な処女証明書を発行してくれます。なぜか、初夜の後でも初夜の前に処女だったことを医学的に証明してくれるそうなんですが、どんな診断基準で判断しているのかは謎です。

　ここまでやっても文句つける処女厨は、恐怖の独裁者サダム・フセインが許さないよ！　非処女でも女性を殺害したら殺人罪で処刑するからね！　名誉殺人なんて詭弁は許しません！　このようにある意味怖い国だったのですが、フセイン大統領が殺された後は政治体制が崩壊し、バグダッド以外の医療法務機関は機能していません。独裁者の後ろ盾を失った、現在の「公的処女証明書」の効力は無力です。

　悪の独裁者よりも先に、そこまでしないとダメな処女厨こそ抹殺すべきだったような気がします。

Memo:

異常性欲オナニー・賢者タイム・絶倫男…

性欲とホルモンの関係

抑え切れない衝動により、オナニーをし続ける異常性欲。また、スッキリした後に急に冷静になる賢者タイム。これらはとあるホルモンのせいなのだ。性欲はホルモンに支配されている!?

　人間の男性には、性欲を抑制する「プロラクチン」というホルモンがあります。重度の鬱病患者に処方される非定型抗精神病薬「エビリファイ（アリピプラゾール）」には、副作用の一つとして、異常性欲を起こしオナニーが止められなくなったり性的倒錯の発症例が報告されています。そのため2016年、アメリカ食品医薬品局（FDA）は、衝動制御における副作用についての警告を追加していますが、日本では追加されていません。この薬には他にもさまざまなリスクが指摘されていて、暴飲暴食・浪費・異常性欲・ギャンブル依存・他人への加害行為…などに及ぶ可能性があるのです。普通の鬱病の薬ではダメな患者に処方される強い薬なので、どうしても強い副作用があり、性欲以外にもいろいろと暴走してしまうので慎重に投与する必要があります。もちろん薬局では買えない医師の処方が必要な薬であり、劇薬指定されています。

エビリファイ/アリピプラゾール
非定型抗精神病薬の一つで、重度のうつ病患者に処方される。強い薬のため副作用性も大きい。性欲を抑制するホルモン量を低下させ、異常性欲を引き起こすリスクが報告されている。オナニーが止まらなくなったり…

参考文献・画像出典など　●「Hypersexuality associated with aripiprazole: a new case and review of the literature」
https://www.ncbi.nlm.nih.gov/pubmed/25293487　服用者が異常性欲になり、薬の服用を止めたら止まった根拠の論文。

このエビリファイの作用機序は不明で、どうして効くのか実はよく分かっていません。異常性欲が起こる理由もやはり不明なのですが、原因は薬剤性低プロラクチン血症との説があります。アメリカでの調査では、服用者の44%が低プロラクチン血症と診断。日本で流通している薬の添付文書にも、内分泌系の副作用としてプロラクチン低下が挙げられており、日本国内で行われた臨床試験では10.9%の被験者にプロラクチン低下の副作用が出ています。

　プロラクチンは、女性の妊娠から授乳までの長い期間にわたって重要な役目をするホルモンなので、女性側ではかなり詳細に研究されていますが、男性の場合はあまり研究されていません。人間のホルモンは面倒な仕組みをしていて、視床下部からプロラクチン放出ホルモン（PRF）が出て、それを受け取った下垂体前葉がプロラクチンを出します。ところが、下垂体前葉が同時にドーパミンを大量に受け取ると、下垂体前葉はプロラクチンを出さないようになるのです。つまり「ホルモンを出せと命令するホルモン」と「ホルモンを出すなと命令するホルモン」が一緒に出て、そのうち多い方が勝ってプロラクチンの放出量が決まる仕組み。

　エビリファイにはドーパミン刺激を調節する性質があり、人によっては性欲を抑制するプロラクチンの量が足りなくなっている可能性が指摘されています。つまり、衝動制御不能になって暴走するのは、このホルモン不足が原因というわけなのです。

賢者タイムの実態はホルモンの濃度

　実際に男性ホルモン研究家の泌尿器科専門医が、自分を含む7人で、左腕から採血してホルモン濃度をリアルタイムで測りつつ、右手でオナニーするという実験を行っています。論文がどこかのジャーナルに載ればイグノーベル賞を狙えると思うのに、今の日本では難しいようです。

　実験の結果、射精して賢者タイムに入ると性欲を抑制するプロラクチンの血中濃度が上昇しました。睾丸から分泌される男性ホルモンのテストステロンの濃度は射精まで上昇し続けて、射精すると急降下することが判明しています。賢者タイムの正体は、性欲を活発にするホルモンの濃度低下と抑制するホルモンの濃度が上昇が同時に起きる、内分泌代謝によるものだったのです。

　ちなみに、射精後にプロラクチンが出ない人は何度でも連続射精できる、いわゆる"絶倫"になります。が、これ単なる内分泌疾患なのです。
「ブロモクリプチン」というプロラクチン分泌抑制薬があります。本来は女性専用の薬で、高プロラクチン血症が原因で排卵が止まり不妊になっている女性に処方されますが、男性に処方したら性欲絶倫になるんじゃないかって気がしています。しかし、性欲以外もいろいろと暴走しそうなのでお勧めはできません。試そうと思わないで下さい（笑）。

　なお、プロラクチンの作用は男女で全く異なります。基本的にプロラクチンの血中濃度の平均値は女性の方が高く、男性は低いです。135ページのグラフだと男性は10〜12ぐらいで高い値としていますが、女性の場合は平均値になります。なので、女性でプロラクチン低下が起きることはまずありえませ

Memo:
●賢者タイムの検証　Dr.こば＠男性ホルモン研究家（@KobaKobauro）
https://twitter.com/hougane99/status/1137641226482487296

**普通の男性と絶倫男の
血中プロラクチン濃度の変化**

以下の論文に掲載されたグラフに、著者がコメントを補足したもの。オルガスムは、30分後及び60分後にオナニーによって誘発された。症例の被験体は、最初のオナニーシーケンスの後に2回のオルガスムを経験した

「Absence of orgasm-induced prolactin secretion in a healthy multi-orgasmic male subject（絶倫男がオルガスム誘発プロラクチン分泌が欠如している症例）」
https://www.nature.com/articles/3900823

ん。暴走してしまうのは、男性特有の副作用なのです。

　逆に女性は、プロラクチンが高過ぎることが頻繁に起きるために下げる薬が存在します。女性特有の高プロラクチン血症の症状として、母性が過剰になり子供以外の存在に対する敵対的行動を取り攻撃性を強めるようになるようです。自分の夫に対しても攻撃的になることがあり、ヒステリーママには高プロラクチン血症の疑いがあります。

 強い性欲を持つ英雄の正体は…

　昔から「英雄色を好む」といわれますが、その実態は内分泌疾患患者の疑いがあります。英雄とされる男性には強い性欲だけでなく、暴飲暴食・浪費・ギャンブル、そして他人への加害行為なども好む傾向があることは、チンギス・カンなど歴代の英雄を見れば一目瞭然です。英雄には賢者タイムが無いのかもしれません。

　そういうわけで、異常性欲や性的倒錯の症状が出た場合は、精神科に加えて、内分泌内科も受診して内分泌疾患（ホルモンの病気）を疑ってみる必要もあるんじゃないでしょうか？　現代の医師は高度に専門化し過ぎて専門バカが増えているのも事実で、精神疾患と内分泌疾患を精神科医が区別するのは、なかなか難しいような気がしています。特に中高年男性の場合は、更年期障害で男性ホルモンが出なくなったのが原因でうつ病になったというパターンもあります。この場合は精神科ではなく、内分泌内科でホルモンを補充しなければ治りません。

　人間の精神というのは意外なほどホルモンの影響を受けており、ホルモンの異常が精神の異常になることは非常に多いのです。ホルモンの病気は薬で治せるものが多いので、原因さえ分かれば精神の問題も案外簡単に治ってしまうかもしれません。

男の急所といわれる理由を知っておこう

キンタマ解剖学講座

古来より男性最大の急所と呼ばれ、潰れたら死ぬとさえいわれてきたキンタマ。医学的にそんなことはないが、苦痛が伴うのは事実だ。その理由と弱点克服の可能性を考える。

結論からいえば、キンタマは人間の急所ではありません。

救急救命の世界では、キンタマに重傷を負って救急搬送されてくる患者がたまにいます。実際にキンタマが潰れて損傷があまりにヒドくて切除しなければならなくなった症例がありますが、それほどの重傷を負っても死んでいないどころか、退院後は障害者にすらならず普通に日常生活を送っているケースも。生殖能力の喪失を除けば、キンタマが無くてもチ○コが無事ならSEX自体は可能なのです。

「宮刑」「去勢刑」と呼ばれる刑罰が存在し、宦官というキンタマを切除された人間が普通に活躍して長生きしていたという歴史があります。家畜でも去勢は古くから行われています。

最近は性別適合手術でキンタマを切除する人がいますが、特に後遺症が出たという報告はありません。キンタマには止血不能な出血を引き起こすような太い血管も、損傷すると生命維持や運動に支障をきたすような神経組織も無いのです。適切に処置すれば、切断することはそれほど難しくないというわけ。人間以外の動物も含めて、キンタマが無くなってもQOLの低下はほとんどありません。

では、なぜキンタマが急所と呼ばれるのか？

それはキンタマへの攻撃で死傷させることはできないものの、相手を行動不能に至らしめることが可能だからです。殺し合いの戦闘中に行動不能になることは殺されるのと同義だから、男の急所と考えられたというわけです。この相手を行動不能に至らしめる力のことを英語では、「ストッピングパワー（Stopping power）」と呼びます。つまり、金蹴りに殺傷力は無くても、マグナム弾をぶち込まれたぐらいの衝撃を受けるということ…。

✔ キンタマの実態を徹底解説

骨も皮下脂肪も無く、わずかな薄い筋肉の膜しか持たないキンタマは非常に無防備ですが、その構造は意外に強固で人間の体の中で最も丈夫な皮膚を持っていて打撃を受けても簡単には壊れません。

■肉様膜

普通の皮膚の下には脂肪があるが、キンタマには脂肪が無く代わりにこの平滑筋層がある。収縮によ

Memo:
参考文献・画像出典など　●「慢性陰嚢痛（chronic orchialgia）の治療」https://www.ncbi.nlm.nih.gov/pmc/articles/PMC3126083/
　　　　　　　　　　　　●「急性陰嚢症診療ガイドライン」「非観血的治療（用手的整復）」http://www.urol.or.jp/info/guideline/data/09_acute_scrotum_2014.po

男の急所といわれるキンタマは、潰れても死ぬことはない。しかし、性器大腿神経・精巣神経・腸鼠径神経という三大神経が通っているため、攻撃を受けるととんでもない激痛を伴う。ゆえに女性の正当防衛で、金的攻撃は非常に有効なのだ…((((;ﾟДﾟ))))ｶﾞｸｶﾞｸﾌﾞﾙﾌﾞﾙ

ってキンタマの皮膚を縮ませる働きがあり、放熱を調節している。キンタマにシワがよるのはコレのせいで、縮み上がっている時はこの筋肉が緊張している。

■精巣挙筋

キンタマを上に引っぱり上げる働きをする。腹筋とつながった横紋筋なので、自分の意思で動かせる。ワシは自分のキンタマを上げたり下げたりできるが、できない人もいるらしい。いわゆる「玉ヒュン」は、この筋肉が緊張することによって起きる現象。

■精巣鞘膜

壁側板と臓側板の2つの組織が結合してできた組織で、リンパ液を分泌している。分泌過剰になると「陰囊水腫」という病気になり、キンタマが肥大する。医学が未発達だった時代には話のネタになるほど肥大してしまった事例も多い。現代でも医療未発達地域ではキンタマの重さが60kgを超え、体重の半分近くがキンタマという冗談のような患者が発見されたこともある。

葛飾北斎が描いた「大囊」という絵があり、誇張ではなく治療せずに放置すると本当にこうなる。ここまでなっても死なないどころか、キンタマが重くて邪魔という以外は特に痛みも無いので本当に絵のように自分のキンタマを担いで歩けるという。なお、この葛飾北斎の絵は医学誌などでバンクロフト糸状虫という寄生虫が原因と紹介されることも多いが、その場合はチ○コまで巨大化することもある。長さ58cm、外周50.5cmという、まさに"大きなイチモツ"になってしまった症例があり、近代日本でも実例がある。

■精巣

精子を作るキンタマの中枢部といっていい場所で、男性ホルモンを分泌する役割も持っている。一部でも正常なら精子を生産可能なので、損傷したり少しぐらい潰れても平気。

■精巣上体

長さ6〜7mの細い管が丸められたもので、精子を成熟させる働きがあるといわれている。ちなみに、キンタマに注射針を刺して直接精子を採取する場合に刺す場所はココで、精巣ではない。

■精管

精子を運ぶ管で、約30〜40cmにも及ぶ長い道のりを経て前立腺へとつながりチ○コにつながっていく。射精するまで精子を休眠状態で待機させておく場所でもあり、キンタマとチ○コは直結していない。

■鞘状突起痕

性別が分化する前の胎児の状態では、後に精巣か卵巣になる器官が卵巣の位置にあり、性別が男に決定すると下半身に袋ができる。生まれる2か月ぐらい前にキンタマの中身になる臓器がお腹の中から下りてきて、袋の中に納まりキンタマが完成する。その時にタマが通り抜けた穴がふさがった痕跡。たまに、生まれてもまだキンタマが袋の中に入っていない「停留精巣」という異常がある。自然に下りてきて治る場合と、外科手術が必要になる場合がある。この穴は1歳までに塞がるので、マンガみたいにキンタマを体内に引き込んで防御するのは医学的に不可能。

大囊
キンタマが肥大して、2人で担いでいる様子を描いている（『北斎漫画』第12編参照）

キンタマ解剖図
『Rauber Kopsch Anatomy』を元に、著者が日本語訳して作図

外腹斜筋
腹横筋と内腹斜筋
筋膜
横筋筋膜
皮下脂肪
精巣挙筋
鞘状突起痕
肉様膜
精管
精巣上体
精巣鞘膜
精巣

Memo:
● 「陰茎陰嚢象皮病の症例報告」 https://www.jstage.jst.go.jp/article/tmh1973/2/1/2_1_59/_pdf/-char/ja

ナゼ金的は痛いのか？

　キンタマには、性器大腿神経・精巣神経・腸鼠径神経というキンタマ三大神経が通っています。そんなに神経必要ないだろ、つーか何の役目してるの？って思うでしょう。これらの神経は、女性の場合は子宮や卵巣に関わる重要な役割を持っています。人間が母体の中で性別が分化する時に、女性なら子宮や卵巣に配置される神経が男性ではキンタマに集まる発生学的な都合で、ぶっちゃけた話、キンタマを上げたり下げたり縮めたりしているだけの割とどうでもいい神経で、外科手術で切断しても何の問題も起きません。

　キンタマを蹴られた時の痛みを解剖学的に女性の肉体に置き換えた場合、卵巣を殴られたぐらい痛いのですが、卵巣を殴るとか物理的に不可能なので、男の痛みを女性に体感してもらうことは不可能です。キンタマを蹴られるとキンタマ三大神経が激しい疼痛を感じて、その痛みは腹腔神経節を刺激して悪心・嘔吐を引き起こし、迷走神経や交感神経など求心性神経路を介して中枢神経系へ伝わり、血圧低下・頻脈などのショック症状が現れます。

　つまり、キンタマにある神経に強い刺激が加わると、生命維持に関わる重要な神経系に過剰な刺激が伝達され、生体内部の恒常性は著しく乱れ、一般的に「悶絶」と表現される状態に。激しいショック症状を起こしますが、人間は生体内部の恒常性が乱れるとすぐに安定した状態に戻そうとする力が働くので、1時間ぐらい経てば治ります。キンタマが打撃を受けると過剰に痛いのは人体のセキュリティホールで、キンタマなんかに不要な神経を配置した人体の欠陥設計がダメなのです。

 ## 正当防衛は成立する？金蹴りの合法性

　さて、キンタマへの攻撃が苦痛の割に軽症で済むことがお分かりになったでしょう。ということは、女性が男性に暴力を振るわれた時に、金蹴りという反撃は、極めて合法性が高いことを意味します。

　正当防衛が成立するためには、「反撃行為は侵害行為の強さに応じた相当なものでなければならない」という法の原則があるのです。つまり、「ビンタされたから包丁で刺した」は、正当防衛が成立しません。しかし「ビンタされたから股間を蹴った」の場合は、男が悶絶してのたうち回って救急車や警察を呼んだとしても、病院で診断されるケガの程度は、数時間から1日程度安静にしていれば自然に治るというものになります。男性側としては、とてもビンタとは釣り合わないほどの非常に大きな苦痛を受けているものの、医学的には軽症ということになるのです。ゆえに、法的には「ビンタ」に対する「金蹴り」は防衛行為として相当なものであると判断され、正当防衛が成立する可能性が高いことを意味しています。ゆえに、相手の加害行為が強姦とか強制猥褻のような場合は、キンタマがねじれたり潰れたりして手術が必要なレベルで蹴っても正当防衛が成立する可能性が高いといえるでしょう。

　男性に何かされた時は、刃物や鈍器はダメ、キンタマを攻撃するのがベストという結論になります。

精巣捻転症
キンタマの中身がねじれると、かなりの苦痛が生じる。血流が止まるため、精巣が壊死する危険もある。治療法としては、泌尿器科専門医が手でキンタマをつかんでねじって戻すのが基本だ
（「急性陰嚢症診療ガイドライン」参照）

鞘膜外捻転　　　　　　　　鞘膜内捻転

 ## 金的攻撃の最凶技とは…？

　キンタマへの攻撃が原因で死ぬことが絶対にないのかといえば、ゼロではありません。外傷により発症する例は多くありませんが、「精巣捻転症」といってキンタマの中身がねじれることがあり、かなりの苦痛を伴います。キンタマを蹴られて2時間以上経過しても痛みが軽減しない場合は、この疑いがあるので病院に行って下さい。

　キンタマの中身がねじれてしまった場合の治療法は、泌尿器科専門医が手でキンタマをつかんでねじって戻します。かなり痛いらしいですが、成功すればすぐに痛みが消え完全に治るけど、ダメな場合は手術するしかありません。キンタマをつかんでねじって戻すとかギャグみたいですが、本当に医師が使用する「急性陰嚢症診療ガイドライン」に「非観血的治療（用手的整復）」として載っている正式な標準治療です。

　ということは、泌尿器科専門医並みの技術があれば、キンタマをつかんで中身をねじるという拳法の必殺技もありえるんじゃないでしょうか？　誰かフィクションの格闘技に、キンタマをつかんで中身をねじる技を登場させてみて下さい。その苦痛は普通の金的攻撃よりはるかに大きく、数日間のたうち回った挙げ句、キンタマが腐って死ぬ…という最凶技です。当然、技をかけられるほどの達人なら治すことも可能なわけで、「苦痛から解放されたければ土下座して俺に許しを請え」とかいうシチュエーションもアリでしょう。

　実際にアメリカで13歳の少年が、フットボールの最中に股間を蹴られたことが原因でこの状態になり、集中治療室に入って21日間も入院するハメになった症例があります。なので、キンタマへの攻撃で死ぬとすれば潰れたことが原因ではなく、ねじれて腐ったことが原因ということになるでしょう。

Memo：●「ショック及び全身性炎症反応症候群をもたらす精巣外傷：症例報告」
アメリカで13歳の少年が、フットボールの最中に股間を蹴られ全身性炎症反応症候群を起こし、集中治療室に入った症例報告
https://www.ncbi.nlm.nih.gov/pmc/articles/PMC2438311/

無敵のキンタマを手に入れろ

　これでは男性側が一方的に不利なので、医学的に金的という弱点を克服することはできないか考えてみました。さすがにキンタマを切除するのは、子作りができなくなるし、ホルモンバランス的にも避けたいところです。

　停留精巣が原因で、生まれつき袋に中身が入っていない人はたまにいます。子供が作れないだけで何の処置をしなくても死なないため、古い時代や医学未発達地域ではまれにいるのです。この中身も神経も無いキンタマは、当然ながら金的攻撃を受けても全くノーダメージということになります。

　結論は、手術して痛みを感じないように神経を切断してしまえばいいのです。キンタマ三大神経は、精索という3層構造の膜でできた管を通って、腰の中を通り脊髄へとつながっています。神経と一緒に精子が流れる精管・動脈・静脈もこの中を通っており、キンタマと体をつなぐ主要路になっているのです。一般に「パイプカット」と呼ばれる不妊手術は、この精索の中にある精管を切断することで精子の流れを止めるわけですが、同じ方法で神経を切ってしまえば、キンタマにどんな攻撃を受けても何も感じない無敵のキンタマになるでしょう。

　世の中には何もしていない、特に異常も無いのにキンタマを蹴られたような痛みが続く「慢性陰嚢痛」という病気が実在します。この病気の治療法として、「顕微鏡下精索除神経術」というキンタマの神経を切断する術式が存在。初めて行われたのは1978年と40年以上前で、その後も患者に問題は起きていないので安全です。2020年現在は自由診療となりますが、2時間弱の手術＆2泊3日の入院で済むため、それほど高額ではありません。日本では帝京大学医学部泌尿器科で手術例があります。

　精子の製造はホルモンのバランスによって調整されているため、神経が切れても精子の製造には影響しないので性的機能は失われません。これでキンタマにどんなダメージを受けても何も感じない、金的という弱点を持たない無敵の男になれます。ただし、キンタマがねじれてしまった場合は治さないと腐って死ぬので、攻撃された後は注意深く観察することです。

　無意味な弱点は、医学の力でライフハックして無くしてしまいましょう。

慢性精巣痛に対する顕微鏡下精索除神経術
キンタマに慢性的な痛みがある場合、かつては摘除するケースもあった。現在は、周囲の神経を切断することで解決できるという

帝京大学医学部泌尿器科アンドロロジー診療
https://male-urology.jp/chronic_tespain/

KARTE No. 033

長年の謎…解き明かせ断面描写の真実

プロジェクトSEX〜挑戦者たち〜

性交中の子宮などの動きを知る研究が、レオナルド・ダ・ヴィンチの時代から500年以上にわたって続けられてきた。医療機器の発達によって、それがついに明らかに！

　1493年、レオナルド・ダ・ヴィンチによって性交中の断面描写が描かれています。1820年頃には葛飾北斎が触手プレイを描いており、こういった断面描写は古くから存在していました。

　しかし、その断面図は推測によるものばかりで実際に子宮の運動を観察したものではありません。医学的推論とは言いがたい迷信ばかりが信じられてきたのです。

　そこで断面描写の真実を解き明かそうと、多くの医学者たちが挑むようになります。アメリカの性科学研究者ロバート・ラットウ・ディキンソン博士は、5,200枚にも及ぶ断面描写を描きました。しかし、彼の『目でみる人体セックス解剖学』はキリスト教団体の圧力により発禁に。猥褻な文書などの流通を制限する悪名高いコムストック法により、1873年から半世紀以上もの間、断面描写は取り締まりを受け3,600人もの逮捕者を出したのでした。

Coition of a Hemisected Man and Woman
レオナルド・ダビンチによって1493年に描かれた、現存する世界最古の性交中の断面描写。イギリス王立コレクション所蔵

目でみる人体セックス解剖学(新風社)
R.L.ディキンソン 著、松窪耕平 訳

Memo:
参考資料・画像出典など　●「Coition of a Hemisected Man and Woman」
　　　　　　https://ja.wikipedia.org/wiki/%E3%83%95%E3%82%A1%E3%82%A4%E3%83%AB:Coition_of_a_Hemisected_Man_and_Woman.jpg

【第8回MMD杯Ex】
プロジェクトSEX
https://www.nicovideo.jp/
watch/sm17071021
MMD杯で3日で10万再生を
超えるも、5日目には運営に削
除されてしまった「プロジェク
トSEX」を再現した。2000
年度のイグノーベル賞を受賞し
た真面目な医学論文を元にして
いるにもかかわらず、そんな動
画を消すなんて医学に対する弾
圧と言わざるを得ない

　これでエロは死に絶えてしまった…、そう思えた時、1人の変態が現れます。性科学者・動物学者の
アルフレッド・キンゼイです。キンゼイ博士は両刀使いのマゾで、3P・4Pは当たり前の乱交好き。し
かも昆虫の交尾にも欲情する筋金入りの変態で、特にタマバチがお気に入りだったそうです。そんなキ
ンゼイ博士は、インディアナ大学の講堂でSEXの実演を行っています。そして、彼の発表した「キン
ゼイ報告」は今でも性医学の資料としていろんな意味で大きな影響力があるのです。
　断面描写の最大の難問は、膣や子宮など内臓の動きを観察することの難しさにあります。その難題に
挑んだ研究者たちを紹介しましょう。

■1960年代　アメリカ・フィラデルフィア　セックスマシーンを開発
マスターズ・W・H医師とジョンソン・V・E博士は、ガラス製の透明な人口ペニスを使い挿入状態の
膣と子宮を観察するためのセックスマシーンを開発した。膣が濡れると50〜100%も子宮容積が変化し、
子宮がポンプのように精液を吸い込むと発表。

■昭和30年代　日本・東京　大学の講堂でSEX実演
女性医師＆参議院議員の山本杉は、35歳で医学博士を授与された天才。教科書として使うために、中出
しされた状態の自分の女性器の写真を無修正で掲載した医学書を出版。上述のデッキンソン博士の著作
をはじめ、性医学関係の本に医学博士＆参議院議員の肩書きで推薦文を書いている。医大の講堂でSEX
を実演する講義を行い大学を首になり、その後、国会議員に立候補して当選。男の看護婦問題を改善し
た。偉人なのにあまり知られていないのは、医学会の黒歴史だから？

●フローニンゲン大学　https://ja.wikipedia.org/?curid=720005

1993:Siemens MAGNETOM Vision(1.5T)発売

■シーメンス社製 超電導 1.5T 装置。
■CP（Circular Polarization）型アレイコイル、Turbo SE(Spin Echo)、シングルショット
EPI(Echo Planar Imaging)、スペクトロスコピー機能等を搭載した。

MAGNETOM Vision 1.5T
（シーメンス）1993年発売
フローニンゲン大学の性行
為撮影テストで使用された
MRI（「MRI診断装置 詳細
年表」参照）

■1982年　アメリカ・ラトガース大学　SEX中のCTスキャン

当時のCTスキャンでは、動いている内臓を撮影することはできず失敗に終わった。

■1992年　アルゼンチン・ラプラタ大学　SEX中の超音波撮影

ライリー博士が、超音波プローブを女性のアナルに挿入して子宮の動きを観察した。この時、子宮の運動は見られなかったとされ、性行為によって子宮が収縮する説を否定した。

　医療機器の発達に伴い、さまざまな撮影が試行錯誤されてきました。そして、ここからが本稿の肝。SEX中のMRI撮影に挑んだ男たちのドキュメントです。

 ## 4人の医学者によるプロジェクトSEX

　1991年、オランダ・フローニンゲン大学に、4人の医学者が真実を解き明かすべく集まりました。ペク・ファン・アンデル生理学博士、ウィリブロルト・ウェイマール・スフルツ婦人科准教授、イダ・サベリス人類学博士、エドゥアルト・モーヤールト放射線科医。彼らによって「プロジェクトSEX」がスタートしたのです。

　しかし、このプロジェクトには次々と難題が待ち受けていました。最初にぶち当たったのが被験者の確保です。テレビの科学番組で募集したり、新聞に募集広告を出したり、大学の掲示板に張り紙をしたりして、ようやく1組の夫婦が協力してくれることになりました。1991年のある土曜日、世界初の

Memo:
●日本画像医療システム工業会「MRI診断装置 詳細年表」http://www.jira-net.or.jp/vm/chronology_mri_01.html

「性交中の男女の性器および女性の性的興奮時のMRI像」
オランダの4人の医学博士らが、性交中の子宮などの動きを研究し、イギリスの医学誌『BMJ』に論文を投稿。これは、性交中のMRI画像だ。左が安静時、真ん中が絶頂前、右が絶頂後。なお、本論文は2000年にイグノーベル賞の医学賞を受賞した

MRIによる性行為の撮影が行われたのです。しかし、当時使用されたフィリップス社のMRIでは、被験者が動くとうまく撮影できず、ノイズの多い劣化した映像しか得られませんでした。

それから5年後、1996年に新型のMRIが導入されます。シーメンス社の「MAGNETOM Vision 1.5T」です。心臓の鼓動もリアルタイムで撮影できる新型なら、どんな腰の動きも子宮の動きも撮影可能なハズ…。3組のカップルが集められ撮影が行われました。しかし、被験者らは性行為中の撮影に慣れておらず、勃たなかったり逝けなかったりで、絶頂時に子宮がどのような運動をするのかという重要な観察結果を得られなかったのです。

2年後の1998年。オランダでもバイアグラが利用できるようになりました。これで、勃たない心配は無用となったことで、4組8人のカップルと3人の女性が集められ、再び行為中の撮影が行われました。しかし、女性被験者らがなかなか逝けないという事態に。そんな中、1人だけバイブオナニーで逝きまくっていた変態がいました。普段は飾り窓で営業している売れないポルノ女優、マリ・ウインザーです。彼女は公然猥褻罪で100時間の社会奉仕命令を受けていました。この人体実験なら1日で100時間分にしてくれるという理由で応募してきた、どうしようもないビッチだったのです。

彼女ならこんな特異な状況でも逝きまくるだろう…と、4人の博士らは最後の望みを賭け、運命のSEXが開始。そして彼女が絶頂に達した時、子宮は動いていなかったのです！ 逝くと子宮が動くというのは、迷信だったことが分かりました。500年にわたる断面描写の実態が明かされた瞬間です。

4人の医学者はこの真実を世界に知らせるために論文を執筆し、イギリスの医学誌『BMJ』に投稿。そして2000年、イグノーベル賞の医学賞を受賞したのです。

ちなみに、ワシはこの検証を追試すべく、シーメンス社のMRIを4億2千万円出して購入しました。でも、ニコニコ動画の「第8回MMD杯」に投稿した「プロジェクトSEX」の動画が運営に削除されたショックで、そんな気力が失せてしまい、未使用のまま、ウチの病院で普通に患者のために使われています。

●イグノーベル賞を受賞した論文「Magnetic resonance imaging of male and female genitals during coitus and female sexual arousal」
http://www.bmj.com/content/319/7225/1596

ナチスドイツの人体実験から始まった…

ドーピングの光と影

普通の筋トレでは到底得られない、ムキムキボディになれるのがドーピングだ。しかし、副作用がありリスクも高いため、まさに悪魔との取引…。その原点はナチスにあった。

「テストステロン」は1931年に大量の男性の尿から単離された男性ホルモンの一種。1935年にスイスの化学者であるレオポルト・ルジチカによって合成され、医薬品として利用できるようになりました。彼は1939年にノーベル化学賞を授賞しています。

このテストステロンは、1935年5月には筋肉を増大させ骨格を発達させる人体強化ホルモンであることが発見され、2年後の1937年には、ドイツで人間に注射する人体実験が始まりました。ナチスドイツはこのまま第二次世界大戦に突入し、数多くの人体実験に手を染めることになります。その辺はご存じの方も多いでしょう。

戦後、人体実験の資料はすべてアメリカに押収されて、どんな実験が行われていたのかは公開されていません。一説には兵士に投与してドーピング強化人間を作っていたともいわれていますが、真偽のほどは謎です。薬物強化兵士はこれといって特に成果を上げていなかったような…。

また、アドルフ・ヒトラーの主治医であったテオドール・モレルは、ヒトラーにテストステロンを頻繁に注射していたと証言しています。つまり、ヒトラーはドーピングしていたのです。

レオポルト・
ルジチカ
（1887〜1976年）

テストステロン
スイスの化学者レオポルト・ルジチカが、1935年に男性ホルモンの一種テストステロンの合成に成功した。筋肉を強化できることが分かると、ナチスドイツでは兵士への人体実験が行われたという。なお、その資料は戦後にアメリカに渡って機密の中に埋もれた…

Memo：
参考資料・画像出典など　●ジョン・ボスリー・ジーグラー　「Alchetron」https://alchetron.com/John-Bosley-Ziegler#-

ジョン・ボスリー・ジーグラー
（1920〜1983年）

ダイアナボル

ジーグラー医師は、アメリカで既に製造されていたアナボリックステロイドの「ダイア
ナボル（Dianabol）」に、筋肉増強作用があることを発見。これを1960年ローマオリ
ンピックのウェイトリフティングチームに投与したことで、多大なる成果を上げた。そ
の影響もあり、アメリカ社会にドーピングが広がったが、重大な副作用が生じることが
発覚する。ジーグラー医師は後年、ドーピングに関わったことを後悔したという

アメリカにドーピングの父、現る

　東西冷戦真っ盛りの中、ソビエトに勝つことがアメリカの最重要課題でした。そこでテストステロン
よりも副作用が少なく、強力な筋肉強化薬物の研究が行われるようになったのです。

　ジョン・ボスリー・ジーグラー（1920〜1983年）は、医大に在学中に第二次世界大戦が始まり、
卒業後はインターン先の病院が海兵隊の野戦病院だったというハードな研修医生活を送った人物です。
アメリカ海兵隊の軍医将校として太平洋方面に従軍して、激戦地で日本兵に撃たれて重傷を負って長期
入院した経験から、戦後は障害が残るような重傷患者の回復治療を専門に行い、多くの負傷兵の社会復
帰に貢献しました。

　その後、医師の仕事をしながら、趣味でウェイトリフティングの選手になり本も執筆しています。選
手に医学的なトレーニングを導入した初期の医師の1人でもあり、ウェイトリフティングのオリンピッ
ク選手にしてプロボディビルダーのジョン・グリメクの主治医も勤めました。

　ジーグラー医師は、ドーピング検査自体が行われていなかった時代に、Ciba社（現在のノバルティ
ス社）の支援を受け、戦後にアメリカが没収したナチスドイツが行ったテストステロンを使った人体実
験の研究資料を閲覧する機会を得ます。ナチスドイツの強化兵士の人体実験資料を見た彼は、筋肉強化
薬物を探し始めました。そして、1958年にCiba社によってアメリカで製造されている男性ホルモン
の一種「アナボリックステロイド」の「ダイアナボル（Dianabol）」に、筋肉増強作用があることを発
見したのです。

　ジーグラー医師は、このダイアナボルを1960年ローマオリンピックのウェイトリフティングチーム
に投与。ドーピングの結果、金メダル1個、銀メダル3個を獲得する快挙を達成しています。

1960年ローマオリンピック 米ウェイトリフティングチームの成績		
金	56kg級 チャールズ・ヴィンチ	
銀	62kg級 I・バーガー	
銀	77kg級 Tommy Kono (日系アメリカ人：河野民生)	
銀	105kg級 ジェームズ・ブラッドフォード	

　オリンピックでドーピング検査が始まったのは1968年からなので、ローマオリンピックの時はまだ何でもアリでした。デンマークの自転車競技選手ヌット・エネマルク・イェンセンは、ドーピング（興奮剤）の失敗により事故を起こして競技中に死んでいます。ドーピングによる死亡事故が起こるほど、この当時はやり過ぎていたのです。

　話を少し戻して、ウェイトリフティングチームの快挙により、オリンピックメダリストになれる魔法の薬・ダイアナボルの名前は一気に広まりました。ちょうど、東西冷戦時代はマッチョイズム全盛期でもあり、男らしさを重んじる思想がアメリカ社会を支配していたのです。

　誰もがマンガに出てくる、スーパーマンのような肉体を持つことを渇望していた時代に登場したことが不幸を加速させます。その結果、推奨用量の何倍ものダイアナボルを服用した人が、肝疾患を発症したり心疾患で死亡する事態になりました。それを知ったジーグラー医師は、アスリートでの実験を断念することに…。

　1975年に国際オリンピック委員会によって禁止薬物に指定され、公式競技では使用できなくなりました。以後、ドーピング検査は厳しくなりましたが、ダイアナボルを使えば誰でもお手軽にマッチョになれるので、スポーツ選手ではなく、ドーピング検査とは無縁な人々がマッチョになって見た目を良く

ダイナマイト・キッド
（1958～2018年）

筋肉売りのプロレスラー
日本のリングでも大活躍したダイナマイト・キッド(爆弾小僧)は、テストステロンをはじめとするドーピングに手を染めていたことが知られている。現役時代はマンガヒーローのようなムキムキボディだったが、心臓肥大などで体を壊し、晩年はやせ細って車椅子生活に…。享年60歳

Memo:
●レオポルト・ルジチカ、ダイナマイト・キット画像「Wikipedia」

するために乱用するようになります。

　ハルク・ホーガンやダイナマイト・キッドなど、筋肉を売りにした有名プロレスラーも使用していました。残念ながらダイナマイト・キッドはドーピングのし過ぎで体を壊し、晩年は車椅子生活になり60歳でこの世を去っています。

　ジーグラー医師が手を引いた時には既に手遅れで、アメリカ社会ではマリファナと同じくらい広く行き渡っていたのです。彼は1983年、「自分の人生で1番の失敗だった」「無かったことにしたかった」と、ドーピングに関わったことを後悔しながら亡くなりました。

　21世紀現在も、ダイアナボルは普通に売られています。日本でも違法薬物ではないので、ネット通販を探せば普通に購入可能。しかし、人間の体は全体がバランス良く整っている状態が最も健康であり、筋肉だけを肥大させた状態は異常で不健康です。大量の筋肉は多くの血液供給を必要とし、心臓の機能に負担をかけます。その結果、心疾患を引き起こして死ぬのです。ナチスドイツの人体実験に始まり、東西冷戦のドーピング合戦の中で完成した強化人間になれる魔法の薬は、まさに悪魔との取引でした。

　ドーピングで難しいのは、体全体のバランスを維持しながら行わなければならないため、かなりの医学知識を必要とすることです。単純にダイアナボルだけを飲み続けると、確実に体のバランスがおかしくなります。副作用で無気力になるのは外部からの過剰摂取により、内分泌の中枢である視床下部が体内でホルモンが過剰だと認識して、下垂体前葉がホルモンを出せと命令するのを止めてしまい、精巣からの男性ホルモン分泌が止まるからです。

　体のホルモンバランスを元に戻すためには、男でも排卵障害による不妊症治療薬である「クロミフェン（選択的エストロゲン受容体調節薬）」を飲む必要があります。ドーピングによって崩れたホルモンバランスを調節するために、さらに薬を飲まなければなりません。

　また、経口摂取用のダイアナボルには体内での分解を遅らせる17αアルキレート加工が施されているので、肝臓に負担をかけます。長期間服用すると肝硬変や肝臓癌などの肝臓障害になることもあり、長期服用には死病のリスクが激増。対策として、肝臓を保護してくれる「シリマリン」を併用することが推奨されています。

　この理屈だけをみると3種類の薬を同時に飲めば大丈夫なのかと思いそうですが、実際には「ダイアナボルを何mg摂取した何時間後にクロミフェンを何mg摂取する…」といった分量の加減と計算が必要で、一般人には不可能なレベル。なので、大抵は過剰摂取して肝臓や心臓がやられて死ぬ人が後を絶ちません。ちなみに、2000年代にK-1で活躍したボブ・サップは、ワシントン大学で薬学を専攻していた薬学のプロです。

　以上のことから考えると、自由診療でドーピング外来とか始めたら儲かりそうな気がします。プロアスリートはもちろんダメですけど、マッチョになりたい一般人向けに医師がちゃんと管理して使用させればリスクは充分に抑えられるでしょうし。ネット通販で売っている本物かどうかも分からないものより、医師が厳選したドーピング薬の方が絶対安全ですよ。

　筋肉がすべてを解決してくれるなら、悪魔と取引してもいいんじゃないでしょうか？(笑)

異常な食欲と性欲をお持ちの貴方へ…

アリエナイ手術のお値段

人肉を食べてみたい、手足が欠損したダルマ女を愛でてみたい…。異常とされるそんな欲望を叶えるとしたら、どんな方法があっていくらぐらいかかるのか。医学的に計算してみたよ。

日本の医療制度は何でも「保険点数」が決まっていて、こういう手術をすると何点でいくらかかるという計算ができます。 一般に「手術料」とされているのは、技術料・輸血料・手術医療機器等加算・薬剤料・特定保健医療材料…などの合算。技術料はさらに12分野に分かれていて、計算は大変複雑です。ゆえに、以下に挙げている点数は、大体の目安であることをお断りしておきます※。

 ## 人間の肉を食べてみたい場合

日本の裁判史上、唯一、食人で裁かれたのが「ひかりごけ事件」です。第二次大戦中に、北海道で極寒の中、難破した船の船長と船員がいました。船長は、死亡した19歳の船員の肉を食べて生き延びたという事件です。日本の刑法には食人に関する規定が無いため、死体損壊事件として処理されました。

この事件では死体を食べたから犯罪になったのであって、健康な人間の体から肉を切り取って食べる場合、自分の体でやる分には違法ではないことになります。切り取った自分の肉を他人に食べさせるのも、法的には規制されていません。以前、人肉を食べるイベントを開催した人がいますが、無理やり消防法違反だとかこじつけておいて、結局は不起訴になりました。それは、人肉を食べたことで処罰できる法律が無いからなのです。

人体の一部が切り離された場合、その切り離された肉片の所有権はどうなるのでしょうか？ 生体から分離された身体物質には、原帰属者の所有権が認められると考えるのが通説です。つまり、自分の肉を切り取ったら、それは自分の所有物になるということ。これが動産なら譲渡や売買もできることになるのですが、一般的な病院の見解は、手術で切除された組織は黙示の内に廃棄物として処理されることで了解されていると見なされています。最近はめんどくさくなってきたので、手術の同意書に「手術で切除された組織は廃棄物として処理する」と書いてある場合もあります。ちゃんと医者に説明しておかないと勝手に処分されてしまうので、もしそれを食べたいなら事前に十分な打ち合わせが必須でしょう。

ということで、自分の肉を切り取ってもらう場合の費用をシミュレーションしてみます。本来は健康な肉を切り取ることは認められていないのですが、自由診療による美容形成手術で腕や足を細くするために肉を切り取ってもらうという話なら…。あくまで参考ですが、人肉100gを取り出す場合は切って

手足の切断には、細かく保険点数が決められていて費用が異なる。また、切り落とした手足をくっ付ける「切断四肢再接合術」もある。保険点数は144,680点で切る時の6倍以上。なので、女性をダルマにして愛でてから元に戻そうとすると、両手両足で切断に972,800円＋戻すのに5,787,200円で合計6,760,000円かかる。入院費や諸経費まで考えたら 保険適用と同じ1点10円としても1千万円近く必要になる。自由診療ならこの何倍かかるか見当もつかない…

上肢切断の場所

肩甲帯離断
上腕切断
：マンガだとこの辺
肘関節離断
前腕切断
手関節離断

縫うだけで、保険適用と同じ1点10円としても51,900円必要です。保険は適用外でしょうから、自由診療でこの数倍はかかるハズ。そしてさらに、麻酔とか抗生物質とか包帯などが別途必要になります。

1. 皮膚切開術で15cmほど切る	8,200円
2. 筋切離術で肉を切り取る	36,900円
3. 筋肉に達する創傷処理	16,800円
4. 切った後、縫い合わせる	43,600円
合　計	**105,500円**

生皮を剥ぐ料金は面積による	25cm²未満	14,900円
	25cm²以上100cm²未満	43,700円
	100cm²以上200cm²未満	96,100円
	200cm²以上	136,400円

 手足の無いダルマ女にするお値段

　リョナ系マンガなどに見られる、女性を手も足も無い姿にして愛でるために必要な費用も算出することができます。四肢切断術を行う場合、腕を切るのを「上肢切断」、足を切るのは「大腿切断」といいます。保険点数では、手足1本につき243,200円かかるので、ダルマにするには4倍して972,800円が必要になる計算。また、ダルマといっても腕が少し残る場合と、肩から完全にカットする場合では点数が異なります。ダルマうさぎのようにする場合は、肩の付け根まで完全に取る「肩甲帯切断」を行うことになるでしょう。肩甲帯離断術の場合は、片側で365,000円とお高めです。

　ここで先の事例と引っかかるのですが、切り取った手足が単なる物となるためにはそれが生体ではなくなる必要があります。つまり、後で戻す前提で切り取った手足を冷蔵庫とかに入れておいた場合、その手足はまだ本体に戻れる生体であるとみなされるので、食べたりすると傷害罪になる可能性があるのです。機械で指を切断した人がいた場合、その指を持ち去ると窃盗ではなく傷害罪とみなされた事例があります。指が再接合する可能性があるうちは物ではなく、生きている人間の一部とみなされ、指を持ち去った行為が指の切断と同等の傷害とされるのです。なので、冷蔵庫に入っている他人の手足を勝手に食べてはいけません。食べたいのであれば、必ず事前同意を求めて下さい。

ウンコを調べれば全部分かっちゃうぞ！
食人鬼を見分ける方法

佐川一政やハンニバル・レクターのような、危ないカニバリストを識別する方法がある。一般的な医学検査でそれは可能だ。「検便」…つまりウンコを調べれば判明する。

人肉を食べると「便潜血陽性」が出ます。本当に病気で陽性になる人は6〜7％程度なので、確度は高いといえるでしょう。人間の血だけに反応する「ヒトヘモグロビン」に対する特異抗体を用いて検査するので、スッポンの生き血を飲んだとか血の滴るビーフステーキを食べても誤診しません。

ちなみに、加熱調理してもヘモグロビンなどの蛋白質が熱変性するだけで、ヘム自体の構造は破壊されないため、調理で用いられる範囲の温度ではほぼ影響しないのです。血抜きをしても100％完全には抜けませんし、筋肉中に含まれるミオグロビンのヘムも検出対象になるので、人間の筋肉部分を食べる限り検査で陽性になるでしょう。実際に加熱調理済みの豚肉や魚であっても、特異性が無い検査キットを用いた検査では陽性反応が出ます。

一般的な検査では、ウンコの中に人間の血液が入っているかどうかだけの「陽性」か「陰性」の判定しかしませんが、人肉を数百gから数kg単位で食べていた場合は事情が異なります。フランス警察は、佐川一政さんを逮捕した直後にウンコをすべて採取して便潜血を調べれば、人肉を食べた証拠として裁判に提出できたはずです。恐らく、定量値1,000ng/mL以上の高い陽性反応が出たでしょう。このレベルの数値は大腸癌ですらめったに出ないので、高確率で人肉食べてると判定できます。

しかし、裁判で人肉を食べた証拠として、検便の検査結果が提出された事例はありません。佐川さんの事件でも、フランス警察が心身喪失で無罪になった容疑者の人肉を食べた証拠を公開していないので、佐川さんのウンコが証拠になったのか、検査されたのか一切不明です。

なお、上記のことはあくまでも理論上そうなるはずという話で、実際に人肉を食べさせて実験した事例は存在しません。

人肉食いを調べる方法

仮に「人食い検便キット」を作るなら、特異性が高く、感度の低い設定にすれば人肉食いと病人を高確率で識別できるでしょう。特異性が高いと人間以外の血液に反応しにくいことを意味し、感度が低いと軽度の病気で出るような微量の血液では反応しないことを意味します。一般的に検査において特異性を高くすると感度が下がって見逃しやすくなり、感度を上げると特異性が下がって偽陽性が出やすくな

人肉を食べたかどうかは、大腸癌検査キットで調べられる。病気でないのに、便に潜血反応で陽性が出ると…。なお、食べた人肉が消化器官から完全に排泄されてしまうと、陽性反応は出なくなる。ゆえに、現在の佐川一政氏を検査しても陰性だろう

『カニババリ人肉事件38年目の真実』
http://caniba-movie.com/

るのです。つまり、技術的には最も簡単に作れる検査キットになります。

　感度が低い検査で病気で陽性になる人がいるとしたら、消化器官のどこかがかなり痛くて、口から血を吐いているか、ウンコが真っ黒になるか、肛門から血が出ているはずです。どこも悪くなさそうなら、食人を疑っていいでしょう。

　また、家族が人肉を食べている疑いがあるなら、個人でも調べる方法があります。いわゆる「大腸がん検査キット」がAmazonなどの通販サイトで売られているので、それを購入して家族のウンコを検査すればいいのです。

　消化されたウンコからでも、他の動物の血と誤認することなく、微量の人間の血液を検出できる特異抗体（モノクローナル抗体）を発明したジョルジュ・J・F・ケーラーとセーサル・ミルスタインは、1984年にノーベル医学賞を受賞しています。特異性が無い検査キットを用いた検査では、加熱調理済みの豚肉や魚であっても陽性反応が出てしまい、この技術が実用化する以前は、検便するために3日前から食事制限させなければなりませんでした。

　本来の目的はもちろん人食い検査ではなく、インフルエンザからO157まで多種多様な特定のウイルスや細菌、特定の細胞にだけ反応する検査薬として世界中の医学界で活躍しています。その素晴らしい能力と汎用性の高さから、人食い検査にも使えるというだけの話です。

　なお、便の潜血反応で陽性が出ると、次のようなさまざまな病気の疑いがあります。人間ドックなどで一般的に行われているわけです。人肉を食べていないのに陽性になったら結構ヤバイので、なる早で精密検査受けることをお勧めします。

食道	静脈瘤、食道潰瘍、食道癌
胃	胃潰瘍、胃癌、出血性胃炎
十二指腸	潰瘍
小腸	潰瘍、クローン病、肉腫
大腸	大腸がん、ポリープ、潰瘍性大腸炎、クローン病、憩室炎
肛門	痔核、痔瘻

"臓器移植ビジネス"の新市場が各国で爆誕中

腎臓売買の最新事情 前編

各国の臓器移植に関する最新事情を、前・中・後編の3部構成でまとめた。ここではインドと中国に関して。法律が整備されてきているとはいえ、きなくさい話も多い…。

拙著『世界征服マニュアル』でも書きましたが、臓器売買ビジネスの市場では腎臓が大半を占めています。誰もが2個あって片方無くなってもあまり生活に支障がないため気軽に売れるし、欲しがる腎臓病患者は世界中に山ほどいるからです。人工透析が必要な病気に苦しんでいる時と、腎臓移植を受けて治った後のQOLの向上が著しいため、患者の方は皆さん欲しがります。

移植実績の増加により研究が進み、移植の成功率は高くなり、移植後のリスクも小さくなっています。安く仕入れて高く売ることが可能で、商売ができるのはある程度の設備がある大きな病院だけなので市場の独占率も高め。常に新しい患者が生まれ続けているため顧客が減りません。

そして重要なことに、現在の臓器売買組織は合法組織であり、違法行為は行っていなのです。

インドの臓器売買事情

インドで腎臓の売買を行っている組織に、「インド臓器移植学会（ISOT）」があります。ちゃんとインドの法律を遵守している、インドの医師法に基づいた医師免許を持つ合法組織です。

よくフィクションではやたらと高額な金額が提示されますが、現実の臓器の売値はそれほど高くありません。売る人の平均年収の3倍ぐらいが相場です。インドでは嫁をもらうのに結納金を払わなければならないという社会習慣が根強く残っていて、同じカーストからであれば、結婚費用の相場は自分の年

インド臓器移植学会（ISOT：Indian society of Organ Transplantation）
https://isot.co.in/
腎臓の売買を管理している合法的な組織。医師が評議会のメンバーになっている

Memo:
参考資料・画像出典など　●新華社通信　http://www.xinhuanet.com/local/2017-01/22/c_1120361652.htm

臓器輸送用優先口の正式な表示は「人体器官緑色通道」だ。緑の矢印マークの案内表示は、「特殊旅客、人体器官運輸通道」で文言が異なっていることから、放送した北京テレビのヤラセだと思われる。ネット上ではその映像のキャプチャが拡散されたのだろう。これが掲示されているとされる「ウルムチ地窩堡国際空港」は、外国人まで自由に出入りできる空港。実際にあるなら、皆が撮影して膨大な数の写真がSNSにアップされているはずなのに、3種類ぐらいしかないし…

人体器官緑色通道
（写真／新華社通信）

収と同じぐらいといわれています。

　インドの貧困層は可処分所得が少ないので、年収と同じ金額を貯金するのはかなり困難です。カースト制度によって所得格差の大きいインドでは、富裕層の月収が貧困層の年収の数倍になることは珍しくありません。そこで、自分の腎臓を片方売った金で嫁をもらい、さらに嫁の腎臓も売れば2倍儲かるという理屈で、臓器売買が錬金術になって成り立っています。ヘタすると生まれた子供の臓器も売る始末です…。

　インドでは腎臓の売買が普通に行われているため、臓器を売った人の追跡調査したりとか、夫婦が売った後どうしているか戸別調査したりなど堂々と研究されていて、統計が取られ論文も出ています。そして、そうした研究成果がますます臓器移植技術を発展させ、売買を活発にしているのです。

　日本のマスコミがインドまで取材に行けば、すぐに売った人は見つかるでしょう。「あそこの夫婦が金を持ってるのは2人して腎臓売ったからだ」と、普通に近所の噂とかになってますから。

中国の臓器売買事情

　中国の臓器売買は、ここ10年足らずで激変しています。中国では、2007年に外国人への臓器移植を禁止する法律が作られ、2008年には大規模摘発により臓器ブローカーは殲滅されました。ですが、これは臓器売買組織が中国共産党指導下の単一組織にまとめられ、それ以外の組織がすべて潰されたというのが実態です。その国家公認の組織として、2014年に中国人間臓器提供移植委員会（中国人体器官捐献与移植委員会）が設立されました。中国全土のドナー情報を管理するコンピュータネットワークの存在も、公式に認めています。

　その後、中国全土にまたがる大規模な臓器輸送ネットワークが構築。2016年4月29日、国家保健家族計画委員会の公安部、運輸省、中国民間航空局、中国鉄道公社、中国赤十字社の連名で、臓器を運ぶための法令が公布され、臓器輸送中を示すマークも公式規格として制定されました。

臓器輸送中のマーク
（画像／新華社通信）

2016年に制定された
マーク。国家保健家族
計画委員会の公安部や
中国民間航空局らの連
名によるもので、公式
規格となっている

　2016年5月には、中国全土の飛行場に臓器輸送に対する特別配慮のマニュアルが完成。中国国内で
は臓器輸送のための交通網を「緑色通道」と呼んでおり、臓器輸送専用の搭乗口は「人体器官緑色通道」
と表記されています。このゲートは普段は普通のゲートとして使われていて、臓器輸送の通達が来た時
だけ表示されるので見かけるチャンスはあまりありません。そして、臓器輸送中であることを示す政府
公認のマークを付けていると、セキュリティチェックをフリーパスでこの「人体器官緑色通道」のゲー
トから並ぶことなくすぐに搭乗できるのです。
　ところで、ウイグル自治区の空港で撮られたとされる、臓器輸送専用マークが床に貼ってある写真を
ご存じですか？　「特殊旅客、人体器官運輸通道」と書かれ、横にウイグル語が併記された緑の矢印の
マークです。あのような表示マークは、党の指導要領には存在しません。PCで自作して印刷したもの
をテープで床に張っただけのもので、粗末な作りです。あれを、いつ、誰が、どこで、撮影したのか調
べてみたら、2016年5月に北京テレビ（北京電視臺）が放送した番組のキャプチャでした。番組で放
送された画面と比較したら、撮影角度から床の継ぎ目、床に反射する電灯まで完全に一致…。
　北京テレビはヤラセをやらかすことで有名で、日本でも話題になったダンボール肉まんを創作したテ
レビ局です。自分で印刷した紙をテープで床に貼って撮影とかかなり悪質なのですが、あそこが飛行場
の床かどうかも怪しいんですよね。もしかしたらテレビ局の廊下の可能性すらあります。だって引きの
映像、周りが映っている絵が無いんですよ。
　繰り返しになりますが、移植用臓器を運ぶための飛行場の専用ゲートは実在しており、ちゃんと法令
も公布されています。正式な法令上の表記は「人体器官緑色通道」で、「特殊旅客、人体器官運輸通道」
ではないのです。そして英語併記はしていますが、ウイグル語を併記する規則は存在しません。
　つまり、あれは中国全土を結ぶ臓器輸送に関する法令が公布された時に、まだどこにも正式な表示が
出てなかったので、テレビ局が自作したというわけです。
　北京テレビって中国共産党の国営放送が前身の、ガチガチの政府系メディアのはずなんですけど。と
いうか、反政府メディアとかあったら即日全員逮捕ですからね。平気で政府の威光を傷つけるような放
送をするフリーダム過ぎる体勢が不思議でなりません。日本と同じように、スポンサー獲得のために視
聴率が欲しいんでしょうかね？

Memo:

世界最大の臓器移植組織と臓器の相場

臓器売買の最新事情 中編

臓器移植には莫大な費用がかかるというイメージがあるが、実際はいくらぐらいになるのか？
合法的な移植組織の登録料や保険点数などから、いろいろとシミュレーションしてみた。

　中国で一部の宗教の信者やウイグル人が、臓器移植のために殺されているという話がありますが、正直なところ、信憑性が怪しい部分があります。すべてを否定するわけではありません。

　まず疑問なのは、臓器移植大国・中国での実績件数に対して、ウイグルからの輸送件数が少な過ぎる点です。1,000件ちょっとしかありません。母数が10万件を超えているので、1％程度です。13億人以上いる中国人の中で、新疆ウイグル自治区の総人口は2,500万人と、1/50にも満たない人口希薄地帯です。漢民族を除くと、その他の少数民族も含めたウイグル人の総人口は1,500万人程度で、日本の約4.5倍の面積がある交通網が弱い地域からドナーを探すのは非効率的過ぎます。

　臓器ブローカーが儲けたいなら、人口密集地帯で探した方が効率良くありませんか？　人口希薄地帯でドナーを探し回るとかムリゲーなんですけど。

　また、ウイグル人を臓器移植のドナーに使うには、致命的に不便な問題があります。ウイグル人の住む大きな都市で、腎臓を摘出できるレベルの外科手術室を持つ病院があるのはカシュガルだけなのです。カシュガル空港（喀什機場）から飛行機で臓器を運ぶのにどれくらい時間がかかるのか調べてみたら、北京空港まで4時間30分、しかも週4便しか運航していません。

　摘出した臓器が、理想的な条件で移植可能な輸送時間の上限は3時間以下です。つまり、航空機で2時間以内の距離でなければ売り物になりません。飛行機の搭乗ゲートで列に並んでいる時間すら惜しいからこそ特別優遇措置が取られているわけで、ウイグルなんて僻地からバカ高い輸送費を使って鮮度の落ちた臓器を運んできても、医者に怒られてしまうでしょう。

　要は、敵対者を悪魔化し自分たちの正当性をアピールするための道具として、悪用されているということ。そして、彼らが大きな声で叫んで世界中がそれを信じることで、宗教やウイグル人による情報ジャミングが行われてしまい、実際にドナーを殺しているような、都市部などで活動する多数派の臓器ブローカーらの存在が目立たなくなるという弊害を生んでいるのです。

 合法的な国際臓器売買組織

　公益法人として世界規模で活動している、世界最大の臓器移植組織があります。「DTI Community」

がそれです。ちゃんとWebサイトもありますが、ほとんどの情報はセキュリティで守られていて開示されていません。会員登録するには、身分証明書かパスポートのコピーの提出が必要。登録時にドナー（売りたい）かレシピエント（買いたい）か選択するのですが、レシピエント登録だと寄附金の請求書が届きます。私の場合は、日本円で118万円支払いました。

　この組織は中国・アフリカ・中東・欧米など世界中で公益法人の認可を受けていて、日本の財務大臣が指定した寄附金控除の対象になっているので、領収書は確定申告で税控除に使用可能。恐らく売買の希望を告げれば、移植コーディネーター（実質的な買い取り人か売人）から連絡が来ると思われます。その際に、寄附金という名目の臓器代金を支払うことになるのでしょう。

　こうした市場を独占する合法臓器ブローカーの台頭により、零細違法臓器ブローカーは殲滅されています。見つけたら警察に通報するだけで消えてなくなるので、大手独占の地位は揺らぎません。合法臓器ブローカーは設備の良い大病院や有能な医師と綿密に連携し移植してくれるので、顧客は安心して買えます。するとますます儲かる…。こうした好循環の連鎖により、臓器ビジネスは発展し続けています。2019年7月時点で移植実績は10万件突破したそうです。

　こういった国際ネットワークが必要になる背景には、心臓移植や生体肝移植のように適合条件の厳しい臓器を移植する場合、ドナーを探すのが難しいことがあります。確率的にはドナーの母数が1千万人を超えないと、完全な適合者を見つけることができません。免疫抑制のリスクはいまだ大きく、ドナーの適合率が高いほど免疫抑制のリスクが最小になり、移植後のQOLが高くなります。つまり、億円単位の値が付く高額商品は、地球規模のネットワークで探さなければ見つけられないのです。

 ## 臓器の転売ヤー現る!?

　臓器移植に関する日本語の怪しいWebサイトを見つけたのですが、もしかしてコイツは、転売ヤーではないかと疑っています。DTI Communityは、レシピエント登録者の家族も対象になります。つまり、自分の親族だと言い張って中国に連れて行けば、臓器を買えることに…？

　中国語の分からない日本人なら、現地で詳細はいくらでもごまかせるでしょう。腎臓の場合は、10日間付き添って中国に渡航すればよいので、臓器の転売…ということも可能になりえます。

日本人の金銭感覚でたとえると、年収200万円の人が自分の腎臓を1個、年収2,000万円の人に600万円で売る感じになる。そしてその間には臓器ブローカーや、手術する医師が介在し、大きな金額が動くためビジネスとして成り立っている。そしてそうなると、闇もまた…

 ## 日本の金銭感覚で例えてみると…

　臓器売買がどれくらい儲かるのか、具体的に日本人の金銭感覚に換算してみましょう。売る方は、年収200万円以下の

Memo:

DTI Community https://www.dticommunity.org/
世界中で公益法人の認可を受けている、世界最大の合法的な臓器移植組織。
この組織には医師の会員もいて、移植外科専門医や腎臓専門医の養成も
行ってる。なお、臓器購入代金は日本でも税金控除の対象になるという

貧困層が自分の腎臓を、年収3倍の600万円で売る感じです。買うのは年収2,000万円超えの人で、業者に自分の年収相当の2,000万円ぐらい支払う感じになります。日本で年収2,000万円というと、新聞やテレビなど大手マスコミの一部役職か、医師や弁護士の中堅以上クラス、外資系の金融マン、あるいは売る土地を持っている農家などです。

保険診療の腎臓移植は、取り出す側がK772 腎摘出術：187,600円、移植する側がK780-2 生体腎移植術：628,200円とお安く、保険診療なら百数十万円です。が、保険診療1点10円に対して自由診療は1点50円が高めの相場といわれているので、自由診療で600万～700万円程度になる計算。このくらいもらえれば医師も満足でしょう。

単純に計算すると、報酬2,000万円－腎臓の仕入れ値600万円－医者代700万円＝700万円の利益となります。顧客が買いに来てから退院して帰るまでの平均日数は10日ほどなので、月収2,000万円は最低保証になるでしょう。臓器ブローカーは、年収3億円超えが普通にいてもおかしくない仕事なのです。

移植するには最低でも医師4人に看護師3人は必要で、道具・薬・ベッド代・術後管理などの諸経費が200万円ぐらいとすれば、移植する医師は1回あたり手取り100万円の仕事をしている計算になり、同じくらい儲けているはずです。看護師だって1回30万円もらえたら、やめられないでしょう。手術時間は4時間弱なので、やる気があれば1日2回行えます。

これらは分かりやすく解説するために今の日本の金銭感覚に換算した数字を並べていますが、実際に中国に行った場合の価格は腎臓移植：36万元、ランゲルハンス島移植：120万元ぐらいだそうです。もしも、日本が中国並みの臓器移植大国になったらこんな感じの価格で取引されるというイメージとして、創作などにお使い下さい。

年収200万円の貧乏人も、年収2,000万円超えの金持ちも同じ1人の人間です。人の命が平等だからこそ、年収が10倍以上違う売り手と買い手の経済格差によって、需要と供給のバランスが取れて売買が成立しています。同じものでも、違う場所に持っていくと全く違う価格になるという、経済活動の基本に忠実なのです。

糖尿病が完治する魔法の移植法がある!?

臓器売買の最新事情　後編

糖尿病といえば、食事制限とインスリン注射によって一生付き合っていく病気。しかし、点滴1本で治る新技術が開発されている。まさしく科学はすべてを解決するのだ。

　ワシは中国人の嫁がいるのですが、病気で手術したりしたのを心配して、臓器売買組織の買い手側に会員登録してくれました。しかし、ワシの病気は臓器移植しても治らないというか、しても意味がない病気なので必要ないのですが…。胃を切除したからといって、他人の胃を移植した場合、拒絶反応などデメリットの方が大き過ぎて逆に死ぬ原因になりかねないのです。

　そんな臓器売買組織から新商品のお知らせ、「どんな糖尿病も点滴1本で根治する薬」があるとお手紙が届きました。エビデンスとか治療実績とか聞いてみたら、真面目な本物だったのです。これまでは死ぬまでインスリン注射を続けて、食事制限などQOLの低下を我慢する必要があったのですが、まさしく魔法の治療法が実用化したということになります。

　しかし、その魔法の薬の材料として生きた人間の膵臓が必要で、1人の糖尿病患者を治すために1人の健康な人間を殺さなければなりません。腎臓と違って膵臓は1人1個しかなく、取ったら死にます。

　既に膵島（すいとう、ランゲルハンス島）移植による糖尿病の治療は日本でも始まっていますが、現在、日本国内で行われている膵臓移植は脳死ドナーからの提供です。このため、供給量が圧倒的に少ないので治療を受けられるのはかなり末期の糖尿病患者だけに制限されています。この基準だと、既に腎臓とか肝臓まで悪くなってるレベルまで悪化してないと対象者になれません。

　当たり前ですが、患者の腎臓と肝臓の機能が正常な方が成功率は高まります。極端な供給不足と多過ぎる需要によりバランスが崩れまくった結果、もうコレをやらないと死ぬという末期患者のみ受けられる治療になっているのです。さすがに、誰かを殺して内臓を奪うなんて日本でできるわけがありません。

　この魔法の治療の良いところは、失敗してもインスリン治療を続けるという現状維持になるだけで、顧客が死ぬリスクは非常に小さい点。失敗しても再チャレンジが何度でも可能なので、金がある限り成功するまで繰り返せます。つまり、ビジネスとしてオイシイのです。

　しかも、点滴1本打つだけなので治療中や治療後の患者の苦痛が非常に小さく、顧客満足度も高め。医師の手間も腎臓移植より小さいため、儲けが大きくなります。ただし、1回ごとに誰かに死んでもらう必要があるので、ドナーを探す移植コーディネーターの人が大変そうです。

　「生きた人間の内臓を取り出して、すり潰して、腹に針を刺して注入すると病気が治る」

　こんな方法、半世紀前の医師が聞いたら「どこの未開部族の呪術だ？」って言いそうです。進み過

Memo:

「膵島移植プロジェクト」国立国際医療研究センター
https://www.ncgm.go.jp/080/suitou.html

ドナーから提供された膵臓から、インスリンを作る細胞の膵島(ランゲルハンス島)を抽出。カプセル化して点滴で糖尿病患者の肝臓に注入する。膵島が肝臓に生着して、インスリンを分泌するようになると、糖尿病が完治する。まさしく新時代の治療法といえる

た医学が呪術と区別できなくなっています。

糖尿病はマイクロカプセル入りの点滴で完治

　それでは具体的な方法を見ていきましょう。「マイクロカプセル化ランゲルハンス島移植法」という手法を用います。まずドナーから取り出した膵臓を粉々にして、ランゲルハンス島だけを分離抽出。この小さな細胞の塊を、特殊なマイクロカプセルに封入して、それを肝臓に直接点滴するのです。400μm以下のマイクロカプセルは特殊なバイオポリマーでできていて、インスリン・糖・酸素、その他の栄養物質はカプセルを自由に透過できるけど、免疫に関する抗体やT細胞は通さないという構造をしています。つまり、移植した臓器が免疫とトラブルを起こさないので拒絶反応で苦しんだりせず、免疫抑制剤が全く必要ありません。そして、臓器移植で面倒な、ドナーの血液型やHLA型が一致するかどうかを一切考慮する必要もないのです。

　このマイクロカプセルは、お腹に針を刺して肝臓につながる太い血管から直接点滴され、肝臓の中に定着します。文字通り点滴を1本打つだけで、糖尿病が完全に治ってしまい、その後は特に薬も治療も必要ありません。普通の健康な体で天寿を全うできます。長い人生の途中で仮にダメになっても、もう1回点滴を打てばOKです。

　そして、移植用臓器の中では、飛び抜けて長期保存が可能です。電気代と薬品代がかかるとはいえ、大した金額ではありません。1人100万個もある300μm程度の小さな細胞を、400μm以下のマイクロカプセルに封入したものなので、代用血液の中に浮かべて一般的に「人工心肺」などと呼ばれる体外循環装置を組んで、酸素と栄養を回しておけばしばらくは大丈夫。採取加工後21日までが使用期限だ

参考資料・画像出典など　●国立国際医療研究センター　https://www.ncgm.go.jp/index.html
●「Nature」https://www.nature.com　●「Wikipedia」ほか

そうです。他の臓器が24時間持たず、時間が経過するほど品質が低下するナマモノなのと比べたら、刺身と缶詰ぐらいの差があります。誰か他人を殺さなければならないという、これだけを除けば、完璧な夢の治療法なのです

 痛みは与えない優しい臓器ブローカー

臓器売買の話が出るマンガや映画で、苦しみながら体を切り刻まれるシーンとかありますけど、臓器ブローカーの立場としては、意識のある叫んだり暴れたりするドナーは扱いにくくてしょうがないので、麻酔で意識不明にしてから取り出すのが当然です。麻酔を打った方が摘出手術する医師が楽だし、高く売れる良質な臓器が手に入ります。そして最後は、麻酔の大量注入で安楽死させるのがドナーも医師も最も楽なので、ドナーに無意味な苦痛を与えたりしません。ドナーを苦しめても臓器ブローカーには何の利益も無く、余計な手間が増えるだけです。

売る時の対応は、ものすごく紳士的で優しいですよ。すべて演技と作り笑顔でしょうけど。死ぬ前提で内臓売る時は、苦しまずに済むので安心して下さい。ちゃんと都合の良い死亡診断書を用意してくれるので、健康保険に入っていれば死亡保険金がもらえます。臓器ブローカーとしても証拠隠滅のために、急いで火葬してもらいたいので葬儀屋の手配もしてくれます。「情けは人の為ならず」というように、臓器ブローカーだって内臓売って死んだ人の遺族が幸せになってくれた方がいいのです。

その方が変な悪い噂が立ったりしないので売買がやりやすいし、それを意識高い人が「自分も家族のために内臓売って死のう」と考えたり、「お支払いできるものは命しかありません」という追い詰められた人が自ら連絡してくるかもしれません。

あるいは、引きこもりの子供を持て余している老親が、臓器ブローカーに依頼してくる可能性も。引きこもりに麻酔を打って、救急車で救急搬送して緊急手術して内臓を取り出したら、死亡診断書を書いて葬儀屋に渡して、火葬して埋葬してしまえば完全犯罪です。

 理想の未来を夢見て

ここまで移植技術が確立して実績があるなら、あとは人造ランゲルハンス島をマイクロカプセル化した人工膵臓ができればすべてが解決します。誰も殺さない人造ランゲルハンス島を作れたら、世界中の糖尿病患者を救った天才科学者として名誉と称賛を浴びてノーベル賞確実な上に、特許料で一生遊んで暮らせるでしょう。開発した製薬会社も儲かって笑いが止まらなくなることが確実なので、その研究者にはぜひ多額の研究費を投入してあげて下さい。仮に今いる患者が全員治っても、日々新しい患者が大量に出るので需要は永遠になくなりません。しかも、従来のインスリン療法の辛さと比べれば、少しぐらい価格が高くても文句は言われないのでガッポリ儲けられます。

何しろ日本と中国以外の国では、インスリンの価格が異常に高いのです。正確には日本と中国が世界

MENU ˅ **nature**

Article | Published: 25 January 2017

Interspecies organogenesis generates autologous functional islets

Tomoyuki Yamaguchi, Hideyuki Sato, Megumi Kato-Itoh, Teppei Goto, Hiromasa Hara, Makoto Sanbo, Naoaki Mizuno, Toshihiro Kobayashi, Ayako Yanagida, Ayumi Umino, Yasunori Ota, Sanae Hamanaka, Hideki Masaki, Sheikh Tamir Rashid, Masumi Hirabayashi & Hiromitsu Nakauchi ✉

Nature **542**, 191–196 (2017) | Cite this article

4918 Accesses | 92 Citations | 1135 Altmetric | Metrics

Nature vol.542（191〜196ページ）
https://www.nature.com/articles/nature21070
ネズミを使った人工膵臓の研究論文。発表したのは、日本人の研究者らだ。日本の医療は海外から1世代遅れているといわれる。特に移植に関しては顕著だ。そんな中で、「マイクロカプセル化ランゲルハンス島移植法」や、それにまつわる研究は進められている。大いに期待したい

中でも突出して異常に安いのですが。ある天才研究者が異世界転生して無双チートしたからです（詳しくは28ページ）。そして日本では1度決められた薬価は、余程のことが無い限り値上げできません。戦時中の価格破壊が原因で今でも値上げできずにいます。中国も共産党が価格統制しているために安いです。これは1955年頃から、党の政治方針としての決定事項なので変更できません。「チープ・インスリン」と呼ばれています。ただ最近は、ノボノルディスクファーマ社の中国工場で生産されたものが流通し始めており、金持ちはこの高級な薬を買っているようです。

インスリンが最も高いアメリカでは、日本の15倍以上します。なので、糖尿病が一発で治るならアメリカ人は年収の数倍しても買うでしょう。まして、保険に入っていれば自己負担分が軽減できるので、生涯賃金に匹敵する価格でも売れるかもしれません。

国家だって糖尿病患者に延々と医療費を使われるより、高い薬でも一発で健康になってバリバリ働いてもらった方がいいわけですし。雇う企業だって、有給1週間で入院したら完全に治ってくれた方がこき使いやすくて便利でしょう。

実は既に人間に移植するためのランゲルハンス島を、動物の体内に作り出そうという研究が行われています（『Nature』vol.542, P191〜196）。マイクロカプセル化ランゲルハンス島移植法のメリットは、免疫に攻撃されることを回避できることなので、極論すれば人間の臓器じゃなくても移植できます。人間よりはるかに小さいネズミ数十匹が材料とかでも構わないのです。

複数の研究機関が人工膵臓の研究に着手しているので、実用化する可能性は十分高いでしょう。糖尿病で苦しんでいる皆さんには、インスリンを打ちながら頑張って生き抜いてほしいです。完治できる魔法の薬は遠くない未来に完成するはずですから。誰も不幸にせずに全員が幸せになれる最良の可能性が、もう目の前に見えています。

科学は大勢の犠牲者の屍の上に発展してきました。1日も早く違法な臓器売買が、正規の医療によって駆逐され殲滅されるのを夢見ています。

診察料はどうやって決まる？
「保険点数」のお話

　日本の医療制度において、医療行為の価格はすべて「保険点数」（診療報酬点数）で決められています。これにより、健康保険証を提出した時に受けられる医療は、全国一律で保険点数1点あたり10円となっているのです。病院で会計の際にもらう診療明細書には、具体的な項目名と点数が書いてあるので、確認してみましょう。

　例えば、風邪をひいて病院で診察を受け、薬の処方箋をもらったという場合、発生する保険点数は以下の通りになります。

●初診料…288点／再診料…73点
　医者にとっての基本料金で、簡単に問診し、聴診器を当てて口の中のぞいたりする料金はここに含まれる。また、2回目（再診）からは安くなる。

●処方箋料…68点
　普通に風邪（感冒）という診察結果になり、薬を処方された場合は「処方箋料」が発生する。

　というわけで、合計すると350点（初診の場合）になりました。保険証を提出していれば1点＝10円として計算されるので、請求金額は3,560円です。そのうち患者の負担は3割。つまり、会計窓口での支払いは1,000円ちょっとになるというわけ。薬代は別料金となります。

　ちなみに、診察時間の長さは点数に反映されません。患者に親身になってくれるお医者さんは貴重な存在ですが、病院経営の視点でみると、この金額の場合は3分で処理しないと赤字になってしまいます。

　また、保険点数の「1点＝10円」は、あくまでも健康保険が効く医療での話。最先端医療や美容整形といった自由診療の場合は、医者が自由に価格を決められるのです（自己負担率は10割）。思わぬ金額を請求されて驚くことのないよう、事前に確認しておきましょう。

保険点数の例 (2020年3月時点)		D284	人格検査	450点
A000	初診料	288点	E200	CT撮影	1,020点
A001	再診料	73点	E202	MRI撮影	1,620点
C000	往診料	720点	F400	処方箋料	68点
D000	尿検査	26点	G001	静脈注射	32点
D007	血液検査	112点	G004	点滴注射	98点
D283	知能検査	450点	J045	人工呼吸	242点
J046	心臓マッサージ				250点
J047	カウンターショック				3,500点

保険点数は『診療点数早見表』（医学通信社）や、「しろぼんねっと」（https://shirobon.net/）で確認できる

世界の奇病・難病

[KARTE№.040-047]

薬も過ぎれば毒となる

ドラム缶ビールで鉄分過多に！

何が原因で奇病が発生して人が死ぬか本当に分からないことも多い。そして、謎の奇病の原因を特定するのは本当に困難で、原因不明のまま次々と人が死んでいく悲劇が起きている。

「鉄分をたくさん取りましょう」と鉄鍋での調理を勧めたり、料理の中に意味の無い鉄の塊を入れたりするグッズがありますが、あれは全くの無意味でそんなことをしても鉄分は溶け出しません。しかし、世の中には本当に鉄分が豊富に溶け出して大量の鉄分を摂取できる究極の食品があります。それが「鉄缶醸造酒」です。鉄製容器ならなんでもよく、大きな鉄鍋とかに酒の原料となるものを入れて1か月ぐらい発酵させれば簡単にできます。ただし、ステンレスとかテフロン加工されている容器からは鉄分が溶け出さないのでダメですけど。

　発酵させる微生物の働きにより鉄鍋から鉄分が溶出して、なんと1Lあたり40〜80mgもの吸収性の良い鉄分が含まれた酒が出来上がります。市販のサプリメントを軽く上回るレベルで、世界的にもこれほど大量の鉄分を含んだ食品は他に存在しません。なお、日本酒は鉄分の混入が禁忌で醸造用水は鉄分0.02ppm以下が最適とされているほどなので、いわゆる「ドブロク」は向いていません。作るなら果実酒か地ビールでしょうが、日本では無免許で酒類を作るのはアウトなので、理論上のお話ということで。

　そして、この鉄分豊富な酒を毎日飲み続けると、数年後には「鉄過剰症」で死にます。貧血の治療に用いられている、「クエン酸第一鉄Na錠50mg」。この薬の禁忌に「鉄過剰症を起こすから鉄分が不足していない人には使っちゃダメ」って書いてあるくらい、鉄分の摂り過ぎは本当にヤバいのです。鉄過剰症はアフリカ南部に住んでいるバントゥー系民族の間で流行しているので、「バンツー血鉄症（Bantu siderosis）」なんて病名が付いているぐらいです。

アフリカの奇病の正体とは…

　初めて病気として報告されたのは1929年（昭和4年）のこと。イギリスのアフリカ植民地で謎の死を遂げる人間が続出したことから、新種の病気が疑われました。そこで、74人の遺体を解剖して肝臓組織を病理診断したところ、34人に肝鉄沈着が認められたために、鉄分の過剰摂取が原因で死んでいることが判明したのですが、なぜ鉄分の過剰摂取が起きているのか原因は不明でした。

　その後、数十年経っても原因は分からないままで、南アフリカに住んでいるバントゥー系民族特有の遺伝子疾患を疑い、鉄輸送を行うタンパク質のフェロポーチンに関わるSLC40A1遺伝子を調べたりし

Memo:

ドラム缶で作られたビールには、鉄分が大量に溶け出してしまう。ただし、テフロン加工されたり、ステンレスやホーローのタンクでは細菌の発酵による鉄分の漏出は起きない。なお、細菌が元気に発酵させている間しか鉄分の漏出は起きないので、完成後の酒を鉄容器に入れても問題はない

たけど、異常なし。土壌の鉄分が過剰な可能性を疑って、地質調査から始まり、作物や自生する植物の鉄分まで調べましたが、こちらも異常なし。結果、半世紀以上も不明のままでしたが、最近になって、植民地支配した欧州人が持ち込んだドラム缶が原因であることが判明しました。ドラム缶で醸造した、鉄分が異常に多い地ビールを飲んでいたのが原因だったのです。

　アフリカでは古代から各部族ごとに地ビールの生産が活発で、昔は陶器の壺で作っていたから問題はありませんでした。しかし、20世紀になって欧州人がドラム缶を持ち込むようになると、各地でドラム缶を使って醸造するようになり、100年ぐらい前から出現したらしいです。1Lあたり40〜80mg、ものによっては100mg超えすらあったそうで、これは医療用の鉄剤を毎日飲んでいるのと変わらないレベルの摂取量ということになります。

✓ 鉄分の致死量と完全犯罪

　バンツー血鉄症は1日あたりの鉄摂取量が約100mgを超えた場合に発生し、毎日200mgぐらいの鉄分を摂り続けて、体内の鉄分の蓄積量が20gを超えると重篤な肝機能障害を起こして死にます。これは1日に50mgの鉄分が体内に蓄積した場合、約400日で致死量に達して死ぬ計算です。

　人間の体には鉄分が過剰になった時に体外に排出したり、吸収量を減らしたりする仕組みが無く、ひたすら蓄積されていきます。なので、この特性をうまく利用すれば不審死を装えるため、フィクションのネタとして使えるかもしれません。例えば…。

　食品添加物の栄養強化剤として流通している、クエン酸第一鉄ナトリウム。1日に鉄分200mgを摂取させるために必要なクエン酸第一鉄ナトリウムの量は1883.6mgなので、1日2g入れれば十分です。水溶性のためどんな料理にも簡単に溶けて吸収性も抜群の上、ビタミンみたいに加熱しても壊れません。さらに、食品添加物として認められているので、2gぐらい食品に入れても合法です。しかも、食品添加物として栄養強化の目的で使用する場合は表示が免除されているので、入っていることを告知する義務もありません。

　不審死として司法解剖されても毒物は一切検出されないし、肝臓の組織を病理診断して肝鉄沈着を発見しない限り鉄分の過剰摂取であることはバレないでしょう。末期になるまで自覚症状が出にくいですが、生きているうちに血液検査すると異常値が出るのでバレるでしょうけど、発覚しても、鉄分の摂り過ぎが毒だなんて知らなかったとすっとぼければ、追求は難しいと思います。…まあ、あくまでそういう思考実験なので、くれぐれも実行したりはしないで下さいね（笑）。

現代病といわれるが古代から存在していた

知られざるうつ病の歴史

ある統計によると、男性は10人に1人、女性は5人に1人の割合でうつ病を発症する可能性が あるという。ストレス社会の現代病というイメージだが、実は遠い昔から存在していた…。

　現代病だといわれる「うつ病」ですが、いつ頃からあったのか調べてみました。明確に病名として医学書に登場し、治療法が考案されたのは約千年前。ペルシア人医師イブン・スィーナーがアラビア語で書いた『医学典範』に「アラクティアボ」として登場しています。そこからラテン語に翻訳された時に、精神が圧迫される病気という意味で「デプリメア（deprimere）」となり、英語の「Clinical Depression」に翻訳されたものが、さらに日本語に翻訳されたのが「うつ病」です。

　つまり、うつ病は現代病ではありません。千年前の権威ある著名な医学書に載っていたぐらい、古くからある普遍的な病気なのです。

　精神病として医学書に載ったのは千年前ですが、人間がうつになることは1600年前には既に概念として存在していて、キリスト教会では八つの大罪の一つとして「憂鬱（メランコリア）」を上げています。現在では七つの大罪の一つ「怠惰」に吸収合併されてしまいましたが、人間がうつになるのは悪魔に誘惑された罪の一つと認識され、病気は悪魔のせいだと考えられていた4世紀以前からうつ病患者が存在していたことは間違いないと思われます。

　古代から存在していたのに、うつはなぜ「現代病」と呼ばれるのか？

　それは近代医学界でうつ病という病名が、1869年頃出てきた「神経衰弱」という病名に駆逐されマイナーな存在に転落したからです。これによって医師は診断書に書く病名にうつ病（Clinical

DSM-Ⅲ

『DSM』シリーズはアメリカ精神医学会が刊行している、各種精神障害の分類や基準を提示するためのマニュアル。1952年の『DSM-Ⅰ』から始まり、最新版は2013年の『DSM-5』。1980年の『DSM-Ⅲ』から日本の精神医学はDSM準拠となった

Diagnostic and Statistical Manual of Mental Disorders
https://www.psychiatry.org/
psychiatrists/practice/dsm

Memo:

イスラム世界を代表する知識人、イブン・スィーナー（アヴィセンナ）によって書かれたイスラム医学の集大成。千年前の本だが、精神病の一種としてうつ病＝アラクティアボに関する記述がある。つまり、うつ病は古くからあった病なのだ。なお、右は現代の英語版。日本語訳も出版されている

イブン・スィーナー
（980～1037年）

The Canon of
Medicine
Kazi Pubns Inc

Depression）ではなく、神経衰弱（Neurasthenia）を使うのが主流になっていきました。日本の精神医学界は明治に入ってから欧米式精神医学が導入されたのですが、この時に古い概念であるうつ病は切り捨てられ、最新の病名である神経衰弱が主流になったのです。

　古い文献を漁ると、夏目漱石をはじめ多くの著名人が神経衰弱になっている記録があります。中には、滋野清武のように16歳の時に神経衰弱で陸軍幼年学校を中退した人物などもいて、戦前は学校を病気退学する理由の上位を神経衰弱が占めていました。うつ病で学校に来なくなる生徒は、戦前から普通に一定数いたのです。アメリカでも初代国防長官であるジェームズ・フォレスタルが神経衰弱で入院後自殺しているように、神経衰弱で仕事を辞める人、自殺する人も珍しくありませんでした。

　ドイツの精神科医クルト・シュナイダーが、1920年に「内因性うつ病」と「反応性うつ病」という概念を提唱してから、うつ病は再び医学会で見直されるようになります。欧米では1930年代頃から神経衰弱という病名よりも、うつ病という病名が診断書に書かれることが多くなり始めました。しかし、日本の精神医学の研究は第二次世界大戦の影響もあって停滞したために、神経衰弱が使用され続けます。2005年、力士の朝青龍が神経衰弱と書かれた診断書を出しているぐらい、近年まで使われ続けました。この診断書を書いた医師ってどんな年寄りかと思ったら、ワシより2年後輩でした。

　日本でうつ病患者が激増し本格的に猛威をふるうようになったのは、1980年に『DSM-Ⅲ（精神障害の診断と統計マニュアル）』が登場して、日本の精神医学がDSM準拠になってからです。昔は無かった、現代病だといわれる原因は、日本では医学書の隅っこに埋もれて存在が認知されていなかっただけという結論になります。

　そして、1周回って現在では神経衰弱は「鑑別不能型身体表現性障害」と呼ばれるようになり、うつ病のどれにも当てはまらないその他の精神病の診断名としてのみ使われるマイナーな存在になりました。こうして千年かけて医学界を1周し、うつ病は再び脚光を浴びるようになったのです。

　ちなみに千年前に書かれた医学典範に載っているうつ病の治療法とは、鎮静作用のある薬物の投与、行動療法、音楽療法、サイコセラピーなどで、ほとんど現代と同じです。進歩したのは薬剤だけで、基本的な治療法は千年前から変わっていません。というより、現代医学でもなぜ人間に精神があって、なぜうつになるのか全く解明されていないから、根本的な部分では全く進歩のしようがないのです。

アニメのあのキャラは難病患者だった!?

ロリ巨乳の悲劇

幼女なのに巨乳という矛盾した存在である「ロリ巨乳」。フィクションではなく実在する。ホルモンの異常分泌による病気だ。幼女たちの苦しみを解決する方法はあるのか…?

「ロリ巨乳」は、生後6か月から16歳ぐらいまでの若い女性に発症する、「乳腺肥大症」という実在する内分泌疾患です。未熟な体に対して大き過ぎる乳は肉体的負担になるため、医学的には切除して減らさなければなりません。

　最も若い例では生後6か月から乳が膨らみ始め、生後23か月目で超巨乳になってしまい、切除したという論文があります。最大の症例では、12.5kg（体重の24％）もの巨乳を切除したという小学生がいました。体重の1/4がオッパイって、何カップなのか計測不可能です。なので、保育園・幼稚園・小学生まで幅広い若年層で、ロリ巨乳の女性は極少数ながら実在します。

　日本でも1993年に、11歳で初潮が始まってから急激に巨乳化して、わずか8か月でIカップを超えてしまい、乳だけで5kgぐらいある少女が実在しました。既に自力で巨乳を支えられないほどになってしまい、医師は外科手術によって巨乳3.9kgを切除したのです。この少女は、切った後も乳が肥大し続けるのを抑制するためにホルモン療法を受けており、医師は「ノルバデックス（タモキシフェン）」を投与しています。乳腺肥大症は女性ホルモンの一種であるエストロゲン過敏症が原因なので、抗エストロゲン作用薬であるノルバデックスを使えば巨乳化を抑制できるのです。

　このノルバデックス錠剤の本来の用途は乳がんの治療であり、かなり副作用が強くホルモン療法に用いるにはかなりリスクが高い薬です。「副作用が少ない」と一般には説明されていますが、それは抗がん剤という使わないとがんで死んじゃうから仕方なく使う劇薬の中ではかなり副作用が少ない薬という比較対象の問題で、12歳かそこらの少女に二次成長期を過ぎるまでの数年間も定期投与となると長期的なリスクは無視できないレベルになってきます。爆乳を我慢して定期的に乳を切除するか、発がんリスクを含めた副作用の強い薬を飲み続けるか、厳しい選択と判断を迫られる恐ろしい病気なのです。

　定期的に乳を切除とかロリコンどころかリョナラーまで喜びそうなネタですが、そこまでしなければならないほど心身に負担がかかるのです。ちなみに、欧州ではホルモン療法は副作用リスクが高過ぎるとして乳を切除する外科的処置のみを行っています。思春期の少女に爆乳を我慢させた上に、切除手術の苦痛に耐えなければならないQOLの低下を考えると、標準治療が確立していない希少疾患だけにどちらが正しいとは一概にいえません。ノルバデックスを処方した医師が、「乳がん並みにヤバイ病気」だと判断したのであれば責められないでしょう。

Memo:
参考資料・画像出典など　●European Journal of Pediatrics Volume150,Issue 3,155ページ
ヨーロッパ小児科学会誌「Massive breast enlargement in an infant girl with central nervous system dysfunction.」

幼女なのに巨乳化してしまうのは、「乳腺肥大症」という病気だ。女性ホルモンの一種であるエストロゲン過敏症が原因。「European Journal of Pediatrics」には、生後6か月から乳が膨らみ始め、生後23か月目で巨乳化。切除する直前の様子が報告されている

ワシは現実世界のロリ巨乳がどれほど苦しんでいるか考えたら、もう二次元のロリ巨乳じゃ抜けなくなりました。医師はこうして医学を学ぶほど抜けるオカズが減っていくのです。看護婦物のAVで抜けるヤツは、ニセ医者か真正の変態とはよく言ったものです。

人造ロリ巨乳の可能性

ロリ巨乳が内分泌疾患であるということは、エストロゲンのホルモン注射をすれば人為的にロリ巨乳を作り出せる可能性が高いことを意味しています。1歳児での症例があるぐらいなので、幼稚園児でも小学生でもお好みの年齢を巨乳化させることが、理論上は可能です。1度巨乳化させてしまえば一生そのままで、投薬を止めても元には戻りません。

「変態権力者に無理やり薬を打たれて巨乳にさせられてしまった幼女」というキャラ設定にすれば、現実にアリエナイという反論は封じられ作品にリアリティが出るでしょう。薬を打ち始めてから巨乳になるまでの成長速度は速く、正常な発育の4倍ぐらいのスピードで急成長して半年から1年弱で巨乳になります。その間、身長など他の部分の成長は普通のままなので、幼女のまま巨乳になるのです。

二次成長期にエストロゲンを過剰に投与すると、身長が伸びるのを止めてしまう作用があります。なので、幼少期から打たれ続けると低身長の巨乳になる上にアンチエイジング効果もあるので、「ロリ巨乳＆ロリババア」という二重属性キャラも作れることに。

誰かエロマンガとかライトノベルでやってみませんか？　鬼畜外道なワシが医学監修を引き受けますよ。描写する上での注意点を挙げるなら、ホルモンを投与するので飲み薬では消化中に分解されてしまうためダメで、筋肉注射になります。静脈注射ではないので、打つ場所は腕の血管ではなくお尻・上腕部・太股などの筋肉が多い部分にすることです。1回の分量は1cc程度なので、注射器は小さい針の細くて短いやつで描いて下さい。ワクチンの打ち方と同じため、ワクチンを子供に打っている写真などを検索すれば作画資料になるでしょう。

逆に、乳がこれ以上育ったらヤバイと思った少女がノルバデックス錠剤を飲むとか、貧乳女が巨乳女に盛るという描写もありえそうですが、巨乳化抑制薬にもなるノルバデックスは抗がん剤なので普通の薬局には置いてありませんし、通販での購入もかなり無理があります。既に育ってしまった乳が小さくなることもないので、こちらの設定は避けた方がいいでしょうね。

あくまでも理論上の話ですからね。ワシはそんな人体実験したことありませんよ、本当です。

中枢神経系機能不全の乳児少女における大量の乳房拡大　https://www.ncbi.nlm.nih.gov/pubmed/2044582

ここはどこ？私は誰？…は心因性の病気

記憶喪失の原因と治療法

「記憶喪失」は実在する精神病の一つ。しかし、フィクションで描かれる症状とは異なっている部分も少なくない。ここでは、記憶喪失が実際どういう病気なのかを解説しよう。

　最近の作品でいうと、2017年放送のNHK朝ドラ『ひよっこ』。主人公みね子の父親・谷田部実が物語序盤で失踪し、後にみね子と再会した時には記憶喪失になっていました。また、2017～2018年放送の『仮面ライダービルド』の主人公・桐生戦兎も、ここ1年間より以前の記憶を失っているという設定でしたね。

　現実において「記憶喪失」は非常に珍しく、精神医学会でも「最も発症例の少ない病気」といわれています。記憶喪失になる人間は、日本全国で年に数十人程度。その上、全くの身元不明者となると、年に数人しかいないのです。また、記憶喪失者の男女比は2：1で男が多く、記憶喪失になった患者の90％は3か月以内に回復しています。発症するのは10代後半から20代の比較的若い層が多いとされています。

　記憶喪失とは、「全般性健忘（Generalized Amnesia）」と呼ばれる解離性障害からくる解離性健忘の一種です（階層構造は解離性障害→解離性健忘→全般性健忘）。『DSM-5（精神疾患の診断・統計マニュアル）』を元に医師が診断する病名は、「解離性健忘」となります。

　ちなみに、「全生活史健忘」という日本語が使われることもありますが、これは誤り。「Generalized」は日本語に訳すと「全般性、全身性、広汎性」となり、「生活史」という意味はありません。論文で「全生活史健忘」と書く場合は、「amnesia of personal history」という英語を使います。

ひよっこ　2017年放送
（NHKエンタープライズファミリー倶楽部参照／YouTube）

仮面ライダービルド　2017～2018年放送
（テレビ朝日Webサイト参照）

Memo:

記憶喪失は、「全般性健忘」という精
神病の一種。精神病の診断マニュアル
である『DSM-5』を元に医師が診断
する。その病名は「解離性健忘」とな
り、5つのタイプに分類できる。すべ
ての記憶を失う「全般性健忘」や、特
定の人のことだけを忘れる「系統的健
忘」などがある

記憶喪失の原因と種類

　現実世界では、記憶喪失の原因は100％心因性のものです。頭を殴られるなどの外傷によって起きる
ことはありません。マンガなどでは頭を殴られたショックで記憶喪失になって、また強いショックで戻
るというのが定番の表現となっていますが、実際にはアリエナイことです。なので、『ひよっこ』の谷
田部実もひったくりに頭を殴られたという話が出てきていますが、それは記憶喪失になった真の原因で
はない可能性があります。

　現実において、記憶喪失になるのはどんな状況に置かれた人間なのでしょうか？　簡単にいうと、「自
分のすべてを黒歴史にしたい人」です。そのため、記憶喪失になっている間は負の要素がゼロで明るいけ
ど、記憶を取り戻すと「うつ」になってしまうことが多く、治療した後の経過観察が重要だったりします。

　「解離性健忘」は大きく5種類に分類でき、自分が誰なのか分からなくなるのは、3の「全般性健忘」
だけです。それ以外は自分が誰なのかは覚えています。

1　限局性健忘

　ものすごく嫌なことがあった期間に発生した出来事を思い出せなくなる。事故とか事件に巻き込ま
れた場合に、その間に起きたことを思い出せなくなったり、戦争体験などをすっぽりと記憶から抹
消してしまったりする。病気じゃなくてもよくあることだけど…。

2　選択的健忘

　起きた事件のごく一部だけが思い出せない。記憶の中で特定の一部だけが無くなるパターンで、恋
人が死んだことは覚えているのに、恋人について友人と話したことが記憶から消えていたり、恨み
は覚えているのに具体的にどんなことをされたのかは分からなくなる。

3　全般性健忘

　「ここはどこ？　私は誰？」と、これまでのすべての記憶を失ってしまう状態。我々が一般的に「記
憶喪失」と呼んでいるもの。

4 持続性健忘

　特定の時点から後を思い出せなくなる。「最近数年分の記憶が無い」といった事例で、ヒドイ目に遭ったりすると、そこから後の記憶がすべて無くなるというもの。時間が経過したことも忘れてしまうので、実際は20歳なのに「自分は17歳」と思っていたり、極端な場合には幼児になってしまうこともある。マンガや小説では、このタイプの記憶喪失もよく見かける。

5 系統的健忘

　ある特定のカテゴリーに関する記憶だけが思い出せなくなる。特定の人物に関する記憶である場合が多く、他の人間のことは覚えているのに、嫌なヤツや恋人1人分だけの記憶を失ったりする。記憶喪失になった当人よりも、忘れられた人の方がダメージを受けるかもしれない。

　さて、記憶喪失者が周囲に知り合いが誰もいない状況で発見されるのは、フィクションだけでなく現実でも起こる話。人生黒歴史化願望が根底にあるためなのか、記憶喪失になると皆さん逃げ出します。これを医学用語で「解離性遁走（dissociative fugue）」と呼ぶのです。解離性遁走と全般性健忘をセットで起こすことが多く、むしろ記憶喪失は解離性遁走の症状の一部であると考える学者もいます（「逃げ出した結果として記憶を失うのだ」とする説）。

　元々いた場所から逃げ出して、記憶を思い出すトリガーとなるものが周囲に何もない状況になると記憶喪失が完成。その際に、身分証明書など自分の名前や経歴が分かるものを無意識に捨ててしまったりします。だから記憶喪失者が発見された時、手がかりになるものを何も持っていないことが多いのです。

　ここでさらに解離性同一性障害も発症して、記憶喪失後の別人格が誕生することも珍しくありません。

記憶喪失の治療は、主に「麻酔面接（アミタール面接）」が行われる。催眠鎮静剤の「アミタール（アモバルビタール）」を注射し、心的緊張や抵抗感を弱めてリラックスさせ記憶の想起などを促す治療法だ

アモバルビタール

ただ、日常生活や常識的な受け答えは普通にできるので、異常行動が個性の範疇に収まる程度なら、周囲の人が元の人格を知らなければ、気づかれないままであることも。その場合、元の記憶が戻ると、記憶喪失だった期間の記憶が無くなって、記憶喪失中の人格も失われてしまいます。なので、それまで面倒を見ていた人からすると「突然別人になってしまった」と感じられることもあるようです。

記憶喪失の治療と回復の過程

記憶喪失が回復する過程を医学的に分類すると、以下の5段階に分けられます。

1 意識障害期

「ここはどこ？　私は誰？」と言っている時期。意識水準が低く、徘徊したり奇妙な行動を取ったりする意識障害が見られる。

2 無知受動期

活動性が低下した受け身な態度が目立ち、周りの言いなりになりやすい。生活史のみならず一般知識に障害がある場合も多く、非常識な行動を起こす不思議っ子になっていることも。

3 記憶回復期

次第に一部の記憶を取り戻す時期。

4 情緒安定期

元の人格に戻ると、記憶喪失だったことを黒歴史化して無関心を示すなど、独自の態度をとる場合がある。記憶喪失中に仲良くなっていても、この期間に入ると冷たくなる。

5 回復後抑うつ期

すべてに否定的になり、将来に対して絶望することも。時には自殺や自殺未遂を起こす。記憶喪失が治ってもうつ病になってしまう可能性が非常に高いため、治療が引き続き必要になる。

治療は、基本的に医者に任せるしかありません。素人が無理に治そうとすると、解離性障害のあらゆる症状を起こして壊れてしまうので非常に危険。記憶探しの旅などもってのほかです。強いショックを与えると治るというのもフィクションで、現実の治療法としては主に「麻酔面接（アミタール面接）」が行われています。催眠鎮静剤の「アミタール（アモバルビタール）」を注射することで意識の覚醒水準を低下させ、心的緊張・防衛機制・抵抗感を弱め、記憶の想起や感情の解放を促す治療法です。

会いたくて会いたくて震える人のための…

恋煩いの治療法

人を好きになって相手を思うのは素晴らしいことなのだが、何事も限度がある。心理状態が不安定になり、心身に異常を来すことも…。「恋煩い」という"病気"の実態を解説しよう。

どんな名医でも草津の湯でも治せないと昔からいわれるのが、「恋煩い」という病。日本に限らず、古代から人類共通の精神病だったようで紀元前360年頃には、哲学者のプラトンが「愛は深刻な精神疾患である」と述べ、ソクラテスは「愛は狂気である」と表現しています。1020年に、イスラムの知識人であるイブン・スィーナーが書いた『医学典範』には、精神病として恋煩いが掲載。そして21世紀の現代では、『DSM-5』の診断基準に従えば恋煩いは「強迫性障害」になるらしく、「生化学的には、熱烈な恋愛と強迫性障害の疾患とは区別できないようだ、という発見に対して」が、2000年度イグノーベル賞化学賞を受賞しています[※1]。

「不治の病」といわれる恋煩いですが、紀元前256年頃、生理学の創始者とされるギリシャの医師・エラシストラトスは、18歳の王子の治療に成功しています。その治療法とは、寝取り（NTL[※2]）。つまり、恋をしている女性を離婚させ、王子の妻になってもらったのです。これは、医師の診断を根拠に人妻寝取りが行われた最古の事例といわれ、結構マジメに古代ギリシャ文学の題材にもなっています。

恋愛対象を手に入れることが、唯一の根治手段というわけですね。ですが、手に入らない場合どうなるのでしょうか。恋煩いの症状として、以下のようなものが現れるようです。

「エール・ブラウン強迫観念尺度（Y-BOCS）」出典資料

https://www.sciencedirect.com/topics/medicine-and-dentistry/yalebrown-obsessive-compulsive-scale

The Y-BOCS has 10 items

1. time occupied by obsessive thoughts
   強迫観念が占領する時間
2. interference due to obsessive thoughts
   強迫観念による干渉
3. distress associated with obsessive thoughts
   強迫観念に関連した苦痛
4. resistance against obsessions
   強迫観念に対する抵抗
5. degree of control over obsessive thoughts
   強迫観念に対する支配の程度
6. time spent performing compulsive behaviors
   強迫行動を行うのに費やされた時間
7. interference due to compulsive behaviors
   強迫的な行動による干渉
8. distress associated with compulsive behaviors
   強迫行動に伴う苦痛
9. resistance against compulsions
   強迫行為に対する抵抗
10. degree of control over compulsive behavior.
    強迫行動に対する制御の程度

Each item is rated from 0 (no symptoms) to 4 (extreme symptoms). A score of 0?7 is considered nonclinical. Scores ranging between 8 and 15 are considered mild. Scores between 16 and 23 are considered moderate and scores between 24?31 and 32?40 are considered severe and extreme, respectively.

Memo:
※1 論文名は「Alteration of the platelet serotonin transporter in romantic love」
恋愛における血小板セロトニン輸送体の変化

たかが恋愛、たかが恋煩いと軽く見ていると、重症化する恐れも。不安定な精神状態が続くなら、強迫性障害という精神病の疑いもある。180ページの「エール・ブラウン強迫観念尺度（Y-BOCS）テスト」を受けて合計24点以上の人、加えて会いたくて会いたくて震える人も、心療内科で受診した方がいいかもしれない

①躁状態になり気分が異常に高揚し、夜も眠れず支離滅裂な言動を発したり不利益を顧みない行動を取るようになる。

②うつ状態になり絶望感、無力感、吐き気、啼泣、食欲喪失または過食などの症状が現れる。

③強いストレスを感じ、高血圧、胸部の痛み、慢性頸部痛、体の震え、侵入思考、対象に対する頻繁なフラッシュバックなどを起こす。

　そして、恋煩いの症状が長期間続き解消されない場合どうなるかというと、衝動制御障害に陥り、自分または他人に危害を与えるような行為に走ることに…。つまり、「八百屋お七」に代表される放火、恋愛対象に対する加害行為、無理心中、ストーカー殺人事件に発展したり、攻撃的行動の一種である偏執病になり自己中心的妄想に陥るパターンもあります。自分が愛している対象に対して、相手も自分のことを愛していると思い込む精神病としての妄想にとり憑かれ、実際に38歳の男性が15歳のアイドルに結婚を申し込み、断られると事務所を提訴して敗訴するも、しつこく控訴…という地獄絵図になるわけです。
　なので、たかが恋煩いと軽く見ないで、強迫性障害という精神病として治療を受けさせるべきといえます。治療が必要なレベルかどうかは、「エール・ブラウン強迫観念尺度（Yale-Brown Obsessive Compulsive Scale）」、略して「Y-BOCS」と呼ばれる評価法を用いて、測ってみましょう。あなたがどれくらい相手のことを愛しているかが、数値化できます。

恋煩いに効く薬と治療法

　テスト内容は180ページにまとめました。合計24点以上になった場合は、投薬を含む医師による治療が必要です。速やかに心療内科を受診して下さい。普通、強迫性障害に対しては、認知行動療法や曝露反応妨害法が行われます。しかし恋煩いの場合、これらの治療をするためには恋愛対象の積極的な協力が必要となるため、実質的に行えないどころか悪化させる危険の方が大きく困難です。

※2 ここでは寝取り＝NTL、寝取られ＝NTRとしているが、寝取り＝NTR、寝取られ＝NTRRとする説もある。どっちでもいいんだけど…。

24点以上の重度の場合は、とりあえず薬物療法を試します。現在の日本で、保険適用で処方してもらえる薬は、塩酸パロキセチン（商品名「パキシル錠」）、マレイン酸フルボキサミン（商品名「フルボキサミンマレイン酸塩錠」）、塩酸セルトラリン（商品名「ジェイゾロフト錠」）、塩酸クロミプラミン（商品名「アナフラニール錠」）などがあります。

　これらでダメな場合は、日本では未承認薬のフルオキセチン（商品名「プロザック」）。それでもまだダメなら、強迫性障害を完全に消す効果があるとして研究されている特効薬、マジックマッシュルームの成分であるシロシビンです。日本では麻薬及び向精神薬取締法で規制されているスケジュールⅠの、最も規制の厳しい薬物という扱い。そのため医薬品として処方はできませんが、医学研究で使用することは可能とされており、実験名目では使えます。

　しかし、規制が厳し過ぎて、患者に使用するのは極めて困難であり、扱える病院も極めて限られている上に、厳しい審査をクリアして製薬会社に特注で作ってもらう必要があるのです。ゆえに1ロットが、20mg錠剤50錠で1瓶1,500万円という恐ろしい価格になってしまい、1回1日1錠で約30万円。こんな高価な薬を保険の効かない自由診療で処方してもらわなければならず、どう考えても実用的ではありません。1錠約30万円もする正規の医薬品を買うぐらいなら、逮捕のリスクを犯してでも違法取引でマジックマッシュルーム買った方が安いのはなんとも矛盾していて、シロシビンの規制を見直すよう批判されています。

日本で保険適用される薬

恋煩いをこじらせて治療が必要と診断され、それが重度の場合、日本では以下の薬などが処方される。保険適用となる。

パキシル錠
（塩酸パロキセチン）

**フルボキサミン
マレイン酸塩錠**
（マレイン酸
フルボキサミン）

ジェイゾロフト錠
（塩酸セルトラリン）

効かないなら強い薬も…

保険適用の薬では効果が無い場合、別の手があることはある。日本では未承認薬の「プロザック」。一般的には抗うつ剤として用いられている。また、マジックマッシュルームの成分であるシロシビンが、特効薬として期待されている。…のだが、諸々計算すると1錠30万円にもなるため、まだまだ研究段階といったところだ。

プロザック
（フルオキセチン）

マジックマッシュルーム
（シロシビン）

Memo:

✔ 重症患者には脳へのダイレクトアタック

　ここまでクスリを盛ってもダメな場合の最終手段は、脳深部刺激療法です。心臓ペースメーカーの開発・販売で有名なメドトロニック社の「アクティバPC」という脳深部刺激療法装置を、脳に埋め込みます。

　2009年2月19日にアメリカ食品医薬品局（FDA）で承認され、2009年7月14日にEUでも承認されました。ただ、2018年現在、日本ではパーキンソン病に伴う運動障害のみが保険適用になっているので、恋煩いへの使用は自由診療となり高額な費用が必要です。具体的には、埋め込む機器本体の価格が172万円、埋め込むための手術費用がK181脳刺激装置植込術71,350点（713,500円)で、合計2,433,500円、その他費用も含めると300万円以上かかります。

　お金はかかるものの、紀元前からどんな名医でも治せないといわれてきた「恋煩い」という病は、21世紀の最先端医学では治療可能となったわけです。FDAの治療基準では、Y-BOCSスコア30点以上が脳深部刺激療法の適用基準と定められているので、極度の恋煩いに罹患しているストーカーには脳に機械を埋め込む治療が必要ということ。ストーカー殺人事件という最悪の結果になってからでは遅いので、その前に適切な治療ができるよう日本でも保険適用が望まれます。

薬物治療でダメなら脳への電気刺激という手も…

メドトロニック社
「アクティバPC」
https://www.mhlw.go.jp/
file/05-Shingikai-12404000-
Hokenkyoku-
Iryouka/0000146531.pdf
脳深部に直接電気刺激を与えて、症状の軽減を図るための装置。日本では、パーキンソン病の治療などに用いられている

自分の恋煩い度をチェックしよう!
エール・ブラウン強迫観念尺度 (Y-BOCS) テスト

問1 1日のうちでどれくらいの時間、相手のことを考えていますか?

1.特に考えない
2.1時間以下
3.1 〜 3時間
4.3 〜 8時間
5.8時間以上

問2 恋愛が社会的な活動や仕事でどれくらい障害になっていますか?

1.問題ない
2.少し障害になっているが、全体としては問題ない
3.かなり障害になってるが、何とか対処している
4.著しい障害になっている
5.恋愛相手のこと以外、何もできない

問3 恋愛に関してどれくらいの苦痛を感じていますか?

1.全く無し
2.めったに感じないか、あまり苦痛ではない
3.かなり苦痛であるが、何とか対処している
4.非常に苦痛である
5.苦痛のため何もできない

問4 相手のことが頭に浮かんだ時、振り払えますか?

1.普通にできる
2.大抵の場合は振り払っている
3.必死に振り払っている
4.めったに振り払えない
5.絶対に振り払えない

問5 うまく恋愛感情を無視できますか?

1.いつもできる
2.通常はできる
3.時々できる
4.ほとんどできない
5.全くできない

問6 恋愛相手のために用いる時間は、1日どれくらいですか?

1.無し
2.1時間以下
3.1 〜 3時間
4.3 〜 8時間
5.8時間以上

問7 恋愛行為は、社交的な活動や仕事をどれだけ妨害していますか?

1.全く無い
2.少しだけ妨害しているが、全体の生活は損なわれていない
3.明らかに妨害されているが、何とか対処している
4.著しく妨害
5.妨害され何もできない

問8 恋愛を邪魔されたら、不安の程度はどれくらいですか?

1.全く無い
2.ほんの少し
3.不安は高まるが、何とか対処できる
4.不安は非常に強く、大きな障害になる
5.不安のため何もできない

問9 恋愛感情に抵抗するために、どれくらいの努力をしていますか?

1.いつも抵抗している
2.大抵の時は抵抗できる
3.少しは抵抗できる
4.ほとんどすべての恋愛感情に浸っている
5.全く抵抗できず、むしろ進んで恋愛感情に没頭する

問10 恋愛感情をどの程度コントロールしていますか?

1.完全にコントロールしている
2.いくらかの努力と意思で、恋愛感情を止めることができる
3.時には恋愛感情を止められる
4.恋愛感情を遅らせることはできるが、結局止められない
5.恋愛感情を全くコントロールできない

すべての項目を選択したら、1=0点、2=1点、3=2点、4=3点、5=4点として合計点数を求めてみて下さい。

9点以下	正常です	24〜31点	重度の恋煩い
10〜15点	軽度の恋煩い	32〜40点	極度の恋煩い
16〜23点	中等度の恋煩い		

合計24点以上なら、心療内科の受診をお勧めします。

Memo:

人間は何のために生きているのか？

こんな人間の根本を問うような質問がありますよね。
その答えは意外と簡単で、人間は自分の気分を良くするために生きています。

極端にいえば、人間は気分さえ良ければ他のあらゆる不利益は問題にならないのです。たとえ全財産を奪われ、自由を奪われ、過酷な労働を強いられ、命まで奪われても、自分の気分さえ良ければ幸せと感じます。だからこそ、最高の幸せをもたらしてくれるものが宗教であり、恋愛であったりするのです。
逆に気分が悪かったら、莫大な財産があろうと、どんな偉い地位にあろうと、幸せではないことになります。
人間は気分が最悪になった場合、どんな犠牲を払ってでも回復させようとするものです。その最たる例が、すべてを犠牲にして行う復讐です。

脳機能で大脳皮質と感情中枢との結合が切れてしまい、感情が無くなった人間は、何を見ても価格の高低や美醜の差が無くなり、すべて同じに見えるようになります。未来も全部同じだから人と約束はできません。感情が消えると価値判断が一切できなくなってしまいます。
それゆえ、知性に感情は必須なのです。

違う見方をすれば、感情で価値判断するというシステムは、少ない演算能力と記憶力で最大利益を得られる最良のシステムであったわけですが、人間ぐらい演算と記憶の能力が上がってくると論理判断の方が感情判断より最大利益をもたらすようになります。

現代のホモサピエンスには、感情という旧式判断システムと論理演算による新判断システムの衝突という問題が発生しています。生物はどこまでも旧式システムを捨てられないという、構造的問題を抱えているのです。
つまり、人間がどこまでも進化して痕跡器官になっても感情は残るでしょう。

幸せとは何か？

自分の気分が良いことなのです。

女性が性的にイキまくる現代の奇病に迫る

イクイク病の実態と原因

女性の感度がアップしてエロくなる…エロマンガやAVの世界ではよくある表現だが、現実に存在する病気だ。これは、とある薬の普及によって生まれた"現代病"のようだ。

　女性が性的な絶頂が止まらなくなる奇病があります。一般にはイクイク病と呼ばれる「持続性性喚起症候群」で、2001年になって報告された新しい病気です。20世紀以前には患者がいなかったのか不明ですが、最近の研究で本当に世紀末になって登場した新しい病気である可能性が浮上してきました。持続性性喚起症候群は自然な病気ではなく、1988年にSSRI（選択的セロトニン再取り込み阻害薬）である「フルオキセチン」が一般化してから出現した、医原性の性機能障害のようです。

　フルオキセチンは1988年に鬱（うつ）病の薬として登場して以来、奇跡の薬として適用範囲が無節操拡大されています。特にカナダやアメリカなどでは適用範囲が非常に広く、鬱病、心的外傷（PTSD）、強迫性障害、神経性過食症、パニック障害、月経前不快気分障害、早漏、脱毛症…に至るまで処方されているのです。早漏とか脱毛症になぜ処方されるのかというと、薬でストレスが軽減すればストレスで早漏やハゲが治るだろう…という理屈です。現代の北米ではとりあえず精神的なストレス・イライラ・不安があったら、飲む定番薬として大量消費されています。

化学式
$C_{17}H_{18}F_3NO$

フルオキセチン
1988年に登場した、選択的セロトニン再取り込み阻害薬（SSRI）の一つ。鬱病をはじめとしてPTSDや精神強迫性障害など、精神的なストレスに関わる病気の治療薬として広く処方されている。しかし、あまりにもカジュアルに使用されることで、悪影響が出てきている…

Memo:

I Have 50 Orgasms A Day
truly／YouTube
性欲とは無関係にイキまくるイクイク病。1日50回もオーガズムに達するという女性が、その症状と過酷さについて説明している。クルマの振動すら刺激になってしまうらしい…

　日本における健康サプリメントのようにカジュアルに利用されていますが、気休めのサプリメントと違って本物の薬なので影響は甚大です。「SSRI後性機能障害」と呼ばれる深刻な医原性の性機能障害状態が起きています。これは性欲が減退したり、オーガズムに達せなくなったりして正常な性行為ができなくなる症状です。ところが、ごく少数の人たちは逆に性的にイキまくる方向に副作用が働いていました。つまり、鬱病の薬を使い過ぎると性機能が極度に低下する多数派と、極度に高まってしまう少数派が存在するということ。これは鬱病の薬を絶つと鬱状態になる人と、躁状態になる人が現れる現象そのままです。

　ゆえに、イクイク病の正体とは、SSRI（選択的セロトニン再取り込み阻害薬）やSNRI（セロトニン・ノルアドレナリン再取り込み阻害薬）の断薬で性的躁状態になっていた…ということになります。

　躁状態とは病的なまでに気分が高揚して、開放的になったり怒りっぽくなったりして社会的機能に著しく障害をきたす状態です。主な症状として、威張り散らす、延々としゃべり続ける、思考が飛躍する、注意散漫になる、目が冴えて眠れなくなる、焦燥感に襲われる、ギャンブルや買い物などの浪費が盛んになる…などがありますが、「性感度が3千倍になってイキまくる」も追加されました。

　セロトニンは「幸福物質」や「幸せホルモン」と呼ばれることもあり、脳内に充満していると幸せを感じる脳内麻薬として知られる物質です。選択的セロトニン再取り込み阻害薬とは、「幸福物質」や「幸せホルモン」といった物質を脳内に充満させるものですが、出る量を増やすのではなく、出た幸福物質が減らないようにするために、減らす働きの「再取り込み」を「阻害」している薬なのです。

　ネットミームでネタにされている性感度3千倍でイキまくり…の正体とは、神経が幸福物質で一杯になっている状態でした。

イクイク病の有病率は意外と多い…!?

　イクイク病の患者がどれぐらいいるのか、2020年にカナダとアメリカで有病率を調査した研究があります。それを見ると、レアな病気かと思ったら意外なほど患者がいました。

　カナダでは女性1,267人のうち0.6％にあたる7人が持続性性喚起症候群といえる状態だったのです。

NIH(アメリカ国立衛生研究所)

Persistent sexual arousal syndrome：a newly discovered pattern of female sexuality (持続性性喚起症候群：新たに発見された女性の性欲パターン)

2001年にNIHによって初めて報告された、イクイク病に関する記事

概要 Google翻訳

この記事では、セクシュアリティ、精神医学、または医学の文献でこれまで注目も記載もされていない現象、持続性性興奮症候群 (PSAS) について説明します。この症候群は、女性の性的興奮障害 (FSAD) とは正反対であり、女性の訴えは、覚醒の不足または欠如ではなく、過剰でしばしば絶え間ない覚醒である。5 つのケースの説明が報告されており、この症候群の本質的な特徴である性欲の意識的な感情がない場合の持続的な生理学的覚醒が強調されています。今日まで、これらの患者の症状の根底にあるホルモン、血管、神経、または心理的な原因は特定されていません。事例は、PSAS の有病率、病因、経過、および管理を調査する取り組みを刺激することを期待して提示されています。

ただし、カナダのデータは被験者がクイーンズ大学の心理学入門コースに在籍する学生1,874人を対象としており、標本が若い大学生に偏っています。

　一方、アメリカのデータは年齢・性別・人種・所得・居住地域がアメリカ国勢調査のデータと一致するように作られていますが、女性514人のうち9.5％にあたる49人と桁違いに多くなっています。統計データを細かく見るとアメリカの場合は高学歴白人は少なく、低学歴有色人種ほど多い傾向が出ており、最も多いのは高卒の黒人でした。

　このデータを単純に解釈すれば、大学生を対象としたカナダのデータはアメリカでいえば最も低い母集団から抽出されたデータに相当することになります。社会的地位の高い人ほど少なく、ストレスの多い底辺層の人ほど有病率が高い…と解釈できるでしょう。

　さらに、この数字は自己申告に基づいているので、恥ずかしさから有病率の過小評価をもたらした可能性があると指摘されているので、実数はもっと多い可能性もあります。そして、イクイク病の患者はむずむず脚症候群、過敏性腸症候群、慢性骨盤痛など鬱病の薬の副作用で発症する他の病気も抱えている人が多いのです。

 ## 動物が先に発見されていたイクイク病

　どうやらイクイク病は、人間様だけの病気ではなさそうです。1988年にフルオキセチンを二枚貝に与えたら性欲が増大して繁殖力10倍になった研究成果が発表され、この研究を行ったアメリカ・ゲッティスバーグ大学のピーター・フォング博士は1998年にイグノーベル生物学賞を受賞しています。が、現代の後知恵で見ると、この研究は二枚貝をイクイク病にしていただけでした。

　イクイク病は人間だけに起こるわけではなく、人間と同じ神経伝達物質であるセロトニンを持つ生物すべてに影響していると考えられています。その範囲は人間を含む哺乳類どころか、昆虫やエビや貝などの海産物にまで広く及んでいるようです。

　人間の排泄物には、体内で分解されなかった薬が含まれています。アメリカではこの薬の飲み過ぎが

Memo: 参考文献・画像出典など　●PubMed 「Persistent sexual arousal syndrome: a newly discovered pattern of female sexuality」「Persistent genital arousal in women -- a new syndrome entity」「Induction and potentiation of parturition in fingernail clams (Sphaerium striatinum) by selective serotonin re-uptake inhibitors (SSRIs)　https://pubmed.ncbi.nlm.nih.gov/」

MSDマニュアル プロフェッショナル版
世界的な製薬会社であるMSDによる医学事典「MSD
マニュアル」。こちらにも「持続性性喚起症候群」とし
て記載されている。「治療法は不明である」とのこと

セロトニン
化学式　$C_{10}H_{12}N_2O$

脳内の神経伝達物質の一種。快感を感じるドーパミンや、ストレ
スを感じた時に放出されるノルアドレナリンなどをコントロール
して、精神を安定させる働きがある

状態化しているため、下水処理場でフルオキセチンの分解処理が追いつかず自然界に放出されることに。
そうなると、川や海にいる野生動物にまで広まっている現代の広域薬害の可能性も考えられます。人間
はかなりの大型動物なのでそれなりの薬の濃度や量がないと効きませんが、体重数十gの小型生物の場
合は人間の排泄物に残留していた程度でも十分影響が出るわけです。これは生態系を破壊する、環境ホ
ルモンと呼ばれているものと同じ。最近はホルモンどころか抗鬱薬まで環境破壊していたのです。

　フルオキセチンは1988年に登場してすぐに人間だけでなく、獣医がペットにも処方するようになり
ました。日本で獣医が使うようになったのは最近ですが、獣医の中に行動診療科という専門分野が登場
しています。ペットが毛をむしったりする自傷行為、飼い主を噛んだり、寂しいと暴れたり、言うこと
を聞かなかったりする問題行動を治療してくれる獣医師です。この治療にも抗鬱薬であるフルオキセチ
ンが処方されています。ペットの異常行動は不安が原因だから、不安を感じなくなる薬を処方すれば治
るだろうという理屈です。

 ## 陰謀論と抗不安薬の関係

　アメリカでは抗鬱薬の患者が銃乱射事件を起こしているという陰謀論があり、この陰謀論に触れたこ
とがきっかけで突然に断薬して異常を起こす人も後を絶ちませんが、ワシは抗鬱薬と凶悪事件は因果関
係が違うのではないかと考えています。鬱病の薬は不安を感じなくさせてくれるので、奇跡の薬として
もてはやされています。しかし、不安を感じなくなっても不安の原因は何も解決していません。逆に不
安を感じなくなったことで解決策を取れなくなっているので、さらに不安が増えて薬が増える悪循環を
起こしています。

　つまり、薬が凶悪事件を起こしているのではなく、どうにもならない状況を薬でゴマカシ続ける限界
を超えてしまうと凶悪事件を起こすのではないでしょうか？　昔から薬に頼るなといわれてきました
が、不安の原因を取り除かずに不安を感じなくすることは危険だと考えます…。

●ScienceDirect「Prevalence of Persistent Genital Arousal Disorder in 2 North American Samples（2つの北米サンプルにおける持続性性喚起症候群の有
病率）」https://www.sciencedirect.com/
●Virbac「犬の分離不安治療薬クロミカルム」https://jp.virbac.com/home.html

トランスジェンダーの自殺率が高い理由

性別適合治療によるリスク

性の多様性は認めるべきだし、性的マイノリティへの差別は当然ダメ。しかし、肉体的に性を変更する治療は、より慎重になるべきだ。ノーリスクではないことを覚えておいてほしい。

　女性ホルモンを投与していたといわれる某有名人が自殺したというニュースがありましたが、男性から女性に性転換後に自殺する人は少なくありません。「性の多様性」を重視するあまり政治的にカジュアルに性別を変更できると宣伝された結果、性別を変えることの医学的リスクが異常なほど軽視されるようになりました。政治的な性別変更の自由を訴える人たちにとって、医学的リスクの存在は不都合なので、あえて隠蔽されているとしか思えません。

　LGBT活動に熱心でリベラルな意識の高い人たちはノーリスク信者で、自分たちの信じる素晴らしいことには一切のリスクは存在しないと思い込んでいるのではないでしょうか。その結果、医学的男性（性自認女性）がホルモン補充療法を行うことで起こる高い自殺リスクは、存在しないみたいに扱われています。しかし、トランスジェンダーの自殺率の高さは、世界中で深刻な問題になっていて調査もされているのです。

　デンマークでは、1980年1月1日から2021年12月31日までに国内に居住した15歳以上のデンマ

「Transgender Identity and Suicide Attempts and Mortality in Denmark」
JAMA Network　https://jamanetwork.com/

「トランスジェンダーは自殺死が多いか／JAMA」CareNET
https://www.carenet.com/
デンマークにおけるトランスジェンダーの自殺未遂と死亡率に関する調査リポートが、『JAMA誌（The Journal of the American Medical Association)』2023年6月27日号に掲載された。非トランスジェンダーに比べて、トランスジェンダーの自殺や自殺未遂の割合が高い結果が出ている。こちらはその調査結果を解説した記事

Memo: 参考文献・画像出典など
●IAPMD「Transgender & PMDD」
https://iapmd.org/

性自認不一致によって悩み苦しむからトランスジェンダーの自殺率が高い、ゆえに、トランスジェンダーの権利を守るべきだ…という主張になりがちだが、そう単純ではない。ホルモン補充療法などの治療を受けたことで、精神や肉体面に不調をきたし、自傷や自殺未遂につながるというリスクについてもマスコミは報じるべきだろう

ーク生まれの個人6,657,456人を対象とした調査が行われました。10万人年当たりの自殺未遂率は、トランスジェンダー498人、非トランスジェンダー71人。10万人年当たりの自殺死亡率は、トランスジェンダー75人、非トランスジェンダー21人でした。トランスジェンダーの自殺未遂者は7倍、自殺者は3.5倍高かったのです。同様にアメリカで行われた調査でも、トランスジェンダーのほぼ半数になる48.5％が過去1年間に自殺願望を抱いたと申告しています。トランスジェンダーの自殺率は、非トランスジェンダー（シスジェンダー）に比べて異常なほど高いのです。

　コンピュータ開発に携わったイギリスの天才数学者アラン・チューリングは、同性愛が犯罪だった時代に生きていたために同性愛罪で有罪になって、女性ホルモンを注射される治療を受けさせられました。その結果、自殺しています。ホルモン補充療法に自殺リスクを3倍以上に高める危険性があることは、性同一性障害が病気として公然と認められ、性別適合手術とホルモン補充療法が普及してくると大きな問題になったのです。

　性別適合のための医学的な処置を行うと自殺率が急激に高くなる大きな原因は、ホルモン注射を続けると深刻な副作用が出ることがあるからです。女性には生理前はイライラするとか、生理が始まると極度の体調不良で動けなくなり生理休暇が必要になる人がいます。こうした症状は医学的に認知されていて、「月経前症候群（PMS）」や「月経前不快気分障害（PMDD）」という名称です。

　性別適合のためにホルモン治療を受ける男性は、こういった女性特有の生理関係の体調不良も経験することになります。ホルモンを出す卵巣が無いと月経前症候群（PMS）や月経前不快気分障害（PMDD）は起こらないので、男性は経験したことがありません。ところが、男性が性別適合のためにホルモン補充療法を行うと、卵巣が無くても苦痛を伴う症状が出ます。成長期から長い年月をかけて適応してきた女性と違い、成人してから初体験する男性の場合、この苦痛を耐えるのは困難でしょう。自殺念慮に襲われて、実際に自殺してしまうことが普通に起こっているわけです。

　カウンセリングなど適切な医療ケアを受けず雑にホルモン補充療法を実施すると、命の危険が無視できないのに、最近は過剰なLGBT運動のせいでリスクが軽視され過ぎています。男性が女性と同じ肉体を手に入れることは精神的には満たせるかもしれませんが、良いことばかりではなく、女性が抱えている特有の不利益も受け入れなければならないのです。女性の場合は治療法が確立され、生理の苦痛や体

●PubMed「Transgender Identity and Suicide Attempts and Mortality in Denmark」「Past-Year Suicidal Ideation Among Transgender Individuals in the United States」
「A long-term follow-up study of mortality in transsexuals receiving treatment with cross-sex hormones」
https://pubmed.ncbi.nlm.nih.gov/

アラン・チューリング
（1912～1954年）

チューリングマシン

天才的な数学者で、暗号解読の研究者としても多大なる実績を残していたが、同性愛者だったことが罪になり逮捕。女性ホルモン注射の治療を受けた結果、自殺したとされる。死後に功績が知られるようになり、2012年に正式に名誉が回復され、2021年には50イギリス・ポンド紙幣の絵柄になった

調不良がヒドい女性は産婦人科を受診して治療を受けるとかなり軽減できるようになりました。しかし、女性になった元男性に対してはかなり高度で特殊な専門知識が必要になるので、一般的な病院とか美容外科で対応できることではありません。

　こうした問題について、性別適合手術を行うまともな医師は、事前に時間をかけてリスクの説明をしています。治療のガイドラインにある精神科領域の治療の中に「精神的安定の確認」が含まれており、自殺しないように注意を払うのは専門家の医師の皆さんは、当然分かっているのです。

　そして、トランスジェンダーには深刻な男女格差があります。長期間にわたる調査では、男性から女性に性転換したグループは総死亡率が一般集団より51％くらい高かったことが判明しています。主な死因は自殺、後天性免疫不全症候群、心血管疾患、薬物乱用、及び原因不明による死亡率の増加によるものでした。一方、女性から男性に性転換したグループの場合は一般集団の死亡率と有意な差はなかったそうです。男性のトランスジェンダーは自殺したくなるだけでなく、病気になるリスクも高まり、寿命が短くなります。

　こうしたリスクに関する説明は、繰り返しになりますが、まともな性転換手術ではきちんと時間をかけて行われています。が、最近のリベラルな性別変更のカジュアル化のせいで、美容外科で女性ホルモンを打てば女になれる…みたいに気軽に実行できることを吹聴した結果、自殺を引き起こしているのです。世間の空気的に性の多様性を後押しするような報道ばかりが先行し、性転換の治療自体にはリスクが存在しないかのような、現在の報じ方は問題でしょう。ノーリスクで性別を変えられる…なんてことはアリエマセン。

✅ 除外診断で症状を見極める

　医師の診断には「除外診断」というものがあります。よく似た別の病気の可能性を、診察や検査で除外することです。最近はなんでも発達障害（ADHD）のせいにする人が増えたせいで、自分は発達障害だと思って診断を受けたら単なる怠け者の健常者だったなんてことはよくあります。発達障害だと診

日テレNEWS／YouTube
「【アメリカ】トランスジェンダー規制強化 性別適合ケアの禁止は『命に関わる問題』」

アメリカの一部の州で18歳未満の性別適合治療が禁止され、反対デモが繰り広げられている。政治的な対立が背景にあると報じられているが、医学的な視点での解説も必要なのではないだろうか。くどいようだが、性別適合治療はノーリスクではない

断するためには、単なる怠け者の可能性を除外しないといけません。

　こうした問題は、性同一性障害にもあってガイドラインに載っています。統合失調症で自分を別の性別だと思い込んでいるなら、それは性同一性障害ではなく統合失調症になります。そうなれば治療は、性別適合ではなく統合失調症の方です。

　「美少女になりたい」と言っている中高年男性がいますが、彼らは自己嫌悪と理想の人間になりたい願望を抱いているだけで病気ではないので、医学的に治療の余地はありません。また、性自認を女にしておけば合法的に女湯とか女子更衣室に入れる…と、邪悪なことを考えているのは人格障害です。死んでも治りません。

　ガイドラインの中で特に重要なのは、「反対の性別を求める主たる理由が、文化的社会的理由による性役割の忌避やもっぱら職業的利得を得るためではないことを確認する」という一文。つまり、女性差別を受けるのが苦痛だから男になりたい、結婚も出産も嫌、女だと仕事上の立場が弱いから男になりたいと考える人はダメなんです。また、女になればパパ活や風俗で楽して大金を稼げるハズ…といったことを考えている男もダメです。こうした事例は、本人が性別を変えたいと主張しても、医学的に違うので性別適合治療の対象外になります。

　ところが、変な政治活動をやっていたりすると、自分の主張は正しい、この主張が認められないのは差別だと声を上げて、医学的な問題を無視して美容手術で美形になるみたいな感覚で性別を変えようとする人がいます。彼らは単なるワガママで、迷惑な存在に他なりません。性別を変える行為は、精神医学に基づく診断ナシにはやってはいけないのです。

　人間が生まれ持った性別を変えることは大変な作業で、非常に大きな外科手術と内科療法を伴い多くの不利益を受けます。そして、1度やってしまえば元に戻すことはできません。現代日本で性別を変えるためのハードルが非常に高く設定されているのは、取り返しが付かない大きな不利益があるからです。性別適合治療を受ければ、悩みを解決できてハッピーになれる…といった単純なものではありません。

　欧米では政治運動のオモチャにされて、性別を変えた人たちが後悔しています。人生において後戻りできない重大な決断を、簡単に決めてはいけないのです。

電磁波の影響でがんになるという都市伝説の正体

送電線とがんリスク

まことしやかに言い伝わる、「送電線の近くに住んでいるとがんになる」という話。しかし、超低周波電磁界における発がん性について、明確な証拠は無いのだ。どういうこと…?

日本において、この問題への関心が高まったのは、1992年のスウェーデンでの研究結果が大きく報道されたことによります。その内容は「高圧送電線の近くに住んでいる子供は、小児白血病の発生率が4倍だった」というもの。これがそのまま、現在に至るまで都市伝説として語り継がれているわけです。

この論文には、磁界の強さが0.3μT（マイクロテスラ）の環境で生活していると小児白血病の発生率が3.8倍になると書かれています。しかし、実はこの論文、統計データの処理が間違っており、環境要因と病気の間に存在しない因果関係を作り出してしまう「クラスター錯覚」が発生していたのです。

スウェーデンで行われた調査では、800種類もの病気について統計が取られた中で、小児白血病だけが発生率4倍に。その他の、大人の白血病や、がんになりやすい部位（大腸・胃・肺・乳・前立腺）についてのデータは至って普通でした。

これは、統計学における「多重比較問題」と呼ばれる現象です。たくさんのデータを扱っていると、偶然では起こらないはずのことでも、確率の法則に従って、一定割合で起きてしまう場合があるんですね。それをクラスター錯覚で結び付けてしまっていたのです。

本来、統計学には、そのような偏った値が原因で間違った結果が出ることのないように、有意水準・信頼区間・P値など、いろいろと難しい計算理論があります。しかし、このスウェーデンの論文では、偏った値を排除しきれていなかったようです。結局、「小児白血病だけ発生率が4倍」は、その調査において低い確率ながらたまたま発生した数字に過ぎなかったというわけなんですね。

このことは1995年、アメリカの公共放送PBSの番組『FRONTLINE』でも取り上げられています。

—— they began accusing the Swedes of falling into one of the most fundamental errors in epidemiology, sometimes called the multiple comparisons fallacy. （筆者訳：科学者たちは、スウェーデンが疫学における最も根本的な誤りの一つに陥っていると非難し始めました。それは多重比較問題と呼ばれるものです）「PBS FRONTLINE Currents of Fear」(Internet Archive)

「統計」というものは、物事の性質や傾向を知るためには重要な学問ではあるのですが、「絶対に正しい数字」を出せるわけではありません。データの選び方次第で、とんでもない結論を導き出してしまう

Memo:
参考資料・画像出典など　●「Magnetic Fields and Cancer in Children Residing Near Swedish High-voltage Power Lines」
American Journal of Epidemiology, Volume138, Issue 7,1 October 1993, Pages 467〜481　https://academic.oup.com/aje/article-abstract/138/7/467/151494

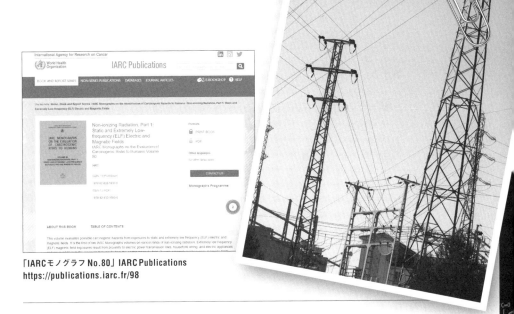

「IARCモノグラフ No.80」 IARC Publications
https://publications.iarc.fr/98

「高圧送電線の近くに住むとがんになりやすい」といった説は、1992年に発表されたスウェーデンの研究「Magnetic Fields and Cancer in Children Residing Near Swedish High-voltage Power Lines」から始まった。しかし、その統計データの処理には致命的なミスがあった。2001年には国際がん研究機関(IARC)が、概ね否定的な見解を発表。小児白血病は無関係とは言い切れないが、関係があるという証拠も無いため疑わしいとしている

こともあるのです。

 IARCの評価を正しく解釈する

　2001年6月、国際がん研究機関(IARC)は静電磁界及び超低周波電磁界(0～300Hz、日本の送電線の50～60Hzを含む)のばく露による発がんに関して、正式な評価を実施しました。それが「IARCモノグラフ No.80」です。では、その結論がどうだったのかというと…。

超低周波磁界は「人間に対して発がん性があるかもしれない」(グループ2B)

　これを見て「国際的な機関が発がん性があると認めた!」と勘違いしている人がいます。が、そういう話ではありません。まず、この評価は「その物質や環境が、がんの原因となるかどうか」を分類したものです。「がんの引き起こしやすさ」を評価したものではない点に注意して下さい。
　そして、この結論の前提として書かれている、超低周波磁界の「総合評価」は以下の通り。

●Internet Archive「PBS FRONTLINE Currents of Fear」
　https://web.archive.org/web/20160203040412/http://www.pbs.org/wgbh/pages/frontline/programs/transcripts/1319.html
●WHO ファクトシート322「電磁界と公衆衛生 超低周波電界へのばく露」　https://www.who.int/peh-emf/publications/facts/FS322_Japansese.pdf

・超低周波磁界の発がん性について、人間の小児白血病に関する証拠は限定的である。

・超低周波磁界の発がん性について、人間の小児白血病以外のすべてのがんに関する証拠は不十分。

・超低周波磁界の発がん性について、実験動物における証拠は不十分である。

　ご覧の通り、かなり否定的ですね。では、なぜここから結論が「発がん性があるかもしれない」になってしまうのでしょうか。問題となっているのは、小児白血病についてのみです（それ以外のがんについては、そもそも発がん性を示唆する有意なデータが存在しない）。複数の疫学研究のデータを元に分析した結果、超低周波磁界が0.3〜0.4μTを上回る居住環境では、小児白血病の発生率が倍増するというパターンが見られました。スウェーデンの研究からは半減していますが、それでも数値が高いということは、やはり…？と思いがちですが、これを「発がん性がある証拠」だと早合点してはいけません。研究者らは、あくまでも慎重な立場を取っています。

> ——しかしながら、疫学的証拠は、選択バイアスの可能性など手法上の問題によって弱いものになります。加えて、低レベルのばく露ががん発生に関与することを示唆するような生物物理学的メカニズムとして正当と認められたものはありません。（中略）加えて、動物研究は主として影響なしとの結果を示しています。したがって、これら全てを考慮すれば、小児白血病に関連する証拠は因果関係と見なせるほど強いものではありません。（WHO　ファクトシート322「電磁界と公衆衛生 超低周波電界へのばく露」より引用）

　疫学研究は、統計データから傾向を読み取る学問です。スウェーデンの研究で「クラスター錯覚」が起きていたように、誤った結論を出してしまう可能性を捨てきれないのです。このように、慎重かつ否定的な注釈があった上で、国際がん研究機関（IARC）ではグループ2Bに分類して発表したというわけです。ちなみに、IARCによる発がん性の分類は、グループ1からグループ4まであり、代表的なものは、経済産業省のサイトで確認できます。

　というわけで、結論としては「送電線の近くに住んでいるとがんになる」というのは誤った認識ということです。正確には、小児白血病については現時点では無関係であるとは言い切れないが、関係があるという証拠も無く疑わしい。そして、小児白血病以外のがんについては、有意なデータは一切存在しないので、完全にデマということになります。特に後者については、騙されないようにくれぐれも気を付けて下さいね。

Memo:
●経済産業省Webサイト「IARCによる発がん性分類」
https://www.meti.go.jp/policy/safety_security/industrial_safety/sangyo/electric/detail/e_health/senmon_kikai.html

補講

[KARTE No.048-050]

未熟児養育医療を発展させた名医には師匠がいた！

謎の医師・クーニーの弟子

18ページからの「5,000人の未熟児を救った男」で解説した、稀代の医師・クーニー。彼から学び、「アメリカの新生児学の父」と呼ばれるようになった名医の知られざる物語。

　クーニーは遊園地の見世物小屋で未熟児たちを救いましたが、これをアメリカの標準医療にしたのは弟子の功績です。1914年、シカゴのマイケル・リース病院で働いていた1人の医師が、クーニーを訪ねて来ました。彼の名はジュリアス・ヘス。後に、「アメリカ新生児学の父」と呼ばれる人物です。彼は自分の病院で生まれた未熟児を助けてほしいと、クーニーに懇願しました。クーニーは彼から58人の未熟児を引き取ると、コニーアイランドの見世物小屋で育てたのです。赤ちゃんが元気に育ち親元に帰っていくのを見たヘス医師は、これこそ救いの手だと確信しました。

　翌1915年、シカゴへ戻ったヘス医師は、看護婦のイブリン・ランディーンと協力してマイケルリース病院にインキュベーターを設置します。そして1922年、ヘス医師は彼女と共著で世界で初めて未熟児を救うためのガイドラインを作成。同年に設立された全米初の未熟児専門施設は、多くの赤ちゃんを救うことになったのです。

　しかし、ヘス医師は決して師匠のことを公の場で語りませんでした。周囲の医師には、フランスの高

マイケル・リース病院
1881年に建造されたシカゴの病院。1915年、クーニーから薫陶を受けたヘス医師は、看護婦のイブリン・ランディーンと協力して、このマイケル・リース病院に保育器であるインキュベーターを設置した

新生児救急車
インキュベーターを車内に備えた、新生児搬送用の救急車。車両の前にいるのはマーティン・クーニー。車体には「BABY INCUBATORS PREMATURE STATION WORLD'S FAIR」と記されているので、ニューヨークの国際博覧会で展示されたもののようだ

Memo: 参考文献・画像出典など
● ニューヨーク公共図書館「マーティン・クーニーと看護師と新生児救急車」 https://digitalcollections.nypl.org/items/5e66b3e8-d861-d471-e040-e00a180654d7
● National Library of Medicine　https://collections.nlm.nih.gov/

持ち運び型（1922年）

酸素ボンベ接続型（1934年）

ジュリアン・ヘス
（1876〜1955年）

ヘス医師は、看護師のイヴリン・ランディーンと協力し、ガイドラインを作成するなど未熟児養育医療の普及に尽力。各種インキュベーターも開発した

名な医師が発明したものだと言って、クーニーからもらった資料を配布していたそうです。不思議なことに、その高名なフランスの医師であるステファン・タルニエの資料は英語版しか現存しておらず、パリ大学にもフランス語の資料は現存していません。それどころか、当時のフランスの医学書に1ページも登場しない謎の資料でした。未熟児を救うことを悪とみなす優生学信奉者から攻撃されていたヘス医師は、師匠が見世物小屋の興行主だとは明かせなかったのです。

　それから時が流れ1934年。ヘス医師がクーニーに預けた58人の赤ちゃんは20歳になっていました。アメリカで新生児学の権威となっていたヘス医師は、同年7月25日、師匠を称えるために58人のうち41人が、母親と共にコニーアイランドを訪ねます。コニーアイランドで帰郷式典を開いたのです。せめてもの恩返しでした。
　ヘス医師の働きにより多くの医療関係者が未熟児を救うことに目覚め、1940年代には未熟児に適切な医療を行うことが社会常識となったのです。見世物小屋に子供を預ける親は、もう誰もいなくなりました。遊園地の見世物小屋は役目を終えたのです。クーニーの弟子の努力によって、未熟児の養育は常識的な普通の医療になったのでした。
　ちなみに、ヘス医師がインキュベーターを設置したマイケル・リース病院は、当時としては画期的な施設でした。設立者は、マイケル・リースというシカゴの不動産王。国籍や人種にかかわらずどんな患者でも見捨てない病院を作るよう、遺産の相続人らに指示して、1881年に設立されました。アメリカで救急車を初めて導入した病院でもあり、世界で初めて他の病院で生まれた未熟児を搬送するためのインキュベーターを搭載した新生児救急車も導入しています。
　しかし残念ながら、マイケルリース病院は財政難により2009年に倒産してしまいました。シカゴの広大な一等地はその後、再開発計画が何度も持ち上がりオバマ元大統領の記念館、オリンピック村、Amazonの新本社ビル…などといった計画が持ち上がるものの、どれもうまくいっていません。2023年現在も更地のままです。

●BMJ Journals「Julius Hess, MD, (1876-1955) and the premature infant」 https://journals.bmj.com/home
●ジュリアス・ヘス https://en.wikipedia.org/wiki/Julius_Hess　イヴリン・ランディーン https://en.wikipedia.org/wiki/Evelyn_Lundeen
●マイケル・リース病院 https://en.wikipedia.org/wiki/Michael_Reese_Hospital

医療の現場で不足している治療薬にまつわるビジネス

人の尿から作られる薬

血栓の治療薬などの原料は、人の尿…。重要な薬剤の元になっているので、中国では尿の買い取りが大きなビジネスとして成立している。おしっこの確保が人類を救う!?

　飲尿療法と呼ばれる民間療法がありますが、人間の尿が生薬になる伝説は古代から存在していたようです。中国では2008年に、浙江省東陽市の無形文化遺産に伝統料理として「童子尿煮鶏蛋（童子蛋）」が指定されました。読んで字のごとく、子供の尿で煮込んだ鶏の卵です。「童子尿」とは10歳以下の男児の尿のことで、大人でも女児でもダメ。10歳以下の男児と明文化されていて、本当に中国の漢方薬の原料一覧に載っています。「童子尿煮鶏蛋」で画像検索してみると分かりますが、本当に子供が煮るための尿を出している写真が出てきます。

　まあ、そんな謎の漢方薬は迷信ですが、真面目なエビデンスのある西洋医学でも、人間の尿が薬の原料になっているのです。現在、日本も含めた世界中の臨床現場で使われている尿を原料とした代表的な薬には、以下のものがあります。

ウロキナーゼ	血栓を溶かす血栓溶解薬
ウリナスタチン	急性膵炎の治療薬
ヒト尿カリジノゲナーゼ	血管拡張薬
ヒト絨毛性ゴナドトロピン	排卵誘発剤

CHINA LIVE 直播中国／YouTube 「童子尿鸡蛋居然还有这么多人愿意吃连老外也在吃」
中国東部の浙江省には「童子蛋」という伝統料理がある。男児の尿で煮込んだ、鶏のゆで卵のこと。こちらは2018年の童子蛋イベントを伝えるニュース。会場で男児が放尿しているシーンもあり、新鮮な聖水で作られていることが分かる。外国人もパクついていたが、どういう気持ちで参加していたのだろうか…

Memo: 参考資料・画像出典など
●持田製薬「ウロナーゼ製剤の供給不足に関するご報告とお願い」
https://www.jrs.or.jp/information/file/20220722_mochida.pdf

ウロキナーゼ

人の尿を原料とする薬は漢方薬だけでなく、西洋医学にも実在する。特に、日本で不足して困っているのが血栓溶解剤のウロキナーゼ。集めた尿の出荷を中国が渋っているようで、欧州の製薬会社での製造が調整され、国内の医療現場で影響が出始めている

　こうした薬は尿以外に人間の組織を培養して作る方法もありますが、コストの問題から中国で尿を集めて原料に精製してもらってから、ドイツなど欧州の製薬会社で最終加工する方式になっています。そのため、中国で2009年に尿を集めて薬の原料を作るための企業「江苏艾迪药业股份有限公司」が設立され、現在では400以上の子会社が中国全土で尿買い取りビジネスを展開。この会社は現在も尿の買い取りを行っていますが、事業が好調なようで、今や尿集め以外にもいろいろな薬業を手広くやっている上場企業です。

　2012年、中国の浙江省東陽市の小学校が製薬会社に尿を提供していることがニュースになりました。中国でも日本みたいに男は小便器だけが分離しているところが多いので、尿集めに便利だったのです。ところが、新型コロナウイルス感染症の影響で、中国で尿集めができなくなると原料が枯渇し大変なことになりました。現在、日本の医療現場で薬が不足し困っているのが「ウロキナーゼ」です。

　2022年から出荷調整が始まっていたのですが、2023年になって本格的に在庫が枯渇してきました。「ヘパリン」は血液を固まりにくくして血栓ができないようにする抗凝固薬ですが、脳とか心臓の血管が血栓で詰まってしまった人はウロキナーゼで血栓を溶かすしかないのです。血栓ができてしまった患者には必要不可欠な薬なので、これが使えないと困るどころではありません。脳梗塞で救急車で運ばれた先にこの薬が無ければ、そのまま死ぬか、命は助かったとしても障碍者になる恐れがあります。

 尿買い取りビジネスの実態

　尿が必要不可欠な薬の原料になっているため、中国では全国規模で買い取りが行われています。ウロキナーゼは中国語では「尿激酶」であり、これは中国の国家必須医薬品リストで1番上の重要度に指定。ゆえに、原料調達に補助金が出ます。トイレにステンレス製の汚染に強い収集用の小便器を設置する場合、補助金の対象になるというわけです。

　これを利用して製薬会社の子会社が、全国の学校に尿の買い取りを持ちかけています。学校側としても、小便器を設置すれば国から補助金が出るのでおいしい副業です。そして業者は尿1トンから1,100〜1,500元（約21,000〜29,000円）の利益が出るので、2千人規模の学校なら年間で20万元（約395万円）〜30万元（約597万円）の収入になるとのこと。子供たちにも保護者にも、大勢の難病患

●ScienceDirect「The Case of Abbokinase and the FDA：The Events Leading to the Suspension of Abbokinase Supplies in the United States」
https://www.sciencedirect.com/

中国辽宁卫视官方频道 China Liaoning TV Official Channel／YouTube「童尿蛋在东阳大受欢迎,童子尿更是稀缺资源丨王刚讲故事」
小学校のトイレに洗面器やバケツが並べられ、尿を集めて業者が引き取っていることを報じたニュース。これはあくまで童子蛋を作るための尿集めだが、2012年には小学校が製薬会社に尿を提供していることがニュースになった

者を救うためだと説明すれば建前もきれいでしょう…。

　医学的には尿を出す人の年齢は関係ないのですが、中国ではよくある話で、末端業者ほど迷信を信じがちです。漢方薬の「童子尿」と混同してしまい、小学校や幼稚園への設置が優先的になっているようです。日本でも1970年代までは自衛隊基地でやっていたぐらいなので、別に工場でもオフィスでも問題ないのですが、変な迷信が入るのは安定の中華クオリティといったところでしょうか。

　こうした尿買い取り相場は、普通の人の尿の場合、1kgあたり1.1〜1.5元にしかなりません。ところが、特別に1kg12元（約237円）と10倍で売れる尿があります。妊婦の尿です。特別価格で売れるので、産婦人科医院が自分のところに来る妊婦から買い取ることもある模様。中国では有名な話のようで、「孕妇尿液每公斤12元」でネット検索すると、ニュース記事がたくさんヒットします。

　さて、なぜ妊婦限定で10倍のプレ値が付くのかといえば、「ヒト絨毛性ゴナドトロピン」が妊婦の尿にしか含まれていないからです。妊娠中に産生されるホルモンで、不妊治療に重要な排卵誘発剤の原料になっています。なお、尿をかける妊娠検査キットも、このヒト絨毛性ゴナドトロピンがあるかどうかを見ているのです。

 ## 尿以外から作る方法はあるが…

　そこまで重要な薬なら尿以外の原料から作る方法は研究されていないのか…というと、昔は作っていました。アメリカの製薬会社アボット・ラボラトリーズ社が1978年に、腎臓細胞を培養してウロキナーゼを開発しアメリカで医薬品の承認を取得。一時期はアメリカで使用される薬の多くを占めたことがあったのですが、大きな問題が起こりダメになりました。培養元の腎臓細胞は、死産した胎児や生まれてすぐに死んだ新生児を製薬会社が買い取って解体して原料にしていたのです。

　この事件は人道上の問題以上に、感染症が問題になりました。母子が肝炎やエイズなどの感染症にかかっていると、薬を投与された人まで感染してしまう薬害事件が起こったのです。ゆえに、現在のウロキナーゼは尿を原料とするものになりました。

Memo:

江苏艾迪药业股份有限公司　https://www.aidea.com.cn/
尿を集めてウロキナーゼなど、薬の原料を作るために設立された企業。尿の収集には国が補助金を出すほどなので、2009年の設立以来、現在では400以上の子会社が中国全土で尿買い取りビジネスを行い、巨大企業に成長している。なお、協力する学校は補助金によってステンレス製の専用小便器に変更しているという

　尿より合理的な材料を探したら、赤ちゃんの死体になって、その挙げ句に薬害事件を起こしたのは笑えません。製薬会社が赤ちゃんの死体を買っていたのは1970〜1980年代で、実際に起こった事件です。

ウロキナーゼは闇の薬になるのか？

　現在、中国では脳梗塞や心筋梗塞など血栓ができる病気の治療薬の需要は増え続けています。病人が増えたというより医療水準が劇的に向上して、薬さえあれば治療できる病院が増えたおかげで、昔だったらそのまま死んでいた人が助かるようになったみたいですが、安価で確実な効果があるウロキナーゼは極めて重要な治療薬です。そのため、今まで輸出していた原料を国内で最終製品に加工して中国内で消費する方向にシフトしてきました。

　欧州の製薬会社に原料の出荷が渋られるようになったため、製造量が減り、結果として日本ではウロキナーゼが不足する事態になっています。ここでの問題は、中国製の薬は日本では認可されないということです。中国から薬を輸入することも使うことも可能ですが、それは同じ成分で同じ効果があっても未承認薬になるので保険診療で使えません。もしもこのまま、欧州産の承認薬が手に入らなくなると、日本中の患者が困るのですが、自由診療で使うために未承認薬を輸入するようなことになれば脳梗塞や心筋梗塞の患者はその場で即決して、数百万円の自由診療を受けないと死んでしまう状況に追い込まれるのです。こうした薬は血管が詰まってから使えるまでの時間が限られているので、即断即決が必要で、金の問題で悩むなんてことがあってはなりません。最も簡単な解決策は中国の薬を承認することなのですが、日本の薬価は渋いので日本で売っても儲からないからと中国から断られる可能性があるのが、この問題の難しいところです…。

　現在、日本で手に入りにくくなった薬は他にもたくさんあります。日本の医療行政の失敗はいろいろあるんですが、必要な薬が手に入らない問題がその最たる例で全国的に影響が出始めています。医療従事者が、何とかやり繰りして凌ぐのもさすがに限界がきました。お金がない人でも医療を諦めなくていい世界一の国民健康保険制度は、こんなところから綻び始めています。

健康食品として大人気…養殖ビジネスの闇

中国の孔雀食事情

YouTubeでも見られるようになった**孔雀**をさばいて食べる動画。その本場は**中国**だ。本来は食べることが禁じられているが、**観察・研究用として流通し巨大ビジネスとなっている**…。

　中国では、孔雀の肉と卵が健康食品として高く売られています。科学的には証明されていませんが、孔雀の肉と卵には一般的には以下のような効能があると信じられているのです。

① 免疫力向上
② 抗酸化とアンチエイジング
③ 細胞を保護し修復する
④ 糖尿病の改善
⑤ 抗がん作用
⑥ 目の保護

⑦ 赤血球の酸素運搬能力を向上
⑧ 心血管及び脳血管疾患の予防
⑨ デトックス＆抗ウイルス
⑩ 肝臓の保護
⑪ セレン（ミネラル）が豊富に含まれている

　ゆえに中国では、21世紀に入ると孔雀養殖場が各地に乱立して、孔雀の肉と卵を効率的に生産するための発明が特許を取得したり、飼育マニュアルも出回っています。孔雀農家を取材したとある記事では、農場の年間利益は100万元（1,900万円）を超えているとあり相当儲かっている様子。孔雀を繁殖させる投資のネット記事も散見されます。

重慶の路上で孔雀肉料理を販売する店が存在していることを報じている。2000年代初頭から、孔雀の養殖が始まった影響だろう（「新聞中心」2007年5月19日）

厦門のレストランで、孔雀料理を提供している店が摘発されたという2022年のニュース。政府としては、孔雀の薬効を信じないように注意喚起しているようだ（「厦門日報」2022年4月15日）

Memo: 参考文献・画像参照など
● 卵の生産性が高い孔雀の選抜と育種法　https://patents.google.com/patent/CN108056069B
● 百度百科「孔雀の卵」に特別な効能が書かれている。　https://baike.baidu.com/item/%E5%AD%94%E9%9B%80%E8%9B%8B/19858825

メス

オス

インドクジャク（青孔雀）
見た目の美しさから霊的な効能を信じられており、中国では孔雀肉が健康食品として人気がある。インドクジャクは、観察や科学的研究のためなら合法的に飼育できるため養殖自体は違法ではない。肉や料理の販売は違法になるため、生きたまま売買されるなど法律のスキを突いた産業となっている

　孔雀の卵は現在の中国では人気の健康食品で、ネット通販を検索してみると20～45元（約380～860円）で普通に売っています。孔雀肉は1斤（500g）が100元（約1,900円）ぐらいといわれていますが、ネット通販を検索しても直接は孔雀肉の販売や孔雀肉料理を提供している店は見つかりません。なぜなら、中国では孔雀の卵を売るのは合法なのに、孔雀の肉自体とその肉を使った料理を売るのは違法だからネットに堂々と記載できないのです。しかしながら、実際には孔雀料理を出している店が街中に多くあり、店頭に孔雀の剥製が飾ってあるのは孔雀料理を裏メニューとして提供しているサインだとのこと。店先の看板にハッキリと「孔雀料理」と掲げていた店は、通報→摘発されているので、そういった暗黙のルールがまかり通っているのでしょう。…ともかく、違法な料理にもかかわらず普通に提供している店が存在する困った状態になっています。

　中国政府が定めた「国家畜禽遺伝資源目録」のリストに載っている動物以外は、食べることが禁止されています。これはホワイトリスト方式で、載っていない動物はすべてアウト。孔雀はリストアップされていないので違法というわけです。

　しかし食用としてではなく、観察または科学的研究のために飼育することは法律上問題ないため、肉や料理の販売は違法でも、孔雀養殖場は違法ではありません。そして、卵は規制対象外なので好き放題に売られています。また、個人的にインドクジャクを購入して飼育することは合法で、個人的に自分が飼っている個体を屠殺して食べること自体も違法ではありません。ただ、それを売ったらアウトです。これが法の抜け道になっていて、肉ではなく生きている状態の孔雀を売る方式で取引されています。中国の検索サイト百度（https://www.baidu.com/）で「孔雀肉」と検索してみると、孔雀の肉や料理に混ざって摘発されたニュースが出てくるでしょう。孔雀肉のレシピが普通に出てくるのも、そういう理由からです。

　一般的な中国人が孔雀を食べるようになったのはいつ頃からかというと、1980年代からと説明しているテレビニュースもありますが、実際には養殖が本格化して流通に乗るようになった21世紀に入っ

●孔雀の卵の飼育方法　https://patents.google.com/patent/CN104206349A
●中国人民共和国中央人民政府「农业农村部公布〈国家畜禽遗传资源目录〉」　https://www.gov.cn/xinwen/2020-05/29/content_5515954.htm

山奥の「美しい産業」

2021-06-10 12:04

☆添記記者

「クジャクの飼育に必要な環境は比較的高いです。クジャクは静かであることを好みます。あらゆる種類の騒音がクジャクの成長と発育に影響を与え、産卵と受精率を低下させるため、農場は人里離れた静かな場所に建てるべきです」と語るリリ孔雀農場の責任者、京商泉泉市の醇宇醇豊さんは記者集団に対し、飼料を用意し、餌を与え、水を与えている 8年間、ほぼ毎日クジャクと一緒にいると語った。、クジャクの専門家として有名になりました。

「私たちのクジャク農場は2004年に設立されました。当時、母はクジャクの飼育が経済的に有利であることを知り、広州から約50羽のクジャクの苗木を導入しました。10年以上の発展を経て、農場は平均で2～3羽のクジャクを飼育できるようになりました」2013年に高校を卒業した後、Bi Xuefeng さんは母親のクジャク農場経営を手伝い始めました。幼少の頃から学んだことのおかげで、Bi Xuefeng さんはすぐにこの業界に入りました。ビジネスは活況を呈していました。

Bi Xuefengさんは、農場のクジャクは主に醤脚地や動物園に販売されており、ペットとして購入する価格もいると紹介した。また、現在の飼育法が比較的盛んしているため、クジャク苗の販売も大きなシェアを占めています。「観賞用のクジャクやペット用のクジャクの価格は数千元、苗の価格は約200元なので、クジャクの経済的価値は比較的高い。現在、農場の年間利益は100万元を超えています。」

現在、リリビーコックファームには青孔雀、白孔雀、花孔雀の3種類がいますが、このうち白孔雀と花孔雀は孵化過程で突然変異した品種で、比較的稀少なため、経済価値が高いです。の育い為。そのため、当農場は交配に必要な白孔雀の雄と雄を厳選し、2～3世代にわたって選抜・繁殖を行っています。現在、白孔雀と花孔雀の子孫の割合が大幅に増加し、品種も良くなりました。

孔雀の養殖ビジネスでは、エサや孵卵器などの飼育用品が最も大きく利益を上げているともいわれる。これは孔雀用飼料。ウチなんて農協の安価な養鶏用飼料なのに…。孔雀の養殖ビジネスでは、エサや孵卵器などの飼育用品が最も大きく利益を上げているともいわれる

↩孔雀の飼育産業についての記事。日本語訳をすると「山奥の美しい産業」といったタイトルで、孔雀の養殖ビジネスを肯定的に捉えている。年間の利益は、100万元（1,900万円）を超えているという

てからのようです。孔雀の養殖が始まった頃は、生きている孔雀の雛が300～1,000元（5,500～18,500円）、成体で1,500～1,800元（27,800～33,300円）ぐらいでしたが、稼げると思って手を出す農家が多くなり、ここ10年で供給過剰になっているみたいで2023年のネット価格を調べてみると、孔雀の雛が45～130元、大人で380～620元ぐらいになっています。

中国のネット通販大手の「淘宝網（タオバオワン）」で、雛の「孔雀苗」や成体の「成年孔雀」といったキーワードで検索してみると、大量に出品されていることが分かるでしょう。"看板用"の孔雀の剥製も普通にネット通販で売られています。

ちなみに、雲南省には「孔雀饗宴」という伝統料理がありますが、これは孔雀の頭を模した飾りを立てて、孔雀の羽のように料理を並べる豪華な晩餐の盛り付け方のことで、孔雀自体が食材ではありません。他にも孔雀の文字が入る料理はありますが、見た目が派手で孔雀を模しているものばかりで食材として使っているわけではないのです。

 ## 鶏の6倍以上…孔雀の飼育コスト

現在の鶏は長年の品種改良の末に、極めて経済性の高い家畜になっています。食肉にする場合、孔雀は大人の大きさに育つまで1年近くかかるのに対し、ブロイラーは50日で出荷できます。ブロイラーに比べると5～6倍もの日数とエサが必要です。また、鶏は孵化後120日で卵を産み始めますが、孔雀は2年近くかかります。卵を産む数も品種改良された鶏に比べて少なく、飼育に必要な土地面積が広い

Memo：　●搜狐「深山里的"美丽产业"」　https://www.sohu.com/a/471429429_120333600
　　　　●百度百科「孔雀宴」　孔雀のような形に盛り付けた料理で、孔雀が食材ではない。
　　　　https://baike.baidu.com/item/%E5%AD%94%E9%9B%80%E5%AE%B4?fromModule=lemma_search-box

中国のポータルサイト「百度」で、「孔雀肉」と検索したところ。食用として禁じられているはずなのに、料理のレパートリーがズラリとヒットする。なお、卵の売買は制限されておらず、肉と同様に特別な効能について説明されている

ことも考えると、高コストな家畜といえます。それでも孔雀の肉は、鶏の肉よりもはるかに高額で売れるので採算が取れていましたが、皆が儲かると思って孔雀養殖に飛びついたため、供給過剰になって値崩れしている典型的な資本主義の流れになっています。原価が高いので値崩れすると採算性の悪い養殖場や零細業者は次々と潰れ、効率化を追求して飼育コストを抑えた大規模業者のみが生き残っているという状況です。養鶏技術の応用で飼育環境を人工的にコントロールし、生育期間の短縮に成功しているという話もあります。

　この孔雀版ゴールドラッシュで最も儲かったのは、実は道具を売る業者だったなんて話もあり、最近は孔雀にも使える孵卵器（元は鶏用）や孔雀用飼料まで売られている状況です。ワシの家では、農協から買っている安い鶏用の飼料なんだけど…。

　日本の養鶏との違いは、孔雀養殖場にはオスも一緒にいて有精卵が販売されていることです。孔雀は一夫多妻制の習性があり、飼育マニュアルにはオス1羽に対してメス1〜8羽と書かれています。交尾は非常に短時間で、YouTubeなどで動画を見ると分かりますが、ほんの10秒ほどです。

　また、白孔雀は希少ということでより高値で取引されていますが、白孔雀だけを増やす技術が確立してきたようで、今はそれほど極端に高いわけではなさそうです。

過剰な孔雀ブームによるさまざまな影響

　中国にいる孔雀は、インドクジャクとマクジャクの2種類です。中国語でインドクジャクは「藍孔雀」で、日本語にすれば「青孔雀」。マクジャクは「緑孔雀」で、日本語では「緑孔雀」になります。白い孔雀はインドクジャクの突然変異種で、独立した種があるわけではありません。普通のインドクジャクと白孔雀が混ざった「花孔雀」と呼ばれる種もいますが、これもインドクジャクの変異種扱いです。

　外見上の違いは、青孔雀という名前の通り首回りが青いのがインドクジャクで、緑孔雀の名前の通り首回りが緑色なのがマクジャクです。マクジャクの方がひと回り大きく、よく見るとトサカの形が違う

●孔雀人工繁殖用ケージ　https://patents.google.com/patent/CN203985507U
●本来は孔雀の飼育に適さない海抜の高い場所で孔雀を人工飼育する方法　https://patents.google.com/patent/CN105104290A

農業農村省公布
「家畜家禽の全国遺伝資源カタログ」
中国政府は、飼育や販売OKの動物
についてまとめて公布している。違
法な野生動物の取引や無差別に食べ
る行為を禁止し、人体の健康を守る
ために安全性を科学的に確認した動
物をリストアップ。ホワイトリスト
方式のため、ここに記載されていな
い動物の販売はNGということにな
る。鳥類では鶏、アヒル、ガチョウ、
ハト、ウズラなどがOKとなる

鶏、アヒル、ガチョウ、ハト、ウズラ

など、細かい違いは何か所もあります。

　そんなマクジャクは飼育が難しいため、インドクジャクのように家畜化に成功していません。ゆえに、食べようと思ったら野生生物を捕まえるしかないのです。マクジャクは中国南部の雲南省に少数が生息していますが、第一級保護野生動物に指定されており、飼育はもちろん食べることも禁止されています。そこでマクジャクの密猟が横行しました。

　孔雀を食べるブームが起きるまではマクジャクは深刻な絶滅危惧種だったわけではなく、このブームが始まると生息数が急速に減り始め、2006年に絶滅の脅威レベルが「脆弱」から「絶滅危惧」に引き上げられました。原因は狩猟とされているので、完全に人間のせいです。

　そして、マクジャクの急速な減少は中国経済に悪影響を及ぼしました。生息地が水没して絶滅するという理由で、ダム建設にストップがかかったのです。中国で絶滅危惧種を理由にダム工事がストップしたのは初の出来事。マクジャクが絶滅危惧種でなければ、計画はストップしなかったでしょう。で、ダム工事が中止になったことで何が起きるかというと、電気代の高騰です。
因果関係を並べてみるとこうなります。

孔雀を食べるのが流行る➡絶滅しそうになる➡保護が厳しくなる➡保護のためにダム建設が中止➡電気代がバカ高くなる➡モノの価格に反映➡国民にダメージ…

　現在、マクジャクは絶滅危惧種に指定されたことで、保護活動の予算が増えました。キジ科の鳥は鶏の人工授精のノウハウがあるので、それを応用して人工授精と孵卵器で増やす研究が進められています。中国ではパンダを「絶滅危惧」から「脆弱」へレベルを下げることに成功しているので、マクジャクも数を増やそうと頑張っています。

Memo: ●「Jiasa河水电站大坝威胁绿色孔雀、中国云南」
大規模な水力発電プロジェクトが、マクジャクの主要な生息地を脅かすとして建設中止が命じられた。中国での生物多様性に関する、初の公益訴訟となる。
https://ejatlas.org/conflict/jiasa-river-hydropower-station-dam-threatens-green-peafowls-yunnan-china/?translate=cn

マクジャク(緑孔雀)

インドクジャク(青孔雀)

キジ目キジ科クジャク属に属する。中国にはインドクジャクとマクジャク
の2種類が生息しており、首周りが緑で大型なのがマクジャク、首周りが
青いのがインドクジャクだ。中国で合法的に飼育されているのはインドク
ジャクで、マクジャクは第一級保護野生動物に指定されているため食用は
おろか飼育自体も禁止となっている。しかし、貴重となればよりありがた
がるのは人の性なので、野生の密猟が横行するなど問題になっている…

　マクジャクをよりありがたがる世間の空気があるとすると、新しいビジネスモデルが考えられます。
インドクジャクとマクジャクは、オスのロバとメスのウマを掛け合わせたラバのように雑種交配が可能
です。つまり、マクジャクのオスから精液を搾り取ってインドクジャクのメスに種付けすれば、母親が
インドクジャクならインドクジャクの扱いになり、半分はマクジャクでも合法的に売買できることに…。
既にそんな業者があるかもしれません。

　ただ、そもそもの問題として、孔雀の肉や卵には特別な効能は何一つ証明されていないのです。派手
な見た目から火の鳥のイメージと混ざって、特別視されているだけです。インドクジャクもマクジャク
も鶏肉と変わりませんし、卵は少し大きいぐらい。中国では他にもセンザンコウなどユニークな見た目
の生き物が好んで食べられていますが、どれも迷信で希少価値があれば特別な効能があると勘違いして
ありがたがっているだけです。中国には今も科学的な効能より迷信による霊的な効能を信じる風潮が強
く残っているから、孔雀の食材としての需要が存在しています。日本や欧米で孔雀が養殖されていない
のは、霊的な需要が無いからです。

　ちなみに、インドクジャクは生存能力が非常に強く、野生化するとやっかいな鳥です。台湾の金門県
（中国に近い台湾領土の島）では野生のインドクジャクが異常繁殖し、地元住民が孔雀狩りをして食べ
て処理しているようで、日本でも石垣島で同じようなことが起きています。こういった状況を考えると、
中国では破産した業者がインドクジャクを放り出して野生化するのは目に見えています。野良孔雀に悩
む日が、近い将来、訪れるでしょう。

　肉用や卵用の鶏は人間が経済的に都合が良いように最適化し過ぎたため、自衛能力が非常に低くキツ
ネなど野生動物のエサにされる家畜被害が世界中で起きています。そのため、人類が滅亡したら鶏も絶
滅するだろうといわれているほどです。ゆえに、『Dr.STONE』みたいな文明リセットが起きたら、卵
の供給源は鶏から孔雀に変わるかもしれません。

●三和建物 養殖販売事業部
孔雀の養殖設備を販売している。
http://sanwabuilding.com/cultivation/method/peacock/

皆さま、改訂版もお買い上げいただきありがとうございます。

鳥取県から有害指定されてしまった、有害なケダモノ・亜留間次郎です。

前とちょっと内容が変わっているので、今度は有害指定されないように頑張りたいと思いますが、

この本の帯を取ると分かる通り、改訂前と同じく下半身丸出しなのでやっぱりダメかもしれません。

まあ、薬理凶室なので有害指定はむしろご褒美と思ったのですが、Amazonから消されるとは思いませんでした…。

有害指定の経緯についてはラジオライフ編集部から出ているので、興味のある方はそちらを見て下さい。

さて、ここ数年、パンデミックが続き医療に興味を持っていなかった人たちが

医療に興味を持つようになりましたが、それ以上にアンチも湧きました。

日本のCOVID-19(新型コロナウイルス感染症)対策は、世界平均から見て死者数は少なく大成功を収めています。

意外に思うかもしれませんが、経済的なダメージも世界的に少ない部類です。

日本人がお金に困っているのは日本経済がどんどん劣化しているからで、

COVID-19のダメージだけを抽出してみると世界的にも軽傷なのです。

今、振り返ると、日本で最も感染症対策に非協力的だったのは、

「お気持ち商売」をしてる人たちだったように思います。

反ワクチン(アンチワクチン)は、お気持ち商売から湧いて出ました。

なぜお気持ち商売が非協力的だったのか…、顔を売ることに命を賭け目立つことに必死のお気持ち商売にとって、

顔を隠すマスクは受け入れ難い行為だったからです。

大勢の人間とコミュニケーションを取ってコネクション作りを繰り返すことが必須の世界で、

飲み会禁止は活動禁止と同義ともいえ、完璧な感染症対策の実行は、実質的な無期限活動禁止と同じでした。

つまり、彼らなりに感染症対策を受け入れられない事情があったということです…。

とはいえ、上流にいる商売人は今までの実績やコネなどの貯蓄を食い潰しながら、

感染症対策と活動を両立できました。

しかし、三流の商売人はチャンスがすべて消えたためこの"自粛"を受け入れられず、

政府の発表すべてに不満を撒き散らし、アンチマスクからアンチワクチンへと走ったのです。

こうした三流は自分たちの信者であるファンを巻き込んで、

アンチマスク＆アンチワクチンの大増殖を引き起こしました。

お気持ち商売を頂点とした、アンチ集団の誕生です。

テレビや雑誌に医師なのにアンチワクチン系の人が出てくるのは、

彼らの本業が医師ではなくお気持ち商売だからです。医師免許は、彼らのアクセサリーに過ぎません。

お気持ち商売の仕事は、顧客のお気持ちを良くすることです。

気持ち良くなって金を吐き出させれば、顧客の健康も命も知りません。

トンデモ医師の正体は、医師免許の看板を持つお気持ち商売人なのです。

怪しい健康食品をヤツらが宣伝しているのも、目的が健康ではなく顧客のお気持ちを良くすることだからです。

そして、人間はあらゆる判断に、「自分の気分」というバイアスがかかります。

気持ち良い物は素晴らしい物だと思い込みたくなるバイアスが、あらゆる判断に現れます。

これは麻薬を1度使うとやめられなくなる、根幹的な原因のようなものです。

麻薬は人間を気持ち良くしてくれるけど、お気持ち以外のすべてを最悪にしてくれる薬です。

それでも麻薬が減らないのは、人間にとって最も重要度の高いことがお気持ちだからです。

薬理凶室は「科学はすべてを解決する！」が基本の集団ですが、

多くの人間は基本的にお気持ちで解決して生きています。

お気持ち最優先の中で、抗寄生虫薬であるイベルメクチンは、何にでも効く万能霊薬になってしまいました。

その結果、世界中で深刻なイベルメクチン中毒が起きています。

万能霊薬には副作用も害も無いと思い込んでいるので、無節操に飲み続けてしまうからです。

万能霊薬になったイベルメクチンは完全に医療の世界から離れ、

宇宙エネルギーみたいなオカルト商品になってしまいました。

これもお気持ち商売の罪だと思います。

パンデミックの敵は、ウイルスという見えない敵です。

そんな中でお気持ち最優先になった人たちは、見えない敵に対して「存在しない」と否定する道へ走りました。

「コロナはただの風邪」などとという主張です。

そんな彼らが見える殴れる敵に選んだのは、味方であるはずの科学者や医療従事者でした。

人間が決めた法律やルールは、人間の考えを変えれば変えることができます。

文系の評論家の中には、科学的事実や物理法則も法律みたいに人間の考え方次第で変えられる…と、

本気で思っている人が少なからずいるようです。

科学的事実や物理法則は科学者の思想だから…と考えているようで、

それゆえ公開討論で論破すればウイルスは消えると信じているのでしょう。

現実には不可能だからこそ、人の思い次第で物理法則が変わってほしいという願望が存在します。

マンガやアニメや小説といったフィクションは、こうした願望を叶えてくれるエンタメです。

魔法とか呪術が存在するフィクションの世界では、

人間の思いの強さが力になったり、危機的状況から一発逆転する作品が大ヒットしています。

サイエンスフィクションでも観察者効果などを持ち出して、

科学的にもあり得るかのように作品が作られています。

現実に不可能でも多くの人間がそうなってほしいと願っているから、

フィクションの世界で実現されているわけです。

彼らは、現実とフィクションの区別がついていません。

こうした現実と願望の区別がつかない人間は、

COVID-19対策で人間同士の接触が減ると急激に強くなりました。

昔の人が「地に足がついていない」と呼んでいた、現実から乖離した考えが強くなったのです。

こうした人たちは、学者を論破すれば物理法則が変わると思い込んで活動しましたが、

論破して現実に起こるのはウイルスの消滅ではなく、感染症対策の消滅です。

そして、感染症対策が消滅すれば、COVID-19の患者や死者がどれほど出ようともカウントされなくなります。

実際に政治的な事情からCOVID-19の存在を否定して、ある時から患者数の公表を止めた国がありました。

東アフリカに位置するタンザニアです。

タンザニアの公式データでは、COVID-19の患者が1年以上も0のままでした。

ただ皮肉にも、全否定したタンザニアの大統領自身が、COVID-19と疑われる病気で死んでいます。

そして政府要人や富裕層は、自国の病院では存在しないことになっているCOVID-19の治療が一切できないため、

隣のケニアに治療に行きました。

また、スウェーデンでは国民の自主性を尊重するという方針の下、

ロックダウンもマスクもしない政策を取ったのですが…結果を見る限り大失敗。

人口当たりの死者は日本をはるかに上回り、高齢者の多くが犠牲になりました。

現実を無視して自分の考えに浸った代償は、決定した政治家ではなく国民に重くのしかかったのです。

フィクションのリアリティは、読者を納得させなければならないので、読者が納得するように作られています。

「事実は小説よりも奇なり」ということわざがありますが、

これは単純に現実がリアリティを無視しているだけです。

現実は誰も納得できなくても、読者が死に絶えても全く関係ありません。

科学者を論破したところで願望の発散にしかならず、現実は何も変わりません。

人間様はお気持ちではなく理論的思考で考えることができるはずですが、

低脳な下等生物以下の人間様がお気持ちで判断を誤ってきました。

「科学はすべてを解決する!」の対極は、「お気持ちは何も解決しない!」です。

ワシみたいな低脳な下等生物以下の人間にならないために、コレだけは覚えておいて下さい。

「科学はすべてを解決する!」

薬理凶室

亜留間次郎

初出記事出典元の主なサイト

文／編集部

　2018年10月7日、特殊系ニュースサイト「TOCANA」にて、1本の記事が公開されました。「電極アナル挿入、キンタマ注射針、精子ダダ漏れ薬…『強制射精』の世界を亜留間次郎が徹底解説！」
　下ネタを医学的に解説するという禁じ手のような記事のインパクトは凄まじく、Twitterで拡散され驚異的なツイートとリツイートによりとんでもないPV数を叩き出したのです。
　さらにその1週間後、公開された記事がコチラ。
　「【閲覧注意】第二の処女膜『子宮口の処女』を奪う…はありえるのか亜留間次郎が医学的に解説！　チ〇コ、乾燥昆布、大量タンポン…」
　連載開始2本目にて、18歳未満閲覧禁止になりました。この記事最大の見所は子宮口の実物写真で、撮影が亜留間次郎本人という点。SNS上で大きな話題になったのは言うまでもありません（本書49ページに収録）。そんな亜留間次郎の連載は一時期、諸事情により休止していましたが、2023年2月から復活。不定期で投入されています。2023年8月上旬現在、74本の記事が公開中です。ア理科関連のサイトと併せてぜひチェックしましょう（公開停止になる前に…）。

TOCANA
https://tocana.jp/

2011年開設の知的好奇心を刺激するニュースサイト。名前の由来は「ホントカナ？」の「トカナ」。2018年10月より亜留間次郎の連載が始まり、新規記事が公開されている。なお、公開停止となった記事もある（上述した2本も現在は非公開）

アリエナイ理科ポータル
https://www.cl20.jp/portal/

薬理凶室の公式サイト。メルマガ記事やイベント＆グッズ情報がまとめられている。亜留間次郎の記事も公開中だ

科学はすべてを解決する!!
ニコニコ秘密基地
https://ch.nicovideo.jp/
kagaku-kaiketu

2023年3月にニコニコ動画内でスタートした有料チャンネル。薬理凶室の各怪人が、持ち回りでブロマガを担当している

亜留間次郎／YouTube
https://www.youtube.com/
@almazirou

薬理凶室の「科学はすべてを解決する！」とは別の、亜留間次郎の個人チャンネル。突発的に生放送が行われる

2023年9月25日 第1刷発行

文：亜留間次郎
監修：薬理凶室

発行人：塩見正孝

編集：ラジオライフ編集部

イラスト：ケイ

怪人キャラクターデザイン：くがほたる　くられ　夢路キリコ

デザイン：ヤマザキミヨコ(ソルト)
DTP：伊草亜希子(ソルト)

発行所：株式会社三才ブックス
　　　　〒101-0041
　　　　東京都千代田区神田須田町
　　　　2-6-5 OS'85ビル3階
　　　　TEL 03-3255-7995
　　　　FAX 03-5298-3520
　　　　URL http://www.sansaibooks.co.jp/
　　　　mail info@sansaibooks.co.jp
　　　　郵便振替口座　00130-2-58044

印刷・製本：図書印刷

ISBN978-4-86673-381-4
C0040